SÉRIE ISKARI
vol. 1: *A caçadora de dragões*

Kristen Ciccarelli

A Caçadora de Dragões

ISKARI
vol. 1

Tradução
ERIC NOVELLO

3ª reimpressão

O selo jovem da Companhia das Letras

Copyright © 2017 by Kristen Ciccarelli
Todos os direitos reservados. Publicado mediante acordo com Lennart Sane Agency AB.

O selo Seguinte pertence à Editora Schwarcz S.A.

Grafia atualizada segundo o Acordo Ortográfico da Língua Portuguesa de 1990, que entrou em vigor no Brasil em 2009.

TÍTULO ORIGINAL The Last Namsara
CAPA, ILUSTRAÇÕES DE CAPA E MIOLO kakofonia.com
PREPARAÇÃO Lígia Azevedo
REVISÃO Renato Potenza Rodrigues e Érica Borges Correa

Dados Internacionais de Catalogação na Publicação (CIP)
(Câmara Brasileira do Livro, SP, Brasil)

Ciccarelli, Kristen
   A caçadora de dragões : Iskari : vol. 1/ Kristen Ciccarelli ; tradução Eric Novello. — 1ª ed. — São Paulo : Seguinte, 2018.

   Título original: The Last Namsara.
   ISBN 978-85-5534-052-9

   1. Ficção canadense 2. Ficção fantástica I. Título. II. Série

18-13106   CDD-813

Índice para catálogo sistemático:
1. Ficção : Literatura canadense em inglês 813

[2021]
Todos os direitos desta edição reservados à
EDITORA SCHWARCZ S.A.
Rua Bandeira Paulista, 702, cj. 32
04532-002 — São Paulo — SP
Telefone: (11) 3707-3500
www.seguinte.com.br
contato@seguinte.com.br

/editoraseguinte
@editoraseguinte
Editora Seguinte
editoraseguinteoficial

Para Joe,
companheiro amado e campeão de todos os meus sonhos

Um

Asha atraiu o dragão com uma história.

Era uma história antiga, mais antiga do que as montanhas às suas costas. Asha precisou extraí-la de seu interior, onde estava guardada, adormecida.

Ela odiava fazer aquilo. Contar tais histórias era proibido, perigoso e até mesmo mortal. Mas, depois de perseguir o dragão através das pradarias rochosas por dez dias, seus caçadores estavam sem comida. Asha precisava escolher entre voltar para a cidade sem um dragão ou violar a lei de seu pai que tornava os antigos contos proibidos.

Asha nunca tinha voltado sem matar um dragão, e não pretendia começar agora. Afinal, ela era a iskari, e tinha metas para atingir.

Então contou a história.

Em segredo.

Enquanto seus caçadores achavam que ela estava afiando seu machado.

O dragão veio, deslizando pelo limo vermelho e dourado como a criatura traiçoeira que era. A areia caía em cascata por seu corpo e brilhava como água, revelando escamas de um cinza sem graça da mesma cor da montanha.

Três vezes maior que um cavalo, ele se agigantou sobre Asha, fixando o olhar fendido na garota que o atraíra até ali, chicoteando seu rabo bifurcado.

Asha assoviou para os caçadores se protegerem com seus escudos, depois acenou para os arqueiros. O dragão havia passado a noite enterrado na areia fria do deserto. O sol tinha acabado de nascer, de modo que sua temperatura corporal não estava alta o bastante para que conseguisse voar.

Ele estava preso ao solo — e um dragão preso lutava com toda a sua força.

Asha firmou a mão esquerda em um escudo oblongo e levou a direita ao machado no quadril. A grama áspera arranhou seus joelhos enquanto o dragão a circundava, esperando que baixasse a guarda.

Foi o primeiro erro que ele cometeu. Asha *nunca* baixava a guarda.

O segundo foi cuspir fogo.

Asha tinha perdido o medo do fogo depois que o primeiro dragão deixara uma cicatriz profunda no lado direito de seu corpo. Agora, uma armadura à prova de chamas, feita com o couro de todos os dragões que já havia matado, a cobria da cabeça aos pés. O couro curtido sobre sua pele e o elmo favorito, com chifres negros, que imitava a cabeça de um dragão, a protegiam.

Ela manteve o escudo erguido até a labareda se extinguir.

O fôlego do dragão acabou. Asha largou o escudo. Ela tinha apenas uma centena de batidas de coração antes que o ácido fosse reposto nos pulmões da criatura, permitindo que expelisse fogo novamente. Precisava matá-lo antes.

Asha pegou o machado. A borda curva de ferro refletiu o brilho do sol da manhã. Sob seus dedos cheios de cicatrizes, o cabo de madeira estava gasto, permitindo um encaixe confortável.

O dragão sibilou.

Asha estreitou os olhos. *Chegou a sua hora.*

Antes que ele pudesse avançar, ela mirou e arremessou o machado direto em seu coração. A arma afundou na carne, e o dragão rugiu. Ele se debateu e sacudiu enquanto sangue esguichava na areia. Então fixou seus olhos furiosos em Asha, rangendo os dentes.

Alguém parou ao lado dela, tirando sua concentração. Asha virou e viu sua prima Safire enfiando uma alabarda na areia. Safire olhava para o dragão. Seu cabelo escuro ia até o queixo, deixando expostas as maçãs do rosto oblíquas e vigorosas e a sombra de um machucado na mandíbula.

— Falei para ficar atrás dos escudos — Asha grunhiu. — Cadê seu elmo?

— Não dá pra ver nada com ele. Deixei com os caçadores.

Asha tinha feito o equipamento de couro curtido de Safire às pressas. A garota também usava as luvas à prova de fogo da prima, que não teve tempo de confeccionar um novo par.

O dragão ensanguentado se arrastou pela areia, tentando alcançar Asha. Suas escamas abriam um buraco por onde passava. Sua respiração parecia um chiado.

Asha pegou a alabarda. Quanto tempo havia se passado desde a última baforada de fogo? Ela não sabia mais.

—Vá para trás dos escudos, Saf.

A prima não se moveu. Só encarou hipnotizada o dragão moribundo, cujos batimentos desaceleravam.

Tum-tum.

Tum-tum.

O som de rastejo parou.

O dragão inclinou a cabeça para trás e soltou um grunhido de ódio. Um segundo antes de seu coração parar de bater, chamas subiram por sua garganta.

Asha parou na frente da prima.

— Abaixe!

Sua mão desprotegida ainda estava esticada. Exposta. O fogo a envolveu, queimando a pele. Asha engoliu o grito de dor.

Quando o dragão desabou, ela viu Safire de joelhos na areia, sã e salva. Protegida das chamas.

Asha deixou escapar um suspiro trêmulo.

Safire viu a mão da prima.

—Você se queimou.

Asha tirou o elmo e ergueu a mão diante do rosto. A pele carbonizada borbulhava. Ardia, brilhante e quente.

O pânico a percorreu. Ela não era queimada por um dragão havia oito anos.

Asha examinou seus caçadores, baixando os escudos. Eles não usavam armadura, apenas ferro — ferro nas flechas, alabardas e lanças, ferro nas coleiras em seus pescoços, que marcavam sua condição de escravos. Todos olhavam atentos para o dragão. Não sabiam que a iskari havia sido queimada.

Ótimo. Quanto menos testemunhas melhor.

— Fogo de dragão é tóxico, Asha. Você precisa cuidar disso.

Ela assentiu. Só que não tinha suprimentos para tanto. Eles não costumavam ser necessários.

Para disfarçar, ela foi pegar sua bolsa. Atrás dela, Safire disse em uma voz muito baixa:

— Pensei que eles não soprassem mais fogo.

Asha congelou.

Não sem histórias, ela pensou.

Safire ficou de pé e largou a armadura de couro. Seus olhos evitaram Asha quando perguntou:

— Por que começaram agora?

Asha desejou ter deixado a prima para trás.

Mas se tivesse feito isso não haveria somente os resquícios de um ferimento em sua mandíbula. Haveria algo muito pior.

Asha tinha encontrado Safire cercada por soldats em seu próprio aposento dois dias antes de ser enviada para aquela caçada. Como eles conseguiram entrar sem uma chave, não tinha como saber.

A chegada da iskari os assustou e dispersou. Mas e se acontecesse de novo? Asha iria passar dias caçando, e seu irmão Dax ainda estava na savana, negociando a paz com o comandante Jarek. Não havia ninguém para ficar de olho em sua prima com sangue skral. Então Asha resolveu levar Safire consigo. Porque, se existia algo pior do que voltar para casa de mãos vazias, era voltar e encontrar a prima na enfermaria.

O silêncio de Asha não dissuadiu Safire.

— Lembra quando você partia ao amanhecer e antes do jantar já tinha derrubado um dragão? O que mudou de lá pra cá?

A dor abrasadora das bolhas se formando na pele deixou Asha tonta. Ela lutou para se manter focada.

— Talvez as coisas fossem mais fáceis naquela época — ela disse, assoviando para os caçadores e sinalizando para começarem o desmembramento. — Ou talvez eu só prefira um desafio.

A verdade era que o número de dragões vinha diminuindo ao longo dos anos, e estava ficando cada vez mais difícil levar cabeças para seu pai. Por isso Asha andava contando as antigas histórias em segredo, com o intuito de atraí-los. Nenhum dragão resistia a uma história sendo contada; eram como as joias para os homens.

Mas atrair os dragões não era o único efeito que as histórias causavam: elas também os deixavam mais fortes.

Por isso o fogo.

Onde as histórias antigas eram contadas, havia dragões; onde havia dragões, havia destruição, traição — e fogo, principalmente. Asha sabia disso melhor do que ninguém. A prova estava bem ali.

Safire soltou um suspiro e desistiu.

— Vá tratar essa queimadura — ela disse, deixando a alabarda enfiada na areia e já andando na direção da criatura gigantesca. Enquanto os escravos avançavam sobre o dragão, Safire deu uma volta completa em torno do corpo para avaliá-lo. O tom acinzentado das escamas era perfeito para a camuflagem, e seus chifres e sua crista de marfim permaneciam intactos.

Asha tentou flexionar os dedos queimados. A dor aguda a fez morder os lábios com força, transformando as terras baixas em uma paisagem borrada de areia vermelha, grama amarela e pedra cinza. Estavam na fronteira: nem no deserto plano que ficava a oeste nem nas montanhas escuras e íngremes a leste.

— É lindo — Safire gritou de onde estava.

Asha se esforçou para se concentrar na prima, que começava a se tornar um borrão, com todo o resto. Ela sacudiu a cabeça, tentando clarear a vista. Não funcionou, então se segurou na alabarda de Safire.

— Seu pai vai ficar muito feliz.

A voz da prima soava distante e abafada.

Se meu pai soubesse a verdade, Asha pensou, amargurada.

Ela queria que a paisagem parasse de girar à sua volta. Segurou a alabarda com mais força, tentando se concentrar na prima.

Safire navegava por entre os escravos, cujas facas brilhavam. Asha a ouviu pegar o machado fincado na criatura. Ouviu a prima apoiar o salto da bota no couro cheio de escamas do dragão. Ouviu quando ela arrancou a arma, espalhando sangue espesso e grudento pela areia.

Mas já não conseguia mais vê-la.

O mundo inteiro tinha ficado branco, impreciso.

— Asha? Você está bem?

Asha apoiou a testa no aço da alabarda. Os dedos de sua outra mão se curvaram como garras em volta dela enquanto lutava para controlar a tontura.

Eu devia ter mais tempo.
Ela ouviu passos apressados na areia.
— Asha, qual é o problema?

O chão pareceu inclinar. Sem pensar, buscou a prima de sangue skral. Aquela que, segundo a lei, não tinha permissão para tocá-la.

Safire respirou fundo e recuou, saindo de seu alcance. Asha lutou para recuperar o equilíbrio, mas afundou na areia.

Quando o olhar de Safire desviou para os caçadores, apesar de Asha saber que era o julgamento deles que a prima temia, e não ela, aquilo doeu. Nunca deixava de doer.

Mas escravos falavam. Safire sabia disso melhor do que ninguém — seus pais haviam sido traídos por eles. E, naquele momento, elas estavam cercadas de escravos. Escravos que sabiam que Safire não tinha autorização para encostar em Asha ou sequer olhá-la nos olhos. Não com sangue skral correndo em suas veias.

— Asha...

De repente, o mundo voltou ao lugar. Asha piscou. Estava ajoelhada na areia. O brilho vermelho contra o céu turquesa coloria o horizonte. E o dragão derrotado permanecia à sua frente, cinza e morto.

Safire se agachou diante dela. Perto demais.

— Não faça isso. Estou bem — Asha disse, soando mais ríspida do que pretendia.

Ela levantou, mordendo os lábios ao sentir a dor escaldante na mão. Não era possível que as toxinas tivessem agido tão rápido. Devia estar desidratada. Só precisava de água.

— Você nem devia estar aqui — Safire falou, preocupada. — Só faltam sete dias. Deveria estar se preparando para a união, e não fugindo dela.

Os passos de Asha vacilaram. Apesar da mão ardendo e do sol que nascia, um arrepio percorreu seu corpo.

— Não estou fugindo de nada — ela disse, encarando o manto verde ao longe. A fenda. A liberdade.

O silêncio recaiu sobre elas, interrompido somente pelo som dos escravos afiando as facas. Safire parou atrás dela.

— Ouvi dizer que corações de dragão estão na moda. — Asha podia ouvir o sorriso cuidadoso na voz da prima. — São ótimos presentes de noivado.

Ela torceu o nariz só de pensar. Abaixou junto à sua mochila de caça, feita de couro endurecido de pele de dragão, e tirou seu odre de dentro dela.

— A lua vermelha vai minguar daqui a sete dias, Asha. Já pensou em qual vai ser seu presente?

Asha levantou para dar uma bronca na prima, mas o mundo voltou a girar. Ela o manteve no lugar por pura força de vontade.

É claro que havia pensado naquilo. Toda vez que olhava para a terrível lua, sempre um pouco mais fina do que no dia anterior, ela pensava no presente, no casamento, no jovem que em breve chamaria de *marido*.

A palavra era como uma pedra dentro dela. Pensar nela ajudou Asha a ajustar seu foco.

Safire sorria de leve, com os olhos voltados na direção das colinas.

— Olha só, tem presente melhor que um coração sangrento de dragão para um homem que nem coração tem?

Asha balançou a cabeça, mas o sorriso da prima era contagiante.

— Por que você precisa ser tão desagradável?

Uma nuvem de areia vermelha subia ao longe, sobre o ombro de Safire, vinda da direção da cidade.

A princípio Asha pensou que fosse uma tempestade de areia. Estava prestes a gritar uma ordem quando se deu conta de que estavam cercados por rochas, e não pelo deserto. Asha apertou os olhos para enxergar mais longe e distinguiu dois cavalos se aproximando. Um deles levava um homem encoberto por um manto, o tecido voando com o movimento do animal. Ele tinha uma coleira dourada presa em seu pescoço, que brilhava à luz do sol — um sinal de que era um dos escravos do palácio.

Asha escondeu a mão queimada atrás das costas.

Quando a poeira assentou, ela viu o velho escravo diminuindo a velocidade de sua égua. Seu cabelo grisalho estava molhado de suor. Ele apertou os olhos sob a luz pulsante do sol.

— *Iskari* — ele disse, sem fôlego. Ele se concentrou na crina agitada da égua, evitando os olhos de Asha. — Seu pai deseja vê-la.

Asha cerrou o punho atrás das costas.

— Ele não podia escolher uma hora melhor. Vou entregar essa cabeça de dragão a ele hoje à noite.

O velho sacudiu a cabeça, com o olhar ainda centrado na égua.

— Você deve retornar imediatamente ao palácio.

Asha franziu a testa. O rei-dragão nunca interrompia suas caçadas.

Ela olhou para a outra égua que tinha chegado sem cavaleiro e reconheceu Oleander, sua montaria. Seus pelos castanho-avermelhados brilhavam de suor e uma mancha de areia vermelha cobria a estrela branca em sua testa. Oleander balançou a cabeça diante de sua dona.

— Posso cuidar das coisas aqui — disse Safire. Asha virou para ela, que não ousou encará-la diretamente. Não sob o olhar atento do escravo real. — Te vejo em casa. — Safire soltou as tiras de couro das luvas emprestadas. — Você não devia ter me dado isso. — Ela as entregou a Asha. — Agora vá.

Ignorando a dor e a pele em carne viva e cheia de bolhas, Asha vestiu as luvas para que o escravo de seu pai não visse sua mão queimada. Ela deu as costas para Safire, pegou as rédeas de Oleander e montou. O animal se inquietou embaixo dela, começando a galopar quando Asha a acertou de leve com os calcanhares.

—Vou guardar o coração pra você — Safire gritou, enquanto Asha acelerava na direção da cidade, levantando redemoinhos de areia vermelha. — Caso mude de ideia!

No começo...

O Antigo se sentia solitário. Então, para ter companhia, criou dois seres. O primeiro foi formado a partir do céu e do espírito, e recebeu o nome de Namsara. Era um menino de ouro. Quando ria, estrelas brilhavam em seus olhos. Quando dançava, guerras chegavam ao fim. Quando cantava, doenças eram curadas. Sua presença por si só era o bastante para unir o mundo.

O Antigo criou o segundo ser com sangue e luar, e lhe deu o nome de Iskari. Era uma menina triste. Aonde Namsara levava risadas e amor, Iskari levava destruição e morte. Quando Iskari aparecia, as pessoas se escondiam em suas casas. Quando falava, todos choravam. Quando ela caçava, nunca errava o alvo.

Infeliz com a própria natureza, Iskari foi atrás do Antigo e pediu que a refizesse. Odiava sua essência; desejava ser mais parecida com Namsara. Quando o Antigo se recusou, ela perguntou o motivo. Por que cabia a seu irmão criar coisas e a ela destruí-las?

— O mundo precisa de equilíbrio — respondeu o Antigo.

Iskari deixou o deus supremo e foi caçar furiosa. Fez isso por dias. Semanas. A fúria aumentava e sua sede de sangue se tornava cada vez mais insaciável. Ela matou sem piedade nem ternura, sentindo seu ódio se intensificar. Odiava o irmão por ser feliz e amado. Odiava o Antigo por ter feito as coisas daquela maneira.

Então, quando saiu para caçar num certo dia, Iskari decidiu montar armadilhas para o próprio Antigo.

Foi um erro terrível.

O Antigo a derrubou, deixando nela uma cicatriz tão longa quanto a cordilheira da Fenda. Para pagar por tal crime, ele tornou Iskari mortal, arrancando sua imortalidade como se fosse uma roupa de seda. O Antigo também amaldiçoou seu nome e a enviou para vagar sozinha pelo deserto, assombrada por ventos ardentes e tempestades de areia. Para secar sob o sol abrasador. Congelar sob o manto gelado da noite.

Mas nem o calor nem o frio foram capazes de matá-la.

Quem o fez foi a solidão insuportável.

Namsara procurou Iskari pelo deserto. O céu mudou sete vezes antes que encontrasse seu corpo na areia, sua pele queimada pelo sol, seus olhos comidos pelos corvos.

Ao ver sua irmã morta, ele caiu de joelhos e chorou.

Dois

ASHA TINHA O COSTUME DE TOMAR BANHO DEPOIS DE MATAR. Tirar o sangue, a areia e o suor do corpo era um ritual que ajudava na transição do mundo árduo e selvagem além dos muros do palácio para uma vida que era amarrada em torno de suas costelas e a apertava como um espartilho.

Naquele dia, Asha não se banhou. Apesar da convocação do pai, ela passou direto pelos guardas e se dirigiu à enfermaria. Era uma sala que cheirava a cal. A luz do sol se espalhava pelo terraço aberto, projetando o padrão de flores das treliças no chão, e deixando as prateleiras de frascos de terracota sob tons amarelos e dourados.

Oito anos antes, ela havia acordado naquele aposento depois de ter sido queimada por Kozu, o primeiro dragão. Asha se lembrava de tudo com clareza: seu corpo envolvido por ataduras em uma maca, a sensação terrível pressionando seu peito, pesada como uma pedra, indicando que havia feito algo terrivelmente errado.

Asha atravessou o arco e afastou a lembrança. Desatou a armadura e as luvas, tirando peça por peça, e deixou o machado no topo da pilha.

Além do fato de derreter a pele até os ossos, o fogo de dragão era tóxico. A menor das queimaduras poderia matar alguém de dentro para fora se fosse tratada de forma inadequada ou tardia. Uma queimadura severa, como a que Asha havia sofrido oito anos antes, exigia cuidados imediatos, e mesmo assim as chances de sobrevivência eram quase nulas.

Asha tinha uma receita para expurgar as toxinas, mas o tratamento requeria que a queimadura ficasse coberta por dois dias — um tempo do qual ela não dispunha. Seu pai a havia convocado, e já devia saber que ela estava de volta ao palácio. Mais uma vez, seu tempo se limitava a uma centena de batidas de coração.

Asha abriu os armários e pegou potes cheios de cascas e raízes, à procura de um ingrediente específico. Na pressa, usou a mão queimada. A dor que sentiu quando pegou o frasco de terracota foi tão forte que não conseguiu segurá-lo.

O frasco se espatifou no chão em uma explosão de cacos vermelhos e curativos de linho.

Asha xingou, ajoelhando para arrumar a bagunça com uma mão só. Sua mente estava tão perturbada pela dor que não notou quando alguém se aproximou para ajudar.

— Pode deixar, iskari.

A voz a fez pular. Ela olhou para uma coleira prateada, depois para o emaranhado de cabelos.

Asha observou as mãos sardentas que recolhiam tudo. Ela as reconheceu. Eram as mesmas que levavam os pratos de Jarek no jantar. As mesmas que serviam chá de hortelã nos copos de vidro de Jarek.

Asha ficou tensa. Se o escravo de seu noivo estava no palácio, então ele também estava. Jarek devia ter retornado da savana, para onde fora enviado para acompanhar as negociações de Dax.

É por isso que meu pai me convocou?

Os dedos do escravo ficaram imóveis de repente. Quando Asha olhou para cima, ela o pegou observando sua queimadura.

— Iskari... — Ele franziu a testa. — Precisa tratar isso.

A irritação queimou dentro dela como uma fogueira recém-abastecida. Era óbvio que precisava cuidar da queimadura. Já estaria fazendo aquilo se não tivesse sido tão descuidada.

Mas tão importante quanto tratar sua queimadura era garantir o silêncio dele. Jarek com frequência usava escravos para espionar seus inimigos. No momento em que Asha o dispensasse, ele poderia ir correndo a seu mestre contar tudo.

E, assim que Jarek soubesse, o pai dela também saberia.

E então saberia que ela andava contando as antigas histórias. Saberia que continuava a ser a mesma garota corrompida.

— Se contar isso para alguém, skral, a última coisa que vai ver será meu rosto te olhando do alto do poço.

O escravo apertou os lábios e baixou o olhar para o azulejo do chão, com um padrão elaborado de namsaras — flores raras do deserto que podiam curar qualquer doença.

— Perdão — ele disse, voltando a recolher os cacos de terracota —, mas meu mestre me deu ordens de não aceitar ordens vindas da iskari.

Os dedos dela procuraram o machado, que estava apoiado contra a parede.

Ela poderia ameaçá-lo, mas talvez aquilo só fizesse com que ele se vingasse espalhando seus segredos. Suborno era um caminho mais seguro.

— E se eu te der algo em troca do seu silêncio?

Os dedos dele pararam de se mover.

— O que você iria pedir?

O canto da boca do escravo se curvou de leve, fazendo os pelos nos braços de Asha se eriçarem.

— Não tenho o dia inteiro — ela disse, desconfortável.

— Não. — O sorriso sumia enquanto ele olhava para sua pele em carne viva e cheia de bolhas. — Você não tem. — O corpo dela começava a tremer por causa da infecção. — Me permita pensar a respeito enquanto trata a queimadura.

Asha o deixou limpando o resto da bagunça, preocupada com o tremor que sentia. Ela voltou às prateleiras e encontrou o que queria: osso de dragão em pó.

Sozinho, era tão mortal quanto fogo de dragão, apesar de envenenar a vítima de um jeito diferente: osso de dragão roubava os nutrientes de um corpo. Asha nunca tinha visto ninguém morrer daquilo, mas havia uma história antiga sobre uma rainha-dragão que queria ensinar uma lição aos seus inimigos. Após convidá-los para o palácio como convidados de honra, ela colocara uma pitada de pó de osso de dragão na comida noite após noite. Na última manhã de sua estada, todos haviam sido encontrados mortos na cama, seus corpos ocos por dentro. Como se tivessem sido esvaziados de sua vida.

Apesar dos riscos, na quantidade exata, com a combinação correta de ervas, osso de dragão era a única coisa que podia drenar as toxinas do fogo de dragão. Asha retirou a tampa de cortiça e separou a quantidade adequada.

Um bom escravo sempre se antecipava às necessidades dos outros. Enquanto Asha reunia os ingredientes faltantes, então esmagava e fervia tudo para formar uma pasta grossa, o escravo de Jarek cortou faixas de linho para fazer o curativo.

— Onde ele está? — ela perguntou enquanto mexia, tentando acelerar o processo de resfriamento. Não precisava dizer o nome de Jarek para que o escravo soubesse a quem se referia.

— Dormindo depois de algumas taças de vinho. — Ele parou de rasgar o linho para olhar para as mãos dela. — Acho que já está frio o suficiente, iskari.

Asha olhou na direção do olhar dele. Suas mãos tremiam muito. Soltou a colher e as ergueu diante do rosto, observando o tremor.

— Eu devia ter mais tempo...

O escravo pegou o pote dela, perfeitamente calmo.

— Sente — ele disse, apontando com o queixo para a mesa. Como se estivesse no comando, e ela tivesse que obedecê-lo.

Asha não gostou de receber ordens dele. Mas gostava menos ainda dos tremores violentos. Subiu na mesa com uma mão enquanto o escravo pegava uma colher da pasta escura e soprava devagar até que parasse de sair vapor. Ela manteve a mão queimada parada sobre a coxa enquanto ele usava a colher para espalhar a pasta granulosa.

Asha assoviou entre dentes ao sentir uma dor aguda. Mais de uma vez, o escravo parou, preocupado com os sons que ela fazia. Ela só balançava a cabeça para que prosseguisse. Apesar do cheiro horrível — de osso queimado —, Asha sentia o preparado funcionando: uma sensação fresca se aprofundava e espalhava, combatendo a dor escaldante.

— Está melhorando? — Ele manteve os olhos baixos enquanto assoprava outra colherada.

— Sim.

O escravo cobriu a queimadura com a pasta mais duas vezes, depois pegou a primeira faixa de linho.

Mas quando foi enrolá-la, os dois hesitaram. Asha se afastou, mas ele se manteve congelado no lugar, inclinado sobre ela. O linho esbranquiçado pendia como um dossel em suas mãos, e o mesmo pensamento passava pelas mentes dos dois: para enrolar a queimadura, ele precisaria encostar nela.

Um escravo que tocasse um draksor sem a permissão de seu mestre poderia ser sentenciado a três noites sem comida no calabouço. Se a ofensa fosse mais severa — com um draksor de hierarquia mais alta, como Asha — também seria açoitado. Na eventualidade de um contato íntimo, como um caso amoroso, o que era bastante raro, o escravo poderia ser mandado à arena para morrer.

Sem a permissão de Jarek, ele não podia tocá-la.

Asha fez menção de pegar o linho para fazer ela mesma o curativo, mas o escravo recuou para fora de seu alcance. Ela o observou, muda, enquanto ele se aproximava para enfaixar sua mão — devagar e com cuidado, as mãos ágeis evitando o contato de modo inteligente.

Asha levantou a cabeça e olhou para aquele rosto comprido e estreito, cheio de sardas, tão numerosas quanto as estrelas no céu noturno. Ele estava tão próximo que dava para sentir o calor que emanava e o cheiro de sal em sua pele.

Se percebia que ela o observava, o escravo não demonstrou. O silêncio preencheu o espaço entre ambos enquanto ele passava o linho várias vezes ao redor de sua mão ferida.

Asha estudou as mãos dele. Palmas grandes. Dedos compridos. Calos na ponta dos dedos.

Um lugar estranho para calos em um escravo doméstico.

— Como isso aconteceu? — ele perguntou enquanto trabalhava.

Asha notou que o escravo quase levantou os olhos para ela, mas se conteve. Ele se esticou para pegar a próxima faixa, menor, e começou a envolvê-la em seus dedos.

Contei uma história antiga.

Asha se perguntou até onde um skral poderia saber sobre a ligação entre elas e fogo de dragão.

Mas ninguém podia saber a verdade, então ela ficou quieta. Depois de todos aqueles anos tentando consertar seus erros, Asha continuava tão corrompida como sempre. Se alguém a abrisse e olhasse, encontraria um interior similar ao seu exterior: repleto de cicatrizes. Assustador, terrível.

Uma história sobre Iskari e Namsara.

Iskari era a deusa de quem Asha havia recebido seu título. Nos dias atuais, iskari significava *ceifadora de vidas*.

Ao longo do tempo, o significado de namsara também havia mudado, passando a indicar a flor curativa retratada nos azulejos, bem como um título, dado a alguém que lutava por uma causa nobre, seu reino ou suas crenças. *Namsara* evocava a imagem de um herói.

— Matei um dragão — Asha disse por fim. — Ele me queimou enquanto morria.

O escravo escondeu as extremidades das ataduras. Seus dedos deslizaram ao redor do pulso dela para deixá-las mais firmes, como se tivesse esquecido por completo quem estava à sua frente.

Asha inspirou com força ao toque. Ele percebeu sua violação e ficou totalmente imóvel.

Um comando veio à ponta da língua de Asha. Antes que o vociferasse, o escravo falou em um tom muito tranquilo:

— Está se sentindo melhor?

Como se ele se preocupasse mais com a queimadura dela do que com a própria vida.

Como se não tivesse medo da iskari.

A ordem morreu na boca de Asha. Ela olhou para os dedos dele em volta do seu punho. Sem tremer ou hesitar — quentes, firmes e fortes.

Ele não tinha medo?

Quando Asha não respondeu, o escravo fez algo ainda pior. Direcionou seu olhar para ela.

Um calor inesperado a percorreu. Os olhos dele eram tão penetrantes quanto uma lâmina afiada. Ele deveria desviar o rosto, mas seu olhar duro como aço passou dos olhos dela — pretos como os de sua mãe — para a cicatriz enrugada que ia do rosto ao pescoço e então desaparecia sob a gola da camisa.

As pessoas sempre olhavam. Asha já estava acostumada. Crianças apontavam, mas a maioria desviava os olhos com medo. Aquele escravo, contudo, demorou-se nela. Seu olhar era curioso e atento, como se Asha fosse uma tapeçaria e ele não quisesse perder um único detalhe.

Ela sabia o que ele via, porque via o mesmo toda vez que se olhava no espelho: uma pele marcada, manchada, descolorida. Surgindo no alto da testa e descendo pela bochecha direita. Cortando a ponta de sua sobrancelha e a borda do cabelo. Alongando-se pela orelha, que nunca recuperara sua forma original. A cicatriz ocupava um terço do rosto e metade do pescoço, descendo pelo lado direito do corpo.

Safire uma vez perguntara se ela odiava a visão da própria imagem. Mas não. Asha havia sido queimada pelo dragão mais feroz de todos e sobrevivera. Quem podia dizer o mesmo?

Ela ostentava a cicatriz como uma coroa.

O escravo baixou o olhar, como se imaginasse a continuação da cicatriz sob as roupas. Como se imaginasse o restante de Asha sob as roupas.

Aquilo despertou algo nela. Sua voz saiu afiada como uma faca.

— Continue olhando, skral, e logo você não vai mais ter olhos.

Ele ergueu o canto da boca. Como se tivesse aceitado o desafio.

Aquilo a fez pensar na revolta do ano anterior, quando um grupo de escravos assumira o controle dos alojamentos, mantendo draksors como reféns e matando todo e qualquer soldat que se aproximasse. Foi Jarek quem se infiltrou nos alojamentos dos escravos e pôs um fim à revolta, executando ele mesmo cada escravo envolvido.

Esse skral é tão perigoso quanto o resto deles.

De repente, Asha quis seu machado. Deu impulso para sair da mesa e colocar algum espaço entre eles.

— Decidi meu pagamento — ele disse atrás dela.

Asha desacelerou o passo e virou para encará-lo. O escravo tinha dobrado a sobra de linho e já estava raspando o que havia restado do unguento no fundo do recipiente.

Como se não tivesse acabado de descumprir a lei.

— Em troca do meu silêncio — a colher de madeira raspava a terracota —, quero uma dança.

Asha o encarou.

Como?

Primeiro ele ousava encará-la, agora exigia uma dança?

Só podia estar louco.

Ela era a iskari. Não dançava. E, mesmo se dançasse, nunca dançaria com um skral. Aquilo era absurdo. Inimaginável.

Proibido.

— Uma dança — ele repetiu, então olhou para cima, para os olhos dela. Mais uma vez, Asha foi tomada pelo choque. — Quando e onde eu decidir.

Asha levou a mão ao quadril, mas não encontrou seu machado.

— Escolha outra coisa.

Ele sacudiu a cabeça, observando a mão dela.

— Não quero outra coisa.

Asha o encarou.

— Tenho certeza de que não é verdade.

Ele retribuiu o olhar.

— Um tolo pode ter certeza de qualquer coisa, mas não significa que esteja certo.

A fúria queimou dentro dela, brilhante e ardente.

Ele havia acabado de chamá-la de tola?

Em três passos, Asha pegou seu machado, venceu a distância entre os dois e pressionou a ponta afiada na garganta dele. Ela cortaria sua língua se precisasse.

O recipiente que o escravo segurava se espatifou no chão. Sua mandíbula ficou tensa e rígida, mas ele não desviou o olhar. O ar soltava faíscas. Ele podia ser metade de uma cabeça mais alto do que ela, mas Asha estava acostumada a derrubar presas maiores.

— Não me teste, skral — ela disse, pressionando mais forte.

Ele baixou o olhar.

Finalmente. Ela devia ter feito aquilo desde o início.

Asha empurrou seu ombro esquerdo com o cabo do machado, fazendo o escravo cambalear para trás e acertar as prateleiras cheias de jarros.

—Você vai manter isso em segredo, porque nem mesmo Jarek pode ajudar se me desobedecer — ela disse.

Ele continuou olhando para baixo enquanto se endireitava, em silêncio.

Asha deu as costas e o deixou lá. Tinha coisas melhores para fazer do que arrastar aquele escravo até Jarek e listar suas ofensas. Precisava encontrar suas luvas de seda para esconder a mão enfaixada e fingir que estava tudo bem enquanto falava com o pai, que ainda esperava por ela.

Podia lidar com aquele escravo mais tarde.

O amanhecer da caçadora

Havia uma garota que se sentia atraída por coisas amaldiçoadas.
Como histórias antigas e proibidas.
Não importava se elas tinham matado sua mãe. Não importava se haviam matado muitos outros antes dela. A garota deixou que tomassem conta dela. Deixou que consumissem seu coração e a amaldiçoassem também.
Sua perversão atraía dragões. Os mesmos que haviam queimado as casas de seus ancestrais e escravizado famílias. Dragões venenosos que cuspiam fogo.
A garota não se importava.
Sob o manto da noite, ela rastejava sobre telhados e se esgueirava pelas ruas abandonadas. Saía da cidade e entrava na Fenda, onde contava sucessivas histórias para os dragões.
Ela fez isso tantas vezes que, um dia, acordou o dragão mais mortal de todos, tão escuro quanto uma noite sem lua. Tão antigo quanto o próprio tempo.
Kozu, o primeiro dragão.
Ele queria possuir a garota. Queria acumular o poder mortal que ela derramava de seus lábios. Queria que contasse histórias somente para ele. Para todo o sempre.
Kozu a fez perceber o que ela havia se tornado.
Ele a marcou com uma cicatriz. Então ela parou de contar as antigas histórias.

Mas não foi tão simples assim. Kozu a encurralou. Bateu o rabo e silvou em aviso. Deixou claro que, se o rejeitasse, aquilo não acabaria bem para ela.

A garota tremeu e chorou, mas se manteve firme. De boca fechada.

Mas ninguém desafiava o primeiro dragão.

Com raiva, Kozu levantou voo. Quando a garota tentou fugir, ele a queimou com sua chama mortal.

Mas não era suficiente.

Ele descontou o resto de sua raiva na casa dela.

Derramou sua ira sobre as paredes caiadas e as torres de filigrana. Soprou seu fogo venenoso sobre o povo que gritava e chorava ao ouvir seus entes queridos presos nas casas em chamas.

Foi o filho do comandante quem encontrou a garota amaldiçoada, que havia sido deixada para morrer na Fenda. Ele carregou seu corpo queimado por todo o caminho até a enfermaria do palácio, enquanto seu pai salvava a cidade.

O comandante reuniu o exército e expulsou o primeiro dragão. Mandou que os escravos apagassem os incêndios e reparassem os danos. Salvou a cidade, mas não sua esposa. Ele correu para sua casa incendiada ao ouvir o som dos últimos gritos dela, e não saiu mais de lá.

A garota, entretanto, sobreviveu.

Acordou em uma cama estranha em um aposento estranho, sem conseguir lembrar o que havia acontecido. No início, seu pai escondeu a verdade. Como contar a uma menina de dez anos que foi a responsável pela morte de milhares de pessoas?

Ele nunca saiu do lado dela. Permaneceu ali durante as noites dolorosas. Convocou especialistas para recuperar totalmente sua saúde. Quando disseram que sua filha nunca voltaria a se mover, encontrou outros. E, bem devagar, foi preenchendo as lacunas em sua memória.

Quando a garota fez um pedido público de desculpas e o povo cuspiu aos seus pés, seu pai ficou ao lado dela. Quando ela prometeu se redimir e eles sussurraram o nome de uma deusa amaldiçoada, seu pai transformou aquilo em um título.

Os heróis antigos eram chamados de namsara em homenagem ao amado deus. Mas sua filha seria iskari — como a deusa letal.

Três

A SALA DO TRONO, com soldats alinhados nas paredes, arcadas duplas e seu mosaico detalhado, havia sido construída para destacar um ponto específico: o trono do rei-dragão. Mas sempre que Asha entrava era a chama sagrada que atraía primeiro a sua atenção. Um pedestal de ônix polida ficava na metade do caminho entre a entrada e o trono dourado. Sobre ele havia uma tigela de ferro rasa, na qual uma chama branca e sussurrante queimava.

Quando ela era uma criança, a chama sagrada foi tirada das cavernas do Antigo e levada até a sala do trono, para mantê-la iluminada. Naquela época, Asha ficou muito impressionada.

Não era mais o caso.

Agora a chama parecia observá-la.

Uma chama sem cor queimando sobre nada além de ar? Não era natural. Asha desejava que seu pai a mandasse de volta às cavernas. Mas era seu troféu, um símbolo do que havia superado.

— Sinto muito ter interrompido sua caçada, minha querida.

A voz de seu pai ecoou pela sala, atraindo sua atenção. Asha analisou as paredes brancas brilhantes, ornadas com tapeçarias que retratavam os reis e as rainhas dos velhos tempos.

— Não interrompeu. Eu o matei pouco antes de sua mensagem chegar.

Os olhos nas tapeçarias pareciam observar Asha enquanto andava, vestindo luvas de seda que iam até os cotovelos e um caftã índigo que balançava com o movimento. Seus passos produziam um barulho suave no mar de azulejos azuis e verdes; a luz do sol entrava pela claraboia no telhado com domo de cobre, iluminando as partículas de poeira no ar.

O homem esperando por ela parecia um rei em todos os aspectos. Havia um brasão bordado sobre o ombro direito de sua túnica — um dragão com o coração transpassado por um sabre —, e de seu pescoço pendia um medalhão de citrinos. Calçados dourados com uma costura branca complexa escondiam seus pés.

Aquele era o homem que estivera na enfermaria havia oito anos, quando ela acordara. Uma memória despertou dentro de Asha ao vê-lo diante de si.

As chamas vermelhas e quentes de Kozu engolindo seu corpo e mente. O cheiro desagradável de carne e cabelo queimados. Os gritos agarrados à sua garganta.

Aquela era a única parte da qual Asha lembrava: de queimar. Todo o resto estava perdido para ela.

— Foi sua caçada mais longa até hoje — ele disse, enquanto Asha parava diante dos degraus dourados do trono. — Estava ficando preocupado.

Ela olhou para o chão. A vergonha fez sua garganta pinicar. Era como se tivesse engolido um punhado de espinhos.

Seu pai já tinha coisas demais com que se preocupar sem Asha se somando à lista: a guerra com os nativos, a ameaça constante de outra revolta de escravos, a tensão com o templo e — embora ele nunca tivesse falado daquilo com a filha — o poder crescente do comandante.

A mão enfaixada de Asha latejou sob a luva de seda, gritando o crime que havia cometido mais cedo. Como se quisesse traí-la. Ela a manteve junto à lateral do corpo, na esperança de que seu pai não perguntasse sobre as luvas.

— Não se preocupe comigo, pai. Sempre encontro minha presa.

O rei-dragão sorriu para ela. No trono dourado, estava gravado um padrão de formas, umas dentro das outras com linhas se cruzando. Como as ruas da cidade ou o labirinto de corredores e passagens secretas do palácio.

— Essa noite quero que você apresente publicamente sua presa. Em honra a nossos convidados.

Asha levantou o olhar.

— Convidados?

Seu pai abriu um sorriso.

— Não soube da novidade?

Ela balançou a cabeça.

— Seu irmão voltou com uma delegação de nativos.

A boca de Asha secou. Os nativos moravam do outro lado do mar de areia e se recusavam a reconhecer a autoridade do rei. Não concordavam com a matança de dragões nem com a posse de escravos. Por isso eram os responsáveis por tantos problemas do reino — além do fato de que viviam tentando assassinar seu pai.

— Eles concordaram com uma trégua — o rei explicou. — Estão aqui para negociar os termos de um acordo de paz.

Paz com os nativos? Parecia impossível.

Asha se aproximou do trono.

— Eles estão dentro dos muros do palácio? — perguntou com a voz tensa.

Como Dax podia levar seus inimigos mais antigos para dentro da casa deles?

Ninguém esperava que seu irmão tivesse sucesso na savana. Se Asha fosse honesta consigo mesma, ninguém esperava que ele sobrevivesse.

— É perigoso demais, pai.

O rei-dragão se inclinou para a frente no trono e lhe lançou um olhar caloroso. Seu nariz era longo e fino, e sua barba estava bem aparada.

— Não se preocupe, minha querida. — Os olhos dele percorreram a cicatriz que desfigurava o rosto dela. — Basta uma olhada em você e nunca mais vão discordar de mim.

Asha franziu a testa. A pedra do carrasco era o castigo para qualquer um que tentasse matar o rei, se eles não temiam aquilo, por que teriam medo da iskari?

— Mas não foi por isso que a convoquei.

O rei-dragão levantou e desceu os sete degraus à sua frente. Com as mãos cruzadas atrás das costas, caminhou devagar diante das tapeçarias do lado esquerdo do salão. Asha o seguiu, ignorando os soldats entre cada uma delas, com seus olhos escondidos pelos morriões e peitorais brilhando à luz do sol.

— Quero falar sobre Jarek.

Asha ergueu o queixo.

Quando o fogo de Kozu destruíra o lar, os entes queridos e a vida do povo de Firgaard, a cabeça da garota amaldiçoada fora pedida. Incapaz de condenar a própria filha à morte, o rei oferecera a ela uma chance de redenção. Ele prometera sua mão ao garoto que a salvara. Jarek, que havia perdido o pai e a mãe no fogo pelo qual ela era responsável.

A união seria o último ato da redenção de Asha. O casamento seria realizado assim que os dois chegassem à idade devida, e seria a prova de que Jarek a havia perdoado. Ele, que havia perdido tanto por causa da iskari, mostraria para todos os cidadãos de Firgaard como perdoá-la.

Além disso, por ser capaz de tamanho heroísmo, o rei preparou Jarek para assumir a posição de seu pai como comandante.

Fora um ato de gratidão e fé.

Com a passagem do tempo, o garoto foi se tornando um jovem cada vez mais poderoso. Aos vinte e um anos, mantinha o exército sob suas rédeas. Seus soldats eram completamente leais. Leais além da conta, Asha pensava. Assim que se casassem, Jarek estaria próximo demais do trono, e poderia tomá-lo à força — algo que a preocupava.

— Ele não pode saber sobre essa conversa. Entendido?

Asha, perdida em seus pensamentos, olhou para cima e se deu conta de que estava com o pai diante de uma tapeçaria de sua avó, rainha-dragão que conquistara e escravizara seu inimigo mais feroz, os skrals. O artista havia escolhido tons profundos de vermelho e marrom para o fundo, além de um prateado luminescente e azul-escuro para o cabelo. Os olhos dela pareciam observar a neta com profunda desaprovação. Como se pudessem ver o coração de Asha, e contemplar todos os segredos que ele escondia.

Ela manteve a mão ferida perto do corpo.

— Ninguém mais pode saber o que estou prestes a te contar.

Asha transferiu o olhar da avó para o pai. Seus olhos calorosos estavam fixos nos dela.

Um segredo? Ela era totalmente fiel ao pai. Devia sua vida a ele.

— É claro, pai.

— Um dragão foi avistado na Fenda enquanto você caçava — ele disse. — Um que não era visto há oito anos. De pele escura e com uma cicatriz no olho.

As pernas de Asha tremeram. Ela quase se aproximou da parede, temendo que fraquejassem.

— *Kozu?*

Não era possível. O primeiro dragão não era visto desde o dia que havia atacado a cidade.

O rei assentiu.

— É uma oportunidade, Asha. Uma que não podemos perder. — Ele deu um sorriso lento e brilhante. — Quero que me traga a cabeça de Kozu.

De repente, ela sentiu o cheiro de carne queimada. Sentiu o grito engasgado na garganta.

Aquilo aconteceu oito anos atrás, ela pensou, tentando lutar contra a lembrança. *Eu era só uma criança.*

Ao ver a guerra travada dentro dela, o rei-dragão ergueu a mão, como se quisesse tocá-la, algo que nunca havia feito. Sua expressão ficou nublada por um instante. A mesma expressão que passava o tempo inteiro pelo rosto de todas as pessoas diante dela.

Seu pai não gostava de demonstrar aquilo, porque a amava. Porque não queria magoá-la. Mas às vezes não conseguia esconder.

O rei-dragão temia sua própria filha.

Uma batida de coração depois, a expressão tinha sumido. Ele deixou a mão cair ao lado do corpo, repousando-a na empunhadura dourada de seu sabre cerimonial.

— Se conseguir caçar o primeiro dragão, os fanáticos religiosos não terão mais por que desafiar minha autoridade. Os nativos serão forçados a admitir que as tradições antigas não servem mais. Todos terão que se submeter ao meu comando. E, acima de tudo, sua união com Jarek não será mais necessária. — Ele voltou a olhar para a imagem de sua mãe na parede. — Essa será sua redenção.

Asha engoliu em seco, deixando as palavras assentarem.

Os trovadores — contadores de histórias sagradas de eras passadas — tinham alertado sobre a morte de Kozu. Ele era a fonte das histórias, diziam. Como tal, era o elo vivo do Antigo com seu povo.

Se o primeiro dragão fosse morto, todas as histórias seriam arrancadas de mentes, línguas e pergaminhos, como se nunca tivessem existido. O Antigo seria esquecido e o elo entre ele e seu povo seria quebrado. Mas, enquanto Kozu vivesse, o mesmo ocorreria com as histórias, e as correntes que prendiam o povo de Asha ao Antigo permaneceriam intactas.

Mesmo o mais incrédulo dos caçadores não ousaria ir atrás de Kozu. Seu pai sabia daquilo, e era o motivo pelo qual estava pedindo a ela. Asha tinha mais motivos do que qualquer pessoa para matá-lo.

Seria seu derradeiro pedido de perdão. Consertaria tudo.

—Você me ouviu, Asha? Se trouxer a cabeça de Kozu, não precisará mais casar com Jarek.

Arrancada de seus pensamentos, ela olhou para o rosto do pai. Estava sorrindo para ela.

—Vai fazer o que eu pedi?

Claro que ela faria. A única pergunta era: conseguiria fazê-lo antes que a lua vermelha minguasse?

O último namsara

Houve uma época em que os draksors eram uma força poderosa. Eles eram as asas que batiam à noite. Eram a chuva de fogo vinda do céu. A última visão que qualquer um tinha.

Ninguém ousava se levantar contra eles.

Até que uma tempestade varreu o deserto. Skrals, invasores vindos do além-mar, tinham conquistado as ilhas do norte e estavam famintos por mais. Eles queriam Firgaard, a estrela brilhante de um reino desértico. Uma capital movimentada construída bem em cima da linha que separava os quilômetros de areia branca das montanhas. Se conseguissem conquistá-la, poderiam comandar o mundo.

Na esperança de pegar os draksors de surpresa, os skrals chegaram durante a noite.

Mas, quando a escuridão cai, o Antigo acende uma chama.

Ele ouviu o inimigo se aproximando. Lançou seu olhar sobre as aldeias empoeiradas e as dunas do deserto, até encontrar um homem adequado para seu propósito.

Alguém chamado Nishran.

O primeiro dragão despertou de seu sono no instante em que o Antigo sussurrou aquele nome. Ele voou rápido ao longo do deserto, atravessando uma longa distância até achar o homem.

Nishran era um tecelão. Estava sentado, dedicado ao tear quando o primeiro dragão apareceu. O ruído do pedal foi interrompido e a lançadeira parou de estalar. Ele olhou para as escamas, tão negras quanto uma noite sem lua.

Seu coração foi tomado pelo medo.

Mas o Antigo havia escolhido Nishran como seu namsara, e ninguém lhe dizia não.

Para ajudá-lo, tinha dado ao tecelão a habilidade de enxergar na escuridão. Agora tendo a noite como aliada, Nishran conduziu a rainha-dragão e seu exército pelo deserto direto para o acampamento skral, sob a lua nova.

Os invasores nortenhos estavam despreparados para as flechas e o fogo de dragão com que acordaram. Foram derrotados por aqueles que pretendiam conquistar.

Quando a batalha acabou, a rainha-dragão não expulsou o inimigo de seu reino. Se deixasse os skrals livres, saciariam sua ânsia de destruição em outro lugar ou voltariam mais fortes e em busca de vingança. Ela se recusou a ser responsável por mais destruição. Então, com o namsara ao seu lado, ordenou que coleiras fossem postas em todos os skrals, como punição pelos horrores que haviam causado.

Os draksors puderam então desfrutar de paz. As notícias sobre os invasores conquistados viajaram rápido e longe. Governantes de nações distantes atravessaram o deserto, a montanha e o mar para jurar sua lealdade à rainha-dragão.

Mas a alegria durou pouco.

A escuridão caiu mais uma vez sobre Firgaard quando os dragões, sem qualquer aviso, se voltaram contra eles, seus próprios cavaleiros, atacando famílias e queimando casas. A iluminação não veio das celebrações com dança e música, como esperado, mas do fogo de dragão, que fazia terraços, pátios e jardins arderem em chamas. Ao amanhecer, a fumaça cobria o ar e sombras negras caíam sobre as ruas estreitas enquanto as criaturas voavam para a Fenda, de onde nunca retornaram.

Firgaard foi tomada pelo caos. Alguns draksors se colocaram de imediato ao lado da rainha, que amaldiçoou os dragões por tamanha traição; outros correram para ficar ao lado da alta sacerdotisa, que culpava a rainha pela destruição.

Draksors se voltaram contra draksors. Mais casas queimaram. Firgaard estava em ruínas.
Essa foi a primeira traição.
A segunda veio através de histórias.

Quatro

Havia uma tradição de longa data em Firgaard: sempre que um dragão era morto, sua cabeça era apresentada ao rei. Era a parte da caçada de que Asha mais gostava. A entrada triunfante, os espectadores espantados e, acima de tudo, o olhar orgulhoso do pai.

Aquela noite, porém, um dragão maior e mais velho cruzava a floresta além dos muros da cidade. Asha estava inquieta, ansiosa para fincar seu machado no coração da fera.

Em breve, ela pensou enquanto passava com Safire pela entrada em arco do maior pátio do palácio. A música se espalhava como fumaça. Um alaúde sussurrava sob o clarim de latão e a batida rápida e condutora dos tambores.

Por hábito, antes de entrar no pátio, Asha havia verificado se a prima tinha algum machucado recente, e não encontrara nenhum. Safire parecia brilhar em seu caftã verde-claro com flores de madressilva.

— Pensei que odiasse isso — disse Safire, apontando para as luvas de seda de estilo estrangeiro. Asha as havia ganhado de Jarek no seu aniversário de dezessete anos.

Era verdade, ela odiava aquelas luvas. Faziam suas mãos suarem e escorregavam em seus braços, mas mantinham as queimaduras escondidas.

Asha se forçou a dar de ombros.

— Ficaram bem com o caftã.

Outro presente de Jarek. Estivera esperando por ela em uma caixa de prata perto da cama.

— Sei — disse Safire, suspeitando do verdadeiro motivo. — Que nem essas botas.

Asha olhou para os pés despontando sob a bainha. Na pressa, havia esquecido de trocar as botas por sandálias. Ela xingou baixinho. Era tarde demais.

Lamparinas de bronze resplandeciam ao longo das galerias do pátio, o vidro colorido banhando os dançarinos com uma luz brilhante. No centro, havia uma bacia ampla cheia de água, sua superfície calma cintilando sob o céu escuro e estrelado.

As galerias costumavam ser barulhentas e os luxuosos sofás ficavam cheios de gente tomando chá e fofocando. Não aquela noite. Para celebrar o retorno do herdeiro, depois de um mês longe, as galerias estavam abandonadas e o pátio estava repleto de draksors falando baixo e olhando na direção de sofás vazios.

Safire foi a primeira a identificar o motivo.

—Veja! — Ela apontou para o ponto sob a galeria onde convidados vestidos de modo estranho se agrupavam, olhando seus anfitriões no pátio como se esperassem uma emboscada. Os draksors vestiam caftãs com cores vibrantes ou túnicas na altura dos joelhos, com bordados elaborados e pérolas delicadas. Os convidados sob a galeria usavam trajes muito mais singelos. Peças de algodão estavam vagamente enroladas em seus ombros, cobrindo as lâminas curvas nos quadris.

— *Nativos*.

Inimigos no coração do palácio. Na casa do rei que haviam tentado matar em três ocasiões distintas.

Onde Dax estava com a cabeça?

Para um grupo tão dedicado às tradições antigas, os nativos pareciam surpreendentemente dispostos a desafiar seu próprio deus, e ignorar a proibição ao regicídio. Aquela era uma das poucas leis antigas que o pai de Asha havia permitido que continuasse a existir. Enraizada no mito da deusa Iskari, que havia tentado assassinar o Antigo, a lei declarava que qualquer um que ousasse tirar a vida do rei ou da rainha seria condenado à morte. O que significava que cada nativo que havia atentado contra a vida do rei-dragão sabia que estava cometendo suicídio no momento em que agira.

Asha deixou os pensamentos de lado ao ouvir Safire chamá-la.

— O que foi? — disse ela, virando.

— Hum? — Safire estava bebendo enquanto contava cada nativo, estimando quem era o mais bem treinado e quem tinha mais armas escondidas debaixo das roupas. Era a primeira coisa que ela fazia quando entrava em um aposento. Puro instinto de sobrevivência, algo natural a ela.

— Por que me chamou? — perguntou Asha.

— Não chamei.

Asha olhou para trás na direção do arco e para o corredor sombreado além dele, então para os soldats de pé, retos como lanças ao longo dos muros. Não havia mais ninguém por perto.

Antes que insistisse, um silêncio deprimente se fez. A música parou. Asha sabia o motivo mesmo antes de virar.

Ela tinha sido avistada.

Melhor acabar logo com isso.

A iskari saiu da proteção do arco e entrou no pátio.

Todos os olhos se fixaram nela. Asha sentiu o peso deles além de seu próprio coração hediondo batendo. Alguns olhares eram raivosos, parecendo adagas afiadas, outros eram frenéticos, como se viessem de animais encurralados. Ela encarou a multidão.

Um por um, todos baixaram os olhos. Uma a uma, as pessoas abriram caminho para ela, permitindo sua passagem silenciosa até o pai, que encontrou seu olhar sombrio do outro lado da corte.

De pé ao seu lado estava um jovem de dourado, quase um reflexo dele: cabelo encaracolado, olhos castanhos calorosos, um nariz curvado que já tinha sido quebrado duas vezes. Por culpa dele próprio.

Era Dax, seu irmão mais velho.

Mas algo estava errado.

Depois de um mês fora, ele já não se parecia tanto com seu eu alegre habitual, de olhos travessos, sorriso capaz de fazer jovens se derreterem, punhos capazes de vencer qualquer luta. Aquele garoto havia sido substituído por alguém cansado, magro e... mudo.

Asha deixou Safire para trás. Aquilo era o mais perto que sua prima chegava do rei-dragão. Como filha de Lillian, ex-escrava real, e Rayan, filho da antiga rainha, era um milagre Safire ter sobrevivido. Mais ainda, ela havia recebido permissão para viver no palácio onde a união proibida tinha ocorrido. O rei permitia que colocasse os pés naquele pátio, mas sua permissividade parava ali. Safire sempre ficaria fora do seu próprio círculo familiar.

Asha foi para o lado de seu pai, lançando um olhar preocupado para Dax antes da chegada dos quatro caçadores, anunciada por clarins. Eles levavam a cabeça do dragão em uma bandeja de prata. Os olhos amarelos fendidos estavam sem vida, e a língua pendia para fora. Era apenas uma sombra de sua antiga ferocidade.

A mão machucada de Asha ardeu com a proximidade. Ela trincou os dentes e imaginou a cabeça de Kozu naquela bandeja, em uma tentativa de combater a dor. Imediatamente, desejou estar do outro lado dos muros da corte, em seu encalço.

E então alguém a chamou outra vez.

Ela virou, procurando na multidão. Todos com quem fazia contato visual desviavam os olhos. Como se encará-la pudesse evocar o fogo do dragão.

Asha ouviu e observou atentamente, mas só houve silêncio.

Será que estou ouvindo coisas?

Por um instante, o pânico tomou conta dela. Talvez tivesse demorado demais para cuidar do ferimento e o fogo do dragão já estivesse próximo de seu coração. Morrer de uma queimadura de dragão diante de toda a corte de seu pai seria horrível.

Asha balançou a cabeça. Não era possível. Ela havia tratado a queimadura a tempo.

Talvez as histórias estejam finalmente cobrando seu preço. Me envenenando da mesma maneira que envenenaram minha mãe.

Mas ela não encontrou nenhum sinal de que aquilo estava de fato acontecendo.

O rei parabenizou a iskari pela caça. Fez seu discurso habitual sobre o perigo e a deslealdade dos dragões, que tinham sido seus aliados antes de se rebelarem durante o reinado de sua mãe. Ele sempre repetia o discurso depois de cada caçada, por isso Asha não estava prestando muita atenção. Mas então seu pai pegou sua mão queimada e ela quase gritou de dor.

O rei-dragão puxou uma Asha aflita diante de si, dando aos nativos um exemplo com o qual se banquetear.

—Viram o que fizeram com a minha filha? É isso o que acontece quando você negocia com *dragões* — disse, se referindo ao dia em que a cidade fora queimada. O dia em que Jarek tinha encontrado o corpo esturricado de Asha. Então a soltou. — Minha iskari dedicou sua vida a caçar essas criaturas, e não vai parar até que todas estejam mortas. E então, e somente então, teremos paz.

Ele sorriu para a filha. Asha tentou retribuir, mas não pôde. Não com a mão queimada bem embaixo do nariz do pai, queimando de dor, a prova de que havia contado uma antiga história.

Quando o rei-dragão dispensou seus escravos e a música recomeçou, Dax parou ao lado de Asha. Ele cheirava a chá de hortelã.

— Ah, irmãzinha corajosa. — Dax sorriu, e ela notou vincos

profundos nas laterais de sua boca, que não estavam lá quando partira. — Viu o que eu trouxe pra casa comigo?

Ele apontou na direção dos nativos. Como se pudessem passar despercebidos a alguém.

— Não é tão impressionante quanto um dragão...

Dax vestia sua túnica favorita, que tinha manga comprida e ia até logo acima dos joelhos. Um bordado branco acompanhava a gola e os botões da frente, ofuscando a seda dourada.

Dourado para um garoto com coração de ouro, pensou Asha.

Normalmente aquele traje parecia perfeito nele, destacando sua altura e seus ombros fortes. Mas aquele dia pendia solto em seu corpo definhando. Seus olhos sempre cheios de vida estavam duros como pedras.

O estresse das savanas, somado à longa jornada de volta pelo deserto, o tinha devastado. Asha lembrava de alguém ao vê-lo desse jeito, tão magro e cansado, mas não sabia exatamente quem.

— Você perdeu as apresentações — ele disse, estudando a irmã da mesma maneira que ela o estudava.

— Eu estava ocupada.

Escondendo as evidências da minha traição.

— Quer conhecer nossos visitantes? — Dax perguntou, pegando a taça de vinho oferecida por um dos serviçais.

— Pra ser sincera, não — disse Asha, recusando a bebida.

— Ótimo! — disse Dax. — Vou apresentar vocês...

Asha o seguiu com cautela através da multidão, até que ele parou na frente de alguém. Dax deu um passo para o lado, revelando uma jovem. Ela usava um vestido creme de algodão finamente tecido. A jovem afastou o lenço que cobria seu rosto, revelando olhos escuros límpidos e um queixo elegante, que erguia em orgulho. Em seu braço repousava um falcão tão branco quanto a névoa que envolvia a Fenda no início da manhã.

Asha olhou para o pássaro, que a encarou de volta com seus olhos prateados e misteriosos.

Asha recuou por instinto. A nativa não notou. Estava ocupada demais olhando para sua cicatriz.

— Essa é minha irmã — Dax a apresentou. — A iskari.

Ela fazia carinho no peito branco do falcão com o dorso da mão enquanto falava. Os dois estavam claramente familiarizados um com o outro, e o pássaro esfregou o topo da cabeça em sua mão.

— Esta é Roa, filha da Casa da Música. O irmão dela queria muito conhecer a famosa iskari, mas não pôde vir. Prometi que te levaria comigo da próxima vez.

Dax piscou, sabendo como ela se sentiria a respeito.

Asha não tinha a mínima vontade de pisar nas matas. Eram planas, enfadonhas e estéreis — ou assim diziam. Para piorar, os nativos ainda se dedicavam às tradições antigas. O que a fazia imaginar como Dax havia sido capaz de convencê-los a ir para a capital secular que tanto odiavam.

Asha amava o irmão, mas ele não era exatamente um diplomata. Só o tinham enviado para a savana como desculpa para tirá-lo da cidade. Dax tinha arrumado uma briga bêbado com o braço direito de Jarek, que caíra do terraço e quebrara a coluna. O escândalo foi tão grande que só fez a tensão entre o rei e seu exército aumentar.

Mas Dax colecionava escândalos como se fossem troféus. Estava sempre arrumando briga. Ou apostando. Ou flertando com as filhas dos oficiais favoritos de seu pai.

Ele só causava constrangimento, e a paciência do rei estava se esgotando. Por isso tinha enviado Dax para encontrar os nativos, acompanhado por Jarek. O rei sabia que o comandante — que estava furioso com a perda de seu braço direito — ia manter seu filho na linha.

Roa posicionou o punho cerrado sobre o coração, o cumprimento nativo, mas seu olhar permaneceu fixo na cicatriz de Asha.

— A iskari em pessoa — ela disse, com uma voz que parecia uma mistura de mel e trovão. Ela abriu o punho e soltou o braço ao lado do corpo. — Dax disse que é capaz de derrubar um dragão com as próprias mãos.

Asha teria rido, mas a chegada de um jovem a interrompeu. Ela sentiu um buraco no estômago.

Jarek.

Fora ele quem havia capturado e matado os três pretensos assassinos nativos. E que tinha posto um fim na última rebelião de escravos. E a quem Asha ia se unir quando a lua vermelha passasse a minguante.

A menos que ela matasse Kozu antes.

Na presença do comandante, Dax não passava de um garoto. Jarek era muito maior que ele. Tinha uma estrutura larga e forte, como a base de uma fortaleza poderosa. Sua camisa de seda parecia esticada sobre o peito largo, revelando sua solidez.

Asha olhou para Roa e reparou em seus olhos se estreitando em frente à imagem do comandante.

Aquela não era a reação mais comum. Geralmente, o físico impecável de Jarek o tornava impressionante e atraente para mulheres. Mas Roa parecia... nervosa.

Enquanto olhava para o herdeiro do trono e sua amiga nativa, o braço do comandante serpenteou em torno da cintura de Asha, puxando-a para ele como uma adaga ou um sabre e apertando seu quadril a ponto de machucar.

Jarek era um dos poucos que ousava tocá-la.

— Fazendo amigos, Asha?

Seu cheiro azedo lembrava álcool, mas ela sabia que era melhor não se afastar ou dar qualquer sinal de que ele a estava machucando.

— Dax estava me apresentando a...

— Já nos conhecemos. — A atenção de Jarek se voltou para o decote de Asha. Ele a devorava como se fosse um cálice de vinho. — Já vi que encontrou seu presente.

Asha olhou para o espaço entre Dax e Roa, seu olhar parando em uma escrava que servia chá sob a galeria. Ela segurava o bule de bronze no alto e deixava o líquido dourado se derramar num arco elegante, enchendo os copos de espuma.

Jarek se inclinou para mais perto.

— Estou curioso. Você gostou?

Ele sabia a resposta.

Os outros caftãs no pátio eram elegantes e modestos, mas o de Asha era espetacular. Havia sido delicadamente tecido e devia ter custado um mês de pagamento de um soldat, o que não era nada para Jarek, que tinha herdado uma herança gigantesca do pai.

O caftã tinha uma sombra de índigo. Suas camadas finas dançavam em volta dela como areia, contidas apenas por uma faixa extensa amarrada firme e alta em sua cintura. Asha imaginava que Jarek o havia comprado em Darmoor, o maior porto comercial de seu pai. Mas o caftã tinha sido feito para meninas bonitas e desejáveis. Não para uma assustadora, cheia de cicatrizes.

O decote aberto e o material translúcido eram um insulto, permitindo que Jarek visse demais do seu corpo. Mas, da última vez que ela havia recusado um presente, Safire havia sido ferida. Então tinha achado melhor vesti-lo.

— Você parece uma deusa.

Asha ficou tensa. O olhar dele a fazia querer desaparecer. Ela desejou poder atravessar a multidão sem ser notada, pegar sua armadura e seu machado e sair para caçar Kozu naquele exato momento.

— Devia ter me visto mais cedo, coberta da cabeça aos pés com sangue de dragão — Asha disse.

Jarek não se deu por vencido. Chegou ainda mais perto, tomando o cuidado de não dar as costas a seu irmão e à nativa. Um comandante nunca dava as costas para a ameaça.

— Dance comigo.

Asha olhou mais uma vez para a escrava servindo chá.

—Você sabe que eu não danço.

— Tudo tem a sua primeira vez. — Jarek a segurou com mais força, de modo a levá-la para longe do irmão.

— *Ei, comedor de areia.* — Dax agarrou a manga de Jarek. — Ela não quer dançar com você.

Os olhos do comandante brilharam. Ele se soltou de Dax com facilidade.

O herdeiro tropeçou em Roa, derrubando sua taça de vinho em cima dos dois. Ela abriu os lábios em choque, as mãos tremendo sobre a mancha marrom que se infiltrava em seu vestido creme.

— Com licença. — Jarek sorriu, forçando Asha a se mover na direção da multidão e da música. Ela olhou por cima do ombro e vislumbrou os olhos estreitados de Roa.

— Não vejo você há um mês — Jarek disse em seu ouvido. — Comprei um vestido por três vezes o preço que vale. Agora é sua vez de fazer o que quero.

Asha estava prestes a repetir sua recusa quando a voz a chamou, mais claramente daquela vez. Ela nem olhou. Sabia que não encontraria ninguém ali. E para onde ia olhar? A voz a chamava de centenas de direções ao mesmo tempo.

Asha. Asha. Asha.

Aquilo a lembrou de uma história…

Ela se forçou a afastar o pensamento enquanto Jarek a arrastava para mais perto dos músicos. Ele a puxou para junto de si, fechando os braços em torno de sua cintura e fazendo seus corpos se encostarem alinhados. Asha sentiu seu desejo rígido e marcante.

Enojada, ela virou o rosto. Não deveria ter feito aquilo. Era perigoso demonstrar fraqueza diante do comandante. Mas, depois de caçar por dez dias na Fenda, não tinha energia para joguinhos.

— Eu não danço — ela repetiu, pressionando as mãos firmes contra a seda negra da camisa dele em uma tentativa de abrir algum espaço entre os dois.

— E eu não aceito não como resposta. — As mãos dele se apertaram em torno dela. Seus olhos pareciam famintos. Como os de um animal.

Asha olhou por cima do ombro de Jarek, encontrando o rosto sardento de seu escravo. Ele estava de pé em um semicírculo de músicos no centro do pátio, com as costas voltadas para a água calma da ampla bacia.

Enquanto Jarek falava, Asha observava, encantada, como os dedos do skral se moviam tais quais aranhas nas cordas de seu alaúde desgastado em forma de pera. Os olhos dele estavam fechados em concentração, como se tivesse ido para algum outro lugar, bem longe daquele pátio.

Sentindo seu olhar, o escravo abriu os olhos. Seus dedos vacilaram nas cordas ao notar a iskari o encarando. Ele se recuperou rapidamente, então olhou para o homem que a envolvia. A expressão sonhadora e distante desapareceu, substituída por uma carranca tão sombria quanto uma nuvem de tempestade.

— Está ouvindo alguma coisa do que estou dizendo? — Jarek perguntou.

Ele soava tão distante.

Pela última vez aquela noite, Asha ouviu seu nome soprado ao vento. Ele ecoava por todo o pátio.

Agora todos devem ter escutado, ela pensou.

Mas, quando olhou em volta, viu draksors dançando, rindo e tomando chá, distraídos.

Algo estava acontecendo. Asha podia sentir que havia algo errado. Ela precisava sair dali.

Desvencilhou-se de Jarek, que não esperava aquela reação e não ofereceu resistência dessa vez. Ela cambaleava, tropeçando em dançarinos, quando a música parou.

O chamado tamborilava em seus ouvidos. Em suas veias. Deixava todo o resto distante.

Asha, Asha, Asha.

Aquilo a deixou tonta. Quando levantou o rosto, encontrou o escravo de Jarek olhando para ela.

Desvie o olhar, ela pensou. Mas o pôr do sol se derramava e o chão do pátio parecia estar subindo. Asha fechou os olhos em uma tentativa de fazer com que parasse, mas só se sentiu amolecer... e depois cair.

O escravo a segurou antes que chegasse ao chão.

A sala girava ao seu redor. Asha baixou o rosto, desejando que parasse.

É o que acontece quando você conta as antigas histórias.

Aquilo a fez pensar em sua mãe, a quem as histórias haviam matado. Mas quando a escuridão se infiltrou, foi a sensação de ser segurada por ela que veio à mente de Asha, e não de sua morte.

Ela se sentia exatamente assim.

— Peguei você — disse uma voz no seu ouvido. — Está tudo bem.

O último som que Asha ouviu foi a batida firme de um coração contra seu rosto.

O Rompimento

Antes do Rompimento, os trovadores preservavam as histórias. Eles espalhavam contos maravilhosos sobre o Antigo, o primeiro dragão e os heroicos namsaras. Passavam as histórias adiante, de pai para filho. Viajavam de cidade em cidade, tecendo palavras como fios diante de multidões em troca de moedas, um quarto ou uma refeição. Era uma honra hospedar um trovador e lhe servir pão quente. Tratava-se de um homem sagrado com uma missão sagrada.

Depois que os dragões se rebelaram, os trovadores, um a um, adoeceram e morreram. As antigas histórias passaram a envenenar quem as contava, consumindo seus corpos, se virando contra os homens da mesma forma que os dragões haviam feito.

Mas os trovadores continuaram a contá-las. E continuaram a morrer. Mais e mais deles adoeciam, e o medo se apoderou de cada coração draksor. Dessa vez, eles não se voltaram contra seus vizinhos; mas se trancaram em casa para se manter seguros. Temiam o que aconteceria se as antigas histórias chegassem aos seus ouvidos. Temiam a praga que o Antigo lançava sobre eles.

Foi então que a rainha-dragão agiu.

Ela rejeitou publicamente o Antigo por sua traição. Proibiu as antigas histórias e declarou que os trovadores que continuassem a praticar seu velho ofício seriam presos. Quando não funcionou, depois que a própria alta sacerdotisa convenceu os trovadores a continuar contando as histórias, a rainha-dragão teve certeza de que precisava proteger seu povo da maldade do Antigo.

Então ela fez três coisas.

Primeiro, tirou os poderes da alta sacerdotisa.

Então alterou a lei. Em praça pública, anunciou a toda a Firgaard que contar as antigas histórias constituía um crime cuja punição seria a morte.

A terceira coisa que a rainha-dragão fez foi instituir uma nova tradição sagrada.

Caçar dragões.

Cinco

Fumaça pairava ao redor de Asha, fazendo seus olhos arderem. Sua respiração ia e vinha em silêncio, como a maré de Darmoor, carregando consigo o sabor amargo das cinzas.

A escuridão a envolvia. A parede que tocou era fria e cheia de rachaduras. De pedra, assim como o chão.

Estou morta, Asha pensou.

Mas se era verdade, o que a matara? O fogo do dragão ou as histórias?

Asha achava que era imune a seu veneno. Desde que começara a usar as histórias para evocar dragões, procurava quase obsessivamente sinais de danos: perda de peso, exaustão, tremores... Mas nenhum daqueles sintomas tinha se apresentado. As histórias só não a afetavam do mesmo jeito que haviam afetado sua mãe e os trovadores.

Talvez porque ela e as antigas histórias fossem feitas da mesma substância — a maldade de uma anulava a da outra.

Talvez ela não tivesse prestado atenção o bastante. Talvez as histórias a tivessem matado aos poucos.

Se estou morta, nunca vou poder levar a cabeça de Kozu para meu pai.
Se estou morta, não vou ter que me unir a Jarek.

Aqueles pensamentos tinham gosto agridoce.

Asha seguiu a fumaça e as cinzas. Quanto mais fundo ia, mais familiar seu entorno se tornava. Não que já tivesse estado ali. Mas sentia como se houvesse sonhado com aquele lugar sua vida inteira.

Após anos escondendo as histórias, a caverna as tinha desenterrado com facilidade. Haviam subido à superfície, murmurando vivas, como sussurros do primeiro dragão, dos namsaras sagrados, do próprio Antigo. Seus dentes doeram ao dizer que recuassem.

Seus passos a levaram para a sombra de um homem agachado atrás de uma pequena fogueira crepitante. Quando ele levantou, a luz do fogo iluminou seu rosto, revelando olhos negros como ônix, uma cabeça calva e uma barba grisalha cuja ponta ficava logo abaixo do queixo. Seu corpo estava coberto por um manto branco, com o capuz abaixado.

Asha perdeu o fôlego ao vê-lo.

Ela o conhecia. Havia uma imagem dele na parede de um aposento onde nunca deveria ter entrado. Quando criança, Asha tinha ouvido a voz de sua mãe falando seu nome no escuro.

— *Elorma*.

O nome parecia um rosnado saindo de sua boca.

Ele era o primeiro namsara. Aquele que havia tirado a chama sagrada do deserto e fundado Firgaard. Um mensageiro do Antigo.

— Estava esperando você. — A voz de veludo dele ecoou pelas paredes da caverna. — Chegue mais perto.

Ela não ousou.

A fogueira queimava entre eles. Asha ergueu a mão para proteger o rosto do calor. Elorma sorriu, o que a deixou desconfortável. Parecia o sorriso de um escravo planejando uma revolta.

— Como quiser — ele disse, mergulhando as mãos nas chamas brancas.

Asha se sobressaltou, certa de que o fogo queimaria sua pele. Mas, quando as mãos dele emergiram, não tinham marca alguma e seguravam duas lâminas pretas e brilhantes, em forma de meia-lua. Um fogo branco dançou sobre suas bordas e se extinguiu.

— Matadoras sagradas do Antigo. — Ele as ofereceu a ela. — Pegue.

Asha sabia que não podia confiar nele. Sabia que não devia aceitar presentes do Antigo. Então manteve as mãos abaixadas junto ao corpo.

— Tenho mais armas do que preciso.

— Ah, mas estas foram forjadas especialmente para você, Asha. Vão se acomodar em suas mãos como nenhuma outra. Obedecerão à sua vontade e cortarão seus inimigos mais rápido do que qualquer machado.

Como sabe sobre meu machado?

Mas, se ele sabia seu nome, por que não saberia a arma que usava?

— Assim que as segurar, não vai querer outra coisa.

Asha pensou em como seria satisfatório matar dragões com armas como aquelas — rápidas, afiadas e letais. Mas fez que não com a cabeça. Já era terrível o suficiente contar as histórias, mas lidar diretamente com o Antigo? Seria muito pior. Ela podia imaginar o pavor no rosto do pai se descobrisse.

Asha deu um passo para trás.

—Você não é a iskari? — Elorma perguntou. — Se quer saber minha opinião, esse título não combina com você. Iskari era destemida e feroz, mas você é covarde e medrosa.

Ela o encarou. Parecia um deus diante do fogo. Sua pele brilhava como se a luz emanasse de dentro, seus olhos pareciam velhos. Oniscientes.

Asha olhou de novo para as matadoras.

Seria recompensador parar o coração de Kozu com elas. Era tentador aceitar a oferta do Antigo e usar as armas contra o dragão.

Do mesmo modo que ele as havia usado contra seu povo. Contra seu pai.

Precisamos sofrer grandes dores para nos fortalecer contra a maldade, o rei-dragão havia dito a ela anos antes.

E era verdade. Mas, daquela vez, seus olhos estavam bem abertos. Daquela vez, ela não permitiria que a manipulassem.

Seu pai não saberia até que tudo estivesse acabado. Até que Asha pusesse a cabeça sangrenta de Kozu a seus pés. Só então ele entenderia. E elogiaria sua inteligência.

Asha esticou as mãos para pegar as matadoras. Elorma abriu um sorriso sorrateiro. Quando tinha as empunhaduras ornamentadas nas palmas, seu sangue crepitou e faiscou. Fogo branco chamejou em seus braços, selando uma ligação invisível. Como um parafuso se firmando no lugar. Elorma não havia mentido. Elas se uniram às mãos de Asha, com o equilíbrio perfeito, leves como o ar.

— O presente vem com uma ordem, claro.

Asha encarou seu sorriso de dentes brancos.

— As matadoras só podem ser usadas para consertar erros.

— Como?

Ainda sorrindo, ele disse:

— Vamos nos encontrar de novo em breve, Asha.

E então ele se fundiu à escuridão.

Ela o chamou, mas Elorma já havia partido. O fogo se extinguiu. A caverna estava sumindo rápido agora, girando enquanto as paredes começavam a engoli-la.

Asha ficou sozinha no escuro, com as histórias zunindo em seus ouvidos, os cabos das armas sagradas presos firmemente em suas mãos e um sentimento ruim cutucando suas costelas.

O que foi que eu fiz?

Ela soltou as matadoras sagradas, que caíram no chão.

Seis

Asha acordou com o cheiro de flores de laranjeira pouco antes de o sol nascer.

O frio da noite ainda pairava no ar. Enrolada em um cobertor de lã, ela sentou e afastou o dossel fino de sua cama, apertando os olhos no crepúsculo, que deixava seu quarto azulado. Asha analisou a parede oposta, onde suas armas favoritas ficavam penduradas em fileiras elegantes que iam do chão ao teto. A maioria era machados e facas; havia uma adaga ali e outra acolá; e espadas de madeira e outras armas para treinar com Safire.

Nem sinal daquelas lâminas curvas e negras como a noite.

Asha fechou os olhos e suspirou.

Foi só um sonho.

Ela ergueu a mão enfaixada, puxou o linho e viu a pele empolada. Conseguia flexionar os dedos, embora a dor a deixasse tonta. Aquilo indicava que, assim que a pele se curasse, conseguiria erguer seu machado. Até lá, ainda tinha a outra mão. Porque tudo o que importava era encontrar Kozu o mais rápido possível.

Depois que o matasse, não precisaria esconder mais nada.

— Me diz uma coisa — começou uma voz familiar.

Asha olhou para o peitoril de uma janela em arco, onde uma sombra descansava.

— Por que aquele dragão cuspiu fogo?

Safire pulou para o chão e afastou os véus finos da cama. Não se deu ao trabalho de evitar os olhos de Asha. Não ali, longe de tudo e de todos.

— Já faz cinquenta anos desde o Rompimento — continuou Safire. — Cinquenta anos desde que as histórias desapareceram.

Cinquenta anos desde que os dragões pararam de cuspir fogo.

Exceto Kozu, o primeiro dragão, que era a fonte das histórias. Que não precisava delas para incendiar uma cidade.

Safire pegou um fósforo na mesa de cabeceira e acendeu a vela ali. Asha tentou desconversar.

— Você passou a noite toda aqui?

— É minha vez de fazer as perguntas. — Safire virou e pegou as espadas de madeira da parede. — Agora se vista. Vamos para o terraço.

— Saf, hoje eu não consigo. Minha mão...

Asha a ergueu e se deu conta de que alguém havia tirado suas luvas. Foi tomada pelo medo. Quem o havia feito tinha visto as ataduras.

E será que viu o que há embaixo delas?

— Acha que Jarek vai pegar leve com você por causa de uma mão queimada?

Asha olhou para a prima, que sustentou seu olhar. Seus olhos brilhavam à luz da vela.

Safire sabia o que havia acontecido. Sabia quem havia despido Asha.

Se fosse treinar com a prima, poderia descobrir quem sabia sobre a queimadura. Depois que determinasse se seu segredo estava protegido ou não, iria atrás de Kozu.

Ela jogou as cobertas de lado e saiu da cama, tremendo quando seus pés descalços tocaram o mármore frio. Ela olhou para a prima enquanto abria os botões da camisola. Em momentos como aquele,

Asha se sentia grata por ter dispensado seus criados anos atrás. Eles sempre tremiam na presença dela, de modo que tudo levava mais tempo.

Safire segurava as duas espadas de madeira numa mão só e batia com elas na bota, impaciente. Quando Asha terminou de se vestir, elas saíram para a varanda, onde degraus estreitos levavam ao terraço. Embaixo delas se estendia um jardim de tamareiras, laranjeiras e hibiscos. No passado, aquele espaço havia pertencido à mãe de Asha, que sempre lembrava de sua casa na mata quando estava próxima a tamareiras.

Asha inspirou o cheiro doce.

Mas a lua minguava, e, com ela, o tempo. Só tinha seis dias para caçar Kozu.

— Vamos logo com isso — Asha disse, pegando sua espada de Safire e subindo os degraus.

Pelo menos a prima ia vencê-la rapidamente.

Quando Asha não estava caçando, elas treinavam no início da manhã, o que era útil para ambas, já que Asha caçava melhor que lutava. A intenção era que aprendessem a se defender — principalmente de Jarek.

Safire soltou seu manto cor de açafrão dos ombros e o jogou no terraço carregado de seixos. Asha notou as costuras soltas e bainhas irregulares. Sua prima não deveria ter que usar algo tão maltrapilho.

Vou encomendar um novo, como se fosse para mim.

Em volta delas, tudo estava vazio. Sobre o ombro de Safire, o horizonte brilhava em um dourado nebuloso, enquanto o céu mudava de azul-escuro para roxo. Com o amanhecer, os escravos começariam a trabalhar. Os terraços logo estariam em plena atividade.

Naquele momento, contudo, apenas Asha e Safire estavam lá.

— Por que não me contou que os dragões tinham voltado a cuspir fogo?

Safire investiu com a espada de madeira, mas Asha a interceptou, madeira contra madeira.

A prima podia ser inútil quando se tratava de enfrentar um dragão, mas era muito melhor do que Asha no corpo a corpo. Para sobreviver em um mundo que preferia que ela não existisse, Safire tinha que ser forte. E ela era. Seus braços eram um conjunto de músculos rígidos. Asha seria derrubada por sua força bruta.

— Porque... você ia se preocupar... com algo... sem importância — ela disse, entredentes.

Incapaz de manter sua posição por mais tempo, ela se esquivou, girando a espada de madeira.

— Acho que tenho por que me preocupar. — Safire se recuperou, reassumindo a postura de ataque. — Considerando que você desmaiou na frente da corte. Sei que foi por causa da queimadura.

Asha segurou com mais firmeza a espada de madeira. Nutria esperanças de que o desmaio fosse parte do sonho.

— Meu pai viu?

— Óbvio.

— O que ele disse?

Safire circundava Asha, planejando seu próximo ataque.

— Nada. Só Jarek falou. Na verdade, gritou com o escravo dele. Que pegou você, aliás. O que foi uma sorte, ou talvez ainda estivessem recolhendo seus miolos do chão.

Asha revirou os olhos diante do exagero.

De repente, Safire desceu sua espada com força e velocidade. A arma assoviou ao cortar o ar. Asha mal teve tempo de erguer sua espada, mas conseguiu conter o golpe por pouco, o que não impediu que fosse jogada para trás.

— Se eu não tivesse convencido o médico de que era apenas

desidratação, ele teria insistido em olhar mais de perto, então veria a queimadura. — Ela assentiu na direção da mão enfaixada de Asha. —Você me deve uma.

Asha baixou a espada de madeira.

Então seu pai não sabia.

Ela limpou o suor da testa, aliviada.

— Obrigada.

— Por que precisa ser um segredo? Ninguém acha que você é fraca, Asha. Você é a iskari. Matou aquele dragão. E centenas de outros antes dele.

Mas a queimadura não significava que ela era fraca. Pelo menos, não do jeito que Safire imaginava. Significava que tinha sido corrompida.

Safire mantinha a espada baixa, o que a deixava vulnerável. Asha pegou impulso para aproveitar o momento.

Os olhos de Safire brilharam enquanto ela a bloqueava repetidas vezes.

O som da madeira contra madeira estalava nos ouvidos de Asha enquanto ela atacava, procurando um jeito de romper as defesas de sua prima. Mas Safire estava sempre pronta, como uma porta batendo na cara de Asha.

— E, de qualquer modo, pra quem eu contaria? — comentou Safire, ofegando enquanto bloqueava os ataques.

— Dax, óbvio.

Seu irmão ficaria apavorado se descobrisse que ela estava contando as antigas histórias, preservando aquilo que havia matado sua mãe. E, embora Dax e seu pai não se dessem exatamente bem, talvez fosse até ele caso estivesse preocupado com a irmã.

Dax não podia saber. *Ninguém podia.*

Uma brecha se abriu. Asha aproveitou, avançando com toda força com sua arma.

Não conseguiu nada além de levar um chute na canela antes que a brecha se fechasse.

— Aaaai! — Asha baixou a arma. — Você podia me deixar vencer pelo menos uma vez... Só uma.

— Isso é o que *você* quer. — Safire balançou a cabeça. — O que eu quero é saber por que os dragões estão cuspindo fogo. E por que você insiste em guardar segredos de mim. — Ela recuou, examinando Asha, tentando fazer a dor penetrante em sua canela passar. — Também quero saber como o idiota do seu irmão pôde trazer nativos para cá. — Safire repousou a ponta da espada em um seixo e se apoiou nela. — Falando nisso, o que achou da amiga dele? A muda.

— Roa? — Sem fôlego, Asha olhou para o odre de água que Safire tinha levado com elas e foi pegá-lo. — Jarek me interrompeu antes que eu pudesse formar uma opinião.

Enquanto Asha arfava e limpava o suor no alto da testa, Safire se mantinha de pé, fresca como o amanhecer.

— Você viu o que ela estava usando?

Asha deu um longo gole e fechou o coldre.

— A faca? — Roa era a única nativa sem uma arma no quadril. Mas Asha tinha visto a protuberância de algo amarrado na coxa da menina, sob o vestido.

— Não. O pingente.

Ela não havia notado.

— Era um círculo feito de pedra. Parecia alabastro.

Asha franziu a testa.

— E?

— Parecia trabalho do Dax.

Além da beleza, o dom de esculpir era a única coisa que Dax havia herdado do pai. Quando sua esposa estava viva, o rei-dragão fazia todo tipo de presentes em osso para ela: pentes, caixinhas incrustadas de joias, anéis. Numa tentativa de deixá-lo orgulhoso, Dax aprendera sozinho aquela arte.

— E o que você quer dizer com isso?

Safire se aproximou de Asha para pegar o coldre.

— Só acho interessante. A garota, Roa, é filha da Casa da Música. Não é onde Dax costumava passar os verões? Antes de...

As palavras morreram em seus lábios.

Mas Asha sabia o que ela ia dizer.

Antes de sua mãe morrer e os nativos se voltarem contra nós.

Quando criança, Dax era curioso, mas também lento para aprender. Havia demorado para andar e falar, e em geral ficava calado. Não conseguia aprender a ler e escrever, não importava quão determinado estivesse ou o quanto se empenhasse. Os tutores, sem paciência para ele, convenceram o rei de que havia algo errado com seu filho. Achavam que Dax era burro e que aquilo era uma perda de tempo.

Então a mãe deles o enviou para a casa de Desta, sua amiga de infância, que era ama da Casa da Música. Por anos, ele passou os verões na savana, aprendendo com as crianças de lá, cujos tutores eram mais pacientes.

Mas então a mãe deles morreu, a paz com os nativos chegou ao fim e a Casa da Música se tornou inimiga. Em vez de convidado de honra, Dax se tornou um prisioneiro. Asha não conhecia a história inteira, porque o irmão se recusava a falar a respeito, mas sabia que ele carregava as lembranças doloridas daquele tempo.

— Só estou dizendo — continuou Safire, bebendo a água e passando a mão no queixo para limpar o que havia escorrido — que parecia um símbolo de carinho.

Aquelas palavras acertaram Asha como um deslizamento de pedras na Fenda.

— Dax? — ela zombou. — Apaixonado por uma nativa?

Safire gesticulou como se dissesse "só estou falando o que vi".

— Mesmo que tenha esculpido o pingente, você sabe como ele é — disse Asha. — Flerta com todo mundo. Não quer dizer nada. E Roa parece — *majestosa, graciosa, orgulhosa*, ela pensou — o tipo de garota que não se deixa levar por esse tipo de coisa.

— Não é com ela que estou preocupada.

Asha franziu a testa, lendo nas entrelinhas.

Era mesmo estranho que Dax tivesse voltado com os nativos. Não parecia algo que conseguiria fazer sozinho. E se estivesse atraído por ela? Nesse caso, e se Roa soubesse daquilo e usasse a seu favor, tirando proveito do sentimento de Dax para chegar a uma distância da qual pudesse atacar o rei?

Asha sentiu um aperto no peito. Por baixo de toda a pose do irmão, batia um coração de ouro.

O verdadeiro motivo de Dax ter brigado com o braço direito de Jarek fora o fato de ele ter batido tanto em Safire que ela mal conseguira sair da cama por três dias.

Dax podia ser tolo e imprudente, mas faria o que fosse preciso para cuidar daqueles que amava.

Asha olhou para a prima.

— Preciso que fique de olho nele. Fique por perto e garanta que não se meta em problemas.

— Podemos fazer isso juntas.

Mas Asha tinha um dragão para caçar.

Ela caminhou até a beira do terraço, olhando para além das muralhas, vendo o cume da cordilheira. A névoa da manhã se acumulava nas fendas cinzentas e nos vales verdejantes. A lua vermelha estava cada vez mais fraca.

Faltavam seis dias para a lua desaparecer. Então ela pertenceria a Jarek.

Se tivesse mais tempo...

— Preciso fazer uma coisa.

Dando as costas para a vista, Asha pegou as espadas de madeira. Ela sentiu o olhar de sua prima, mas Safire não deu voz às perguntas que queimavam dentro dela.

O que não significava que Asha não as escutasse.

—Vou te contar tudo assim que tiver terminado — ela disse. — Prometo.

Asha sabia que Safire guardaria seu segredo. Acreditava naquilo mais do que nas antigas histórias enterradas em suas entranhas. Mas se o rei-dragão descobrisse que Safire tinha conhecimento de que sua filha praticava atos criminosos, seria o fim de sua prima. Asha não podia colocá-la em uma situação que exigisse generosidade por parte do pai, porque não restava nada para Safire.

Quanto menos soubesse, mais segura estaria.

Uma história para inspirar cautela

Havia uma escrava chamada Lillian. Como todas devidamente treinadas, ela mantinha a cabeça baixa e fazia o que mandavam. Serviu a rainha-dragão com paciência e cuidado, ajudando a colocar as vestes e a tomar banho, trançando seus cabelos compridos e borrifando a melhor água de rosas em seu pescoço. Como todas as escravas devidamente treinadas, Lillian era invisível.

O segundo filho da rainha-dragão recebeu o nome de Rayan. Como a maioria dos jovens draksors de alta patente, vestia apenas roupas de melhor qualidade e bebia os melhores vinhos. Apostava nos dragões mais fortes na arena e domava as montarias mais rebeldes. Como qualquer belo príncipe, Rayan atraía a atenção de todas as mulheres.

Um dia em que voltou mais cedo do deserto, Rayan atravessava a passos largos o laranjal de sua mãe quando parou de repente. Alguém estava cantando. Parecia o canto de um rouxinol.

Rayan parou, escondido sob as árvores floridas. Ele ficou observando uma escrava dançando descalça ao som de sua própria voz, seu vestido encardido voando enquanto girava. A visão o paralisou.

Dia após dia, o príncipe voltava ao laranjal para esperar pela escrava. Só queria vê-la. Sua intenção era passar despercebido.

Mas um dia Lillian o viu. Ela interrompeu a dança no meio de um passo, a música no meio de uma nota.

Então fugiu.

Rayan a perseguiu. Tentava explicar que não sabia que ia encontrá-la naquele primeiro dia. Que não tinha pretendido voltar todos os dias desde então. Mas queria vê-la dançar, ouvi-la cantar. Era como observar um lago de águas paradas. Algo calmo, tranquilizador.

Lillian permaneceu de pé, com as costas viradas para a parede. Tremia, se recusando a encarar o rosto do príncipe com seus olhos arregalados. Ela caiu de joelhos, implorando. Rayan estranhou aquilo, e pediu que ficasse de pé.

Só então ele entendeu.

Ela achava que ia dominá-la contra sua vontade. Como um garanhão tomava uma égua.

O pensamento o acertou como um soco.

Então quem fugiu foi Rayan.

Quando Lillian levantou o rosto, viu que estava sozinha. Ela levantou do chão de mármore do salão. Procurou muito pelo filho de sua senhora, mas não havia sinal dele.

Na manhã seguinte, Lillian acordou com um buquê de flores de laranjeira, as delicadas pétalas brancas em forma de estrela, e um bilhete com os dizeres: "Sinto muito".

Lillian foi ao laranjal e viu Rayan a esperando ali, de costas para ela, observando os ramos verde-escuros. Podia ir embora e ele nunca saberia.

Mas não foi o que fez.

Lillian chamou o segundo filho da rainha-dragão. Ele virou, seu rosto se iluminando ao vê-la. Quando Rayan foi em seu encontro, ela não correu. Lillian deixou que a olhasse. Enquanto isso, ela tocou seu cabelo, sua bochecha, seu pescoço.

Dia após dia, seus olhares se cruzaram nos pátios. Suas mãos se tocaram em corredores escuros e estreitos. Sob o manto da noite, em jardins secretos, alcovas esquecidas, varandas escondidas, ambos se entregaram um ao outro.

Não demorou muito para uma criança crescer dentro dela. Mas aquilo era proibido à escrava de uma rainha.

Quando um amigo skral a traiu, Lillian teve que se apresentar à sua senhora, e implorou por misericórdia. Rayan estava além dos muros da cidade no momento em que descobriu. Voltou correndo pelas ruas estreitas de paralelepípedos, pelos corredores do palácio. E chegou ao trono de sua mãe.

— Eu amo Lillian — Rayan confessou. — Quero me casar com ela.

Talvez fosse a juventude. Talvez fosse a loucura do amor.

A mãe riu na cara dele.

Rayan tentou se defender. Não se tratava de paixão. Nem mesmo de amor, era algo maior. No dia em que encontrara Lillian no laranjal, ele se sentiu como o primeiro namsara pousando os olhos em sua hika, sua companheira sagrada, sua metade abençoada, moldada pelo Antigo.

Lillian era sua hika, Rayan afirmou diante da mãe.

Ela ordenou que sumisse da sua frente.

A rainha-dragão esperou o bebê nascer, e não mais. Então arrastou a escrava para o centro da cidade e a queimou viva em praça pública. Rayan assistiu a tudo segurado por soldats, sem poder fazer nada a respeito.

Três dias depois, ele tirou a própria vida. Deixou para trás um bebê chorando. Uma menina, batizada de Safire pela mãe.

Três dias depois disso, a rainha foi encontrada morta em sua cama. Alguns dizem que foi a vergonha. Outros, a dor. Mas o que a matou não importa. A lição que fica é:

Um príncipe ousou amar uma escrava, e essa história não acabou bem para ninguém.

Sete

Asha pegou a rota mais rápida para o portão norte, passando pelo novo quarteirão e pelo templo. Ela corria pelas ruas estreitas. Com o ataque de Kozu, aquele lugar havia queimado por três dias seguidos, e seu pai ordenara que fosse reconstruído, o que levou quase seis anos do trabalho de milhares de escravos.

Agora, um mar verde a cercava. Era a cor do renascimento. Os escravos tinham pintado as paredes como um tributo àqueles que haviam morrido nas chamas.

As ruas não eram mais largas do que uma carroça; embora estivessem distantes do maior mercado da cidade, barracas de mercadores se estendiam ao longo das paredes. Montes de açafrão, anis e páprica brotavam de sacos grosseiros de lona. As barracas de sandálias espalhavam um cheiro pungente de couro. Sedas de cores vibrantes ondulavam com a brisa.

Ao fim, as paredes brancas do templo se erguiam na direção do céu azul. Asha estava no meio do caminho quando uma mulher caiu de joelhos na frente dela, bloqueando a passagem. Havia um cheiro penetrante de ferro à volta. Pelo modo como a fuligem se acumulava nos vincos da sua pele e debaixo das unhas, Asha deduziu que fosse uma ferreira.

— I-iskari. — Ela mantinha a cabeça baixa. Suas mãos grossas e enegrecidas tremiam, segurando contra o peito um pacote. — Isso é pra você.

Escravos que traziam e levavam recados diminuíram o ritmo ao redor para observá-las. A ferreira ajoelhada no meio da rua chamava atenção demais.

— Levante.

A mulher sacudiu a cabeça e ergueu as mãos ainda mais alto.

— Por favor, pegue.

Asha olhou para o que quer que estivesse embrulhado em linho sujo de ferrugem e amarrado. A forma comprida era familiar. Os pelos em sua nuca se arrepiaram.

Asha pegou o pacote com a mão queimada. No momento em que sentiu seu peso, teve certeza do que havia ali dentro.

— Trabalhei a noite toda. Só fui terminar de madrugada — disse a ferreira. — O próprio Antigo me disse como moldar.

Asha sentiu o corpo ficar tenso. Olhou para as portas e varandas das casas em volta delas. Quando seu olhar encontrava o de outras pessoas, elas se recolhiam atrás das cortinas azuis ou amarelas, ou das gelosias de madeira.

Asha puxou o pacote para perto do peito.

— Alguém pode ter ouvido?

A ferreira manteve os olhos nos seixos.

— Sempre trabalho à noite, iskari. Se ouviram, não estranharam.

— Não fale sobre isso com ninguém.

A ferreira assentiu, sem levantar a cabeça. Asha contornou a mulher e segurou firme o pacote até chegar aos portões.

Os guardas não a incomodaram, mas Asha ouviu um burburinho enquanto destravavam a pesada porta de ferro.

E os escravos?, eles deviam estar se perguntando. *E ela não acabou de voltar de uma caçada?*

A iskari sempre caçava com uma comitiva. Naquele dia, porém, ela estava sozinha e fortemente armada. Era suspeito que estivesse indo para a fenda desacompanhada, apenas um dia depois de retornar.

Ainda que se perguntassem aonde ela ia, os soldats não a detiveram. Afinal, era a iskari.

Mas aquilo não impediria que a notícia chegasse aos ouvidos de Jarek.

Que seja. Asha ficou tensa ao pensar nele, penetrando nas árvores, seguindo as trilhas. *Quando eu voltar com a cabeça de Kozu, Jarek já não será um problema.*

Mesmo assim, ela se movia veloz. Caso alguém a estivesse seguindo.

Asha se apressou pela grama barulhenta. Os cedros rangeram e depois silenciaram ao seu redor. Se ia evocar um dragão, e o mais perigoso de todos, precisava se afastar o máximo possível da cidade. Queria corrigir os erros que havia cometido, e não os repetir.

No final da tarde, Asha subiu as falésias da Fenda, olhando para trás, para o caminho que percorrera, certificando-se de que as paredes da cidade estivessem cada vez mais distantes. Colocou o pacote da ferreira na rocha diante dela, desatando as cordas e afastando o tecido.

Lâminas gêmeas a cumprimentaram, pretas como a noite, elegantes como luas minguantes. Os cabos eram feitos de ossos ornados de aço e ouro. E havia um segundo pacote. Asha o desembrulhou e encontrou bainhas e uma bandoleira. Ela colocou a bandoleira no ombro e embainhou as duas matadoras, de modo que ficassem cruzadas em suas costas.

Asha só tinha seis dias para rastrear e matar Kozu. Não podia se dar ao luxo de perder tempo. Ele tinha sido visto na Fenda. Se contasse uma história antiga, ia atraí-lo.

Mas qual história o mais velho e cruel dos dragões gostaria de ouvir? Uma sobre ele mesmo? Sobre Elorma, o primeiro namsara?

Asha se afastou da trilha, entrando em meio aos pinheiros e cortando as videiras que bloqueavam seu caminho, ao mesmo tempo que buscava uma história no fundo da memória. Como um balde de poço que subisse cheio de veneno, em vez de água.

Asha abriu a boca para começar, mas de repente se deparou com um afloramento rochoso.

Um dragão magro e bege estava ali, curvado, misturando-se ao xisto enquanto absorvia o calor do sol. Além dele, a Fenda mergulhava em um vale de crescimento verdejante em volta do rio que o cortava.

Asha congelou. O dragão virou a cabeça para ela. O fedor esfumaçado atingiu seu rosto. Seus chifres mal haviam nascido, o que significava que não tinha chegado à maturidade. A julgar pelas cores pálidas, era uma fêmea.

Ela ouviu um ruído conforme a criatura virava para encará-la. Dragões jovens eram mais propensos a um comportamento agressivo.

Mais propensos a lutar em vez de fugir. E aquele não era exceção.

A criatura abriu completamente as asas, como um galo eriçando a plumagem para parecer maior e mais assustador diante do inimigo. Suas asas lançaram uma sombra sobre Asha. A luz do sol atravessava as membranas translúcidas, revelando os ossos interligados que permitiam que seu enorme corpo voasse.

O dragão sibilou.

Asha firmou os dedos em volta do cabo do machado. Em qualquer outro dia, teria gostado de tropeçar num dragão.

Ela trincou os dentes. *Quanto antes o derrotasse, mais cedo evocaria Kozu.*

Asha segurou o machado, então mudou de ideia.

Guardou-o no cinto e sacou uma das matadoras de suas costas. No instante em que sua mão encostou no cabo, seu sangue zumbiu.

Um aviso ressoou dentro dela: *As matadoras só podem ser usadas para consertar erros.*

Estou consertando um erro, Asha pensou.

Ela suspendeu as lâminas sagradas, refletindo a luz do sol nos olhos do dragão, depois atacou. A criatura desviou, e suas escamas chiaram contra a rocha. Asha mal teve tempo de esquivar e rolar antes que ele batesse o rabo espinhoso em suas costas. Era uma lição que tinha aprendido havia muito tempo: sempre tenha em mente onde está o rabo de um dragão.

Antes que Asha pudesse levantar, o dragão atacou, expondo as presas venenosas, prestes para morder. Asha rolou assim que a fera atacou, escapando por um fio. Então ela rolou de novo, para baixo do dragão, com as costas voltadas para a rocha fendida, o rosto diante da barriga pálida como um ovo.

Ela enfiou a matadora na carne macia.

Duas coisas aconteceram então. Primeiro, o dragão urrou, batendo suas asas finas para tentar fugir. Então uma dor sem igual atingiu o braço de Asha, que começou a gritar também. Ela soltou o cabo. O dragão se libertou, arrastando-se na direção da borda do penhasco.

Asha sentou. Seu braço pendia inerte ao seu lado. Sua respiração era forte e rápida. A dor tinha desaparecido, substituída por uma dormência horrível.

Ela não conseguia sentir o braço. Não conseguia flexionar os dedos. Era como se não estivessem mais lá.

As matadoras só podem ser usadas para consertar erros.

Mais uma vez, ela tentou mover o braço. Mais uma vez, ele não respondeu.

Elorma a havia enganado.

Furiosa, Asha gritou contra o Antigo.

— *Mentiroso!*

A palavra ecoou por todo o desfiladeiro, até que o vento tivesse levado o som para longe.

Asha olhou para a beira do penhasco, onde o jovem dragão repousava, quieto e silencioso. Talvez não estivesse morto. Talvez só tivesse se machucado.

Talvez conseguisse corrigir aquilo.

— Por favor, esteja vivo — Asha sussurrou, indo na direção da criatura. Quando sacou a arma com a mão queimada, no entanto, viu que havia sangue em volta de suas botas.

Asha caiu de joelhos diante da cabeça do dragão morto, que descansava nas rochas de olhos fechados.

Seu braço esquerdo não respondia, sua mão direita continuava queimada. Como ia caçar Kozu?

A lâmina negra ensanguentada repousava em frente aos seus joelhos. Asha queria jogá-la desfiladeiro abaixo.

Se o Antigo pensava que podia impedi-la com suas artimanhas, então a havia subestimado. Aos dez anos de idade, ela havia evocado o dragão mais vil que existia e assim quase destruíra uma cidade inteira. Asha tinha mais mortes em sua contagem que qualquer outro caçador.

Ela era perigosa. Ninguém pregava peças na iskari. Ferida ou não, caçaria Kozu e levaria sua cabeça ao pai. Colocaria um fim às tradições antigas nem que fosse a última coisa que fizesse na vida.

Oito

— Pode ficar parada?

Obedecendo a prima, Asha inclinou a cabeça para trás, encostando no gesso frio. Seus joelhos estavam dobrados e uma tipoia improvisada envolvia seu braço junto ao corpo. Ela tinha ido direto para o quarto de Safire ao retornar da Fenda. A prima não parava de resmungar, vestida com seu manto novinho.

O aposento da ala feminina era apertado e melancólico. As paredes de gesso estavam rachadas e amareladas; não havia sacada e, apesar das janelas de vidro, muito pouca luz entrava. Antes da revolta, os escravos da rainha-dragão viviam e dormiam ali. Agora eram trancados e vigiados todas as noites.

— Queria que pelo menos me contasse como isso foi acontecer. — As sobrancelhas de Safire se uniram ao franzir de sua testa. Ela estava tentando enfaixar a mão queimada da prima de uma maneira que a tornasse um pouco mais útil. Asha a observou dobrar o linho, depois dar várias voltas em sua mão com ele. Pensou nos dias longínquos em que se escondiam sob as madressilvas no jardim, enquanto a enfermeira chamava Asha sem parar, dando cotoveladas uma na outra enquanto tentavam segurar a risada. Pensou nos momentos em que deitavam, no meio da madrugada, lado a lado no terraço e nomeavam as estrelas.

Tinha sido antes da mãe de Asha morrer. Ela era mais tranquila em relação às leis que governavam os skrals.

— Pronto — disse Safire, atando o linho. — Como está?

A mão de Asha era um volume branco, tendo sido completamente engolida pela atadura. Ela tentou pegar o machado do chão. Sua pele protestou, mas Asha conseguiu suportar. Não poderia segurá-lo por muito tempo ou direito, mas era melhor do que nada.

Asha estava prestes a agradecer a prima quando ouviu uma batida alta na porta.

— Saf!

As duas se endireitaram diante da voz assustada de Dax.

Safire levantou e atravessou o quarto para abrir.

Dax entrou, parecendo abatido e doente. Os cachos em torno de suas têmporas estavam molhados e sua pele brilhava de suor. Sangue manchava a frente de sua túnica dourada.

Aquela imagem foi o suficiente. Na mesma hora, Asha entendeu de quem ele a lembrava.

Mamãe.

Nos dias antes de morrer, os ossos dela tinha ficado salientes e seus olhos pareceram buracos negros. Asha lembrou da tosse dela durante a noite. Lembrou do sangue que saía junto...

Em grande quantidade.

Ela ficou de pé, uma tarefa difícil considerando a mão queimada e o braço inútil na tipoia.

— Qual é o problema? — Safire perguntou. — Está ferido?

— Cometi um erro terrível. — Seus olhos estavam vazios. Assombrados.

Diante da expressão de Asha, ele olhou para o sangue em sua própria camisa.

— Não é meu. — Então Dax viu a tipoia e o curativo na mão da irmã.

Antes que pudesse perguntar a respeito, Safire o interrompeu.
— O que aconteceu?
Os dois se entreolharam.
— Preciso da sua ajuda.
Teriam os nativos feito alguma coisa? Haveriam machucado seu irmão? Asha se preparou para acabar com quem quer que tivesse feito aquilo.
— É Torwin.
Aquilo não ajudou em nada.
— Quem?
— O escravo de Jarek — Safire explicou.
Asha lembrava dele. Daqueles olhos penetrantes. Das sardas como estrelas. Dos dedos compridos nas cordas do alaúde.
Torwin.
— Pensei que pudesse impedir. — Dax apoiou as mãos na nuca. — Mas vocês sabem como Jarek é. Assim que descobre que você se importa com alguma coisa...
— Ele a destrói — Asha completou.
Dax soltou os braços e foi na direção dela.
— Preciso que o ajude.
Asha sacudiu a cabeça, descrente.
—Você é o herdeiro do trono, Dax. Não precisa fazer nada por ele. É um escravo.
Safire olhou para ela.
— O que foi? — Asha encarou a prima. Ali, só com Dax, era seguro dizer o que pensava. —Você não é escrava, Saf.
Se Dax tinha uma fraqueza, era aquela. Pior do que suas brigas, seus flertes, suas apostas imprudentes. Ele não pensava como um rei. Pensava como um herói. Era gentil demais. Bom demais. Mole demais. Qualidades que acabariam deixando feridas nele.
— Asha. — Dax se aproximou. — Estou implorando.

Reis não imploram.

— Se eu pedir a Jarek tenho certeza de que vai matar Torwin. Mas se *você* pedir...

— Está mesmo me pedindo pra impedir que um skral perigoso receba a punição que merece? — Asha estudou o irmão. Tinha passado um mês nas matas, comendo e bebendo com fanáticos religiosos que se recusavam a ter escravos.

E se, em vez de ganhar a confiança dos nativos, eles é que tivessem ganhando a confiança de seu irmão?

— Ele não é... — Dax balançou a cabeça, cerrando os punhos e os abrindo em seguida. Parecia querer agarrá-la pelos ombros e sacudi-la. — Torwin está sendo punido por *sua* causa. Por te tocar na frente de Jarek. Na frente de todos. — Dax suspirou, e suas narinas se inflaram. — Se ele não tivesse te ajudado, você teria se machucado.

— Torwin fez mais do que me segurar — ela resmungou, pensando no modo como havia levantado seus olhos de aço para ela. *Uma dança*, ele havia exigido. *Quando e onde eu decidir.*

— Ele vai para a arena amanhã — disse Dax. Como se a morte de um escravo devesse suscitar sua simpatia. Escravos pereciam na arena o tempo todo.

Asha sacudiu a cabeça em descrença.

— É o lugar certo para escravos criminosos.

Ao dizer aquilo, ela pensou nos batimentos do coração dele contra sua bochecha. Na sensação de ser amparada por braços fortes.

Fazia oito anos que ela não ouvia a batida do coração de alguém. Oito anos que não a seguravam com tanta gentileza e carinho.

— Não custa nada, Asha.

Ela odiava o modo como Dax a olhava. Como se sua mera existência bastasse para desapontá-lo. Como se tivesse acabado de perceber a irmã terrível que tinha.

Aquilo a lembrou da história dos gêmeos, um criado a partir do céu e do espírito, outro de sangue e luar.

Aonde Namsara levava risadas e amor, Iskari levava destruição e morte.

Safire ficou ao lado dele.

— Concordo com Dax.

Asha olhou para a prima, sentindo-se traída.

— Jarek é o comandante — Asha apontou. — Tem a obrigação de cumprir a lei, e aquele escravo pertence a ele. — Ela pensou nas mãos do skral enfaixando sua queimadura com delicadeza, mas afastou rápido a lembrança. — Não tem nada que eu possa fazer.

— Bobagem — disse Dax. — Você pode tentar.

Ela franziu o cenho.

— Por favor, Asha. O que eu posso fazer para te convencer?

A última lembrança que tinha do irmão implorando foi quando os dois eram crianças. Ela havia roubado a espada favorita de Jarek e a deixado cair no esgoto. Dax assumira a culpa, e Jarek o forçara a implorar por misericórdia. Asha assistiu com lágrimas nos olhos a Jarek prendendo seu irmão no chão, sem ter coragem de confessar.

Dax devia ter sentido que estava perto de convencê-la, porque insistiu.

— Você é a fraqueza dele. Use isso. Encante Jarek. Faça... o que as outras garotas fazem para conseguir o que querem.

Ao ouvir aquilo, Safire se afastou, estupefata.

Asha curvou os lábios. A ideia de seduzir Jarek fez seu estômago borbulhar.

— Ou não — disse Dax, ao notar os olhares de ambas.

— Não tenho tempo pra isso — disse Asha, pensando na lua vermelha minguante. Ela tinha um dragão para caçar em apenas seis dias. Precisava voltar para a Fenda.

Asha passou pelo irmão na direção da porta.

— Espere!

Ela não esperou.

— E se eu der isso pra você?

Asha parou na porta de Safire. A madeira estava apodrecendo. O puxador de latão tinha manchas do tempo. Qualquer um que quisesse machucar sua prima, poderia quebrar a porta com facilidade. Precisava arrumar aquilo.

— Era da mamãe.

Asha virou enquanto Dax puxava algo de seu dedo fino. Era um anel esculpido em osso. Mas não foi ele que chamou sua atenção de imediato. Foram os calos na ponta dos dedos do irmão. Pareciam com os calos nos dedos do escravo de Jarek.

— Papai fez para ela.

O ciúme cravou suas garras no coração de Asha. Os bens de sua mãe tinham sido queimados após sua morte. Por que aquele anel havia escapado? E por que estava com Dax?

— Papai me deu pouco antes que eu partisse para a savana. — Dax se aproximou. — Se tirar Torwin dessa, é seu.

Asha pensou na mãe morrendo na cama. Envenenada pelas antigas histórias.

Não tinha nada dela. Por que seu pai tinha dado o anel para Dax?

Porque não o mereço. Porque, se não fosse por mim, ela nunca teria contado as antigas histórias. Se não fosse por mim, ainda estaria viva.

Asha podia não merecer, mas queria aquele anel.

E, embora jamais fosse admitir e nem sequer soubesse o porquê, queria algo mais. Queria que certo coração continuasse batendo.

— Está bem.

Dax abriu um de seus sorrisos brilhantes. Aquilo não fez Asha se sentir melhor. Só mostrava como o rosto dele estava magro, quanto peso havia perdido.

O que aconteceu lá fora?, ela se perguntou.

Asha deixou a dúvida de lado e foi para a porta.

Safire fez menção de segui-la, mas a prima lhe lançou um olhar de alerta. Não ia levá-la para negociar a vida de um escravo insubordinado. Se teria que interferir em uma sentença lícita, faria aquilo sozinha. Não queria lembrar a Jarek do modo mais eficiente de puni-la por desafiá-lo.

Pouco antes de botar os pés no corredor pouco iluminado, com tochas lançando sombras assustadoras nas paredes, ela ouviu o irmão perguntar:

— O que aconteceu com o braço dela?

— Ela não quer me contar de jeito nenhum — respondeu Safire.

Asha fechou a porta com força.

Nove

A porta de Jarek se abriu na primeira batida. Uma escrava de cabelos grisalhos endurecida pela idade apareceu, as lágrimas fazendo suas bochechas escuras brilharem.

A skral assustou Asha. A lei determinava que todos os escravos estivessem recolhidos ao pôr do sol.

— Preciso ver o comandante — ela disse, empurrando a porta e entrando por um corredor turquesa que cheirava a água de rosas. Ela sentiu o tapete finamente tecido absorver o impacto de seus passos.

Um grito de raiva ecoou pelos corredores, seguido por um som inconfundível: o golpe afiado do shaxa, um pedaço de corda com lascas de osso. Asha ouviu o impacto se repetir várias vezes contra as costas de alguém.

O escravo gemeu. Asha abriu caminho pelas portas de cedro com marfim e bronze incrustados. Ela atravessou diversos cômodos até chegar ao pequeno tribunal no centro dos aposentos do comandante, que tinha um cheiro inebriante de flores da lua.

E então viu o escravo.

Ele estava caído na água rasa da fonte. As lamparinas das galerias lançavam sombras sobre ele, mas Asha podia ver suas mãos amarradas ao manancial. O sangue que escorria de suas costas deixava a água rosa.

Jarek entrou na frente dela, bloqueando a visão do escravo. Ele havia tirado a túnica. Suas costas brilhavam com o suor e seus músculos se mantinham tensos enquanto circundava sua propriedade.

— E então, skral? — As palavras atropelavam umas às outras. — Valeu a pena?

Asha encostou na parede ao recuar, sentindo o coração bater forte no peito.

Ela podia ser a iskari. Podia caçar dragões e entregar a cabeça deles ao rei, mas Jarek tinha o exército sob seu comando. Cada soldat da cidade era leal a ele. E, por razões que não era capaz de entender, o comandante nunca tivera medo dela.

Asha podia se virar e ir embora. Não precisava fazer aquilo. Era tudo culpa do escravo, afinal. Não devia ter encostado nela.

— Por favor, iskari. — As palavras cortaram seus pensamentos como um machado. Asha abriu os olhos e viu a escrava mais velha, com uma trança grossa no cabelo, torcendo as mãos enrugadas e com manchas da idade. Seu rosto angustiado em forma de coração suplicava. — Por favor, ajude ele.

Mais uma batida, seguida por um grunhido baixo. Asha ousou olhar outra vez. Um dos sofás baixos de Jarek tinha quebrado, e a perna que fora arrancada estava ao lado das flores roxas, cujas pétalas haviam se aberto. Dax tinha sugerido que o encantasse. Que o seduzisse. Mas Asha não sabia como fazer aquilo. Era uma caçadora. Ela podia matar, não seduzir.

Asha pensou no jeito como o escravo havia encostado nela na enfermaria. Em como a havia pegado no pátio, e segurado seu corpo com cuidado. Como se não tivesse medo.

Aquilo a envergonhou. Se ele não tinha medo — de Asha, da lei, de seu próprio mestre o açoitando até os portões da morte — como ela podia ter? Afinal, era a iskari.

Jarek cuspiu, ainda de costas para ela. Ele se preparou para outra rodada de chicotadas. Quanto mais esperasse, mais o escravo sofreria.

O shaxa cortou o ar e rasgou a carne. O barulho ecoou pelo pátio. Asha apertou os olhos. Sacou uma das matadoras com a mão queimada, mantendo o braço inútil junto ao corpo. Ela tremeu com a dor, mas cerrou os dentes e prosseguiu.

Quando Jarek ergueu o shaxa de novo, ela prendeu o chicote com a lâmina. No momento em que Jarek se preparou para chicotear novamente, o shaxa travou. Asha segurou firme.

Jarek cambaleou. Ele virou, apertando os olhos para enxergar através da névoa da embriaguez. Seu rosto se contorceu de raiva e brilhou de suor.

— Quem está aí?

A água da fonte estava cheia de sangue. O som da cascata parecia desconectado do restante.

— Já chega — ela disse, com mais coragem do que sentia. — Vou soltar o escravo.

O rosto de Jarek pareceu sombrio.

— É meu direito. — Ele puxou o shaxa, que não se moveu.

— Ele vai acabar morrendo.

Ao notar o tremor na voz que Asha era incapaz de controlar, a expressão de Jarek se transformou, passando a uma calma gelada.

— Desde quando você se interessa pela saúde dos meus escravos? — Ele olhou para o skral e de novo para ela, com a boca retorcida. — É algo de família então?

Ela demorou um pouco para entender o que ele queria dizer.

Rayan. Seu tio. O draksor que havia se apaixonado por uma skral.

— Devo me preocupar? — Ele cambaleou um pouco, então

apoiou o corpo no tronco de um limoeiro. — Com a possibilidade de minha esposa se envolver com meus escravos?

Ela tentou soar calma.

— É a coisa mais idiota que ouvi você dizer hoje.

Ele olhou para o escravo.

— É nojento. — Jarek soltou o shaxa, sacou uma adaga de duas pontas, e partiu na direção da fonte. — Não vou tolerar.

Asha foi tomada pelo pânico. Largou a matadora e o shaxa enrolado nela e sacou a outra, fazendo com que sua mão queimada doesse novamente. Ela se dirigiu à fonte e chegou primeiro, graças à sua sobriedade e rapidez.

Asha ergueu a matadora, ficando entre Jarek e o escravo.

O comandante podia estar bêbado, mas era muito maior e mais forte. E ela mal conseguia usar os braços.

Quando ele se arremessou contra ela usando apenas as próprias mãos, Asha fez a única coisa em que foi capaz de pensar: bateu o mais forte possível com o cabo da arma em sua têmpora.

Ela foi ao chão com tanta força que ficou sem ar. Nocauteado pelo golpe, Jarek caiu em cima dela, prendendo seu corpo no chão. Era puro peso e músculo, parecia que estava sendo esmagada por uma pedra.

Asha ficou deitada embaixo dele, com um lado do seu rosto pressionado contra os azulejos frios, o outro contra o peito quente e suado dele. Ela não conseguia respirar.

Ele está me sufocando...

Asha chutou e esperneou, tentando se soltar. A matadora estava a poucos passos de distância, mas fora de seu alcance.

Seus pulmões queimavam. Sua visão ficou turva. Tentando respirar em vão, Asha lutou com mais força, empurrando Jarek com as pernas e o quadril em uma última explosão de força. Antes que tudo escurecesse, mãos foram ao seu encontro. Mãos manchadas e cheias de calos tentaram puxá-la; quando não funcionou, tiraram Jarek de cima dela com uma força impressionante. O ar voltou aos pulmões da iskari. Ela arfou, permitindo que a preenchesse.

O comandante repousava em um amontoado imundo no chão. Havia sangue em sua têmpora, mas seu coração ainda batia. Asha conseguiu sentir sua pulsação. Não tinha de ideia de quão feio era o ferimento ou quanto tempo ele permaneceria desmaiado, então levantou, pegou as matadoras e as embainhou. Asha pegou a adaga de Jarek e correu até o escravo caído.

Asha cortou a corda que o prendia e libertou suas mãos. Quando a corda arrebentou, o escravo desabou na água.

Ela largou a adaga, que afundou na água. Agachou para ajudá-lo, tentando passar seu braço por cima do ombro, algo impossível de fazer com uma única mão.

— Preciso que me ajude.

Ele ergueu o rosto, mas não respondeu. Seus olhos se fecharam lentamente. Como se estivesse mergulhando na inconsciência.

— *Não*. Fique comigo.

Seus olhos se abriram, mas sem foco.

— Iskari? — Seus lábios estavam secos e rachados. — Estou sonhando?

— Passe o braço por cima do meu ombro.

Ele a obedeceu.

— Agora segure firme e levante.

Asha não esperou a resposta para passar seu braço bom em volta dele. O escravo vacilou enquanto atravessavam a água; quando Asha tentou tirá-lo de lá, ele quase caiu. Ela o segurou com força pela cintura, com a mão queimada gritando de dor.

— Me escute — ela disse, com os dentes cerrados. — Se quer escapar daqui com vida, vai ter que andar.

Ele assentiu, respirando pela boca e recobrando as forças. Apoiou todo o seu peso nela, enrijecendo o corpo a cada passo.

Eles precisavam dar o fora dali antes que Jarek recobrasse a consciência. E a manhã se aproximava. Assim que o sol nascesse, Asha não poderia andar pelas ruas carregando o escravo de seu noivo. As pessoas veriam. E falariam.

Ela precisava ser mais rápida.

A escrava mais velha apareceu com um manto escarlate que pertencia a Jarek. Ela o jogou sobre a cabeça e os ombros do outro, prendendo as borlas do capuz em seu pescoço.

— Para onde ele vai, iskari?

Asha não tinha uma resposta para aquela pergunta. Não podia escondê-lo no palácio, tampouco levá-lo para os alojamentos, vigiados pelos soldats. Asha tentou pensar em um lugar seguro enquanto avançava com cautela para o corredor. Em um lugar onde ninguém pensaria em procurá-lo.

Ela pensou em seus próprios segredos e nos lugares que os escondia.

A Fenda ficava longe demais. Além disso, Asha não tinha intenção de adicionar "libertação de um escravo" à sua lista de crimes.

— *O templo* — o escravo murmurou.

Asha olhou para ele.

O templo vinha fazendo oposição ao rei-dragão havia anos. Mesmo assim, ela duvidava que seus guardiões iriam tão longe a ponto de hospedar um escravo fugitivo.

— Iskari — ele sussurrou entre respirações profundas. — Confie em mim.

Asha não tinha motivos para confiar, mas ele devia querer viver mais do que ela queria. Então seguiu sua sugestão.

Ela o arrastou pela rua silenciosa. O cheiro salgado do suor se misturava ao odor penetrante do sangue. Quanto antes o deixasse em segurança, mais cedo poderia contar ao irmão que havia feito o que pedira. Então pegaria o anel de sua mãe e voltaria a caçar Kozu.

Ela se concentrou naquele pensamento enquanto carregava o escravo na direção do templo perolado que se destacava na escuridão.

O templo já tinha sido o ponto mais alto da cidade, mas o palácio o superara havia tempos. O que antes fora o centro do poder em Firgaard havia sido reduzido a uma concha vazia. Uma relíquia obsoleta.

No caminho, começou a chover. Se Asha achasse que orações realmente funcionassem, teria agradecido aos céus. A chuva lavava a trilha de sangue por onde passavam.

Seu braço paralisado começou a formigar. Como se alguém tivesse enfiado centenas de agulhas nele. Quando chegaram ao templo, ela jurava que podia mexer os dedos pelo menos um pouco.

A iskari pensou nas armas amarradas às suas costas.

As matadoras só podem ser usadas para consertar erros.

Asha olhou para o escravo apoiado nela. Por baixo do capuz, sua mandíbula estava tensa e sua testa, muito enrugada. Seus olhos pareciam nublados de dor.

Tal imagem fez a garota pensar que talvez seu próprio argumento não fizesse sentido. Sim, ele havia quebrado a lei. Sim, tinha encostado na filha do rei-dragão. Mas tinha feito aquilo para impedir que ela se machucasse. Se não tivesse feito nada, não teria sido punido de forma igualmente severa? Não era melhor que a tivesse pegado?

— Está tudo bem. — Asha firmou o braço em volta dele. — Não vou te deixar cair.

O escravo olhou na sua direção, e as rugas em sua testa se suavizaram. Ele relaxou um pouco.

Não havia nenhum guarda fora dos muros do templo, que eram cobertos de tinta branca lascada e cujos frisos desbotados desmoronavam. As ruas que o margeavam estavam vazias e silenciosas.

Asha ajudou o escravo a passar pelo arco frontal. Do outro lado das portas de cedro ficava o símbolo do Antigo: um dragão moldado em ferro, exceto pelo seu coração, feito de vidro vermelho-sangue, como se fosse uma chama.

Com uma mão na tipoia e a outra ocupada, Asha não podia bater, então gritou. Como ninguém aparecia, gritou de novo, mais alto. O esforço consumiu toda a força que lhe restava, tendo carregado tanto peso.

Quando as portas enfim se abriram, uma pessoa encapuzada segurando um castiçal apareceu. Era uma mulher de manto escarlate. À luz da vela, Asha não conseguia ver seu rosto, mas o manto a marcava como uma guardiã do templo, uma das várias mulheres encarregadas de conduzir os rituais sagrados, que incluíam uniões, cremações e nascimentos.

Quando a guardiã se deu conta de quem estava parada à porta, recuou depressa.

— Iskari...

— Esse templo foi um santuário no passado — Asha disse, se curvando um pouco. — Por favor. Precisamos de um.

A mulher olhou de Asha para o escravo, tentando decidir o que fazer. Antes que a iskari desabasse, ela tomou sua decisão: passou o outro braço do escravo por cima dos próprios ombros e suportou a maior parte do peso para ajudá-los a entrar.

A enorme porta fechou atrás deles com um estrondo.

O cheiro do lado de dentro era de gesso velho e carcomido. Velas presas às paredes queimavam, projetando longas sombras pelos corredores escuros. Os passos ecoavam alto enquanto Asha e a guardiã conduziam o escravo ao interior do templo.

— Por aqui — disse a mulher, guiando os dois por arcos e corredores, depois tomando uma escada antiga de degraus estreitos.

No alto havia uma porta de cedro pequena e simples. Uma flor de sete pétalas havia sido esculpida na madeira — uma namsara. Era o antigo símbolo de locais de cura.

A guardiã abriu a porta. O lugar estava completamente escuro, mas a mulher se movia com facilidade, a chama tremeluzente e fraca da vela que carregava pouco à frente. Ela sentou o escravo em algo macio.

— O que aconteceu com ele? — perguntou a guardiã, colocando o castiçal ao lado da cama. Ela desamarrou as borlas do manto do escravo, que gritou de dor quando a mulher tirou o tecido de lã de suas costas laceradas com cuidado.

— O comandante — disse Asha, desabando no chão.

A mulher analisou seus ferimentos, enquanto o sangue pingava e se acumulava. Suor escorria do rosto do escravo, que se segurava na cama, tremendo de dor. Seus braços e seu peito nus estavam manchados de sangue.

— Meu nome é Maya — ela disse, tirando o capuz para revelar olhos grandes e bochechas fortes e brilhantes. — Vou esquentar um pouco de água e buscar unguento para desinfetar. Volto logo.

O escravo fixou os olhos em Asha, encarando seu rosto sem piscar, como se a visão da iskari fosse a única coisa que o impedia de apagar de vez.

De que adiantaria dizer para desviar o olhar?

— Por quê? — A pergunta arranhou os lábios rachados dele.

Asha franziu o cenho.

— O quê?

— Por que fez isso?

Ela pensou no anel de sua mãe.

— Meu irmão pediu.

Ele franziu a testa.

—Você nunca faz o que ele pede.

Asha abriu os lábios. *Como sabe disso?*

O escravo se inclinou para a frente. Pelo modo como piscava e apertava os olhos, Asha podia dizer que sua visão estava turva.

— Qual foi o verdadeiro motivo?

Ela o encarou.

—Acabei de dizer.

O escravo olhou para o braço dela.

Asha seguiu seu olhar e encontrou a tipoia improvisada. Tentou flexionar os dedos. Para sua surpresa, eles, ainda que lentos, obedeceram. Enquanto o escravo a observava, Asha soltou a tipoia. Seu braço caiu dormente. Mas, com algum esforço, podia mover um pouco a mão.

A porta se abriu e o escravo se endireitou, seus olhos desviando da iskari sentada no chão, ao lado da cama. Ele se concentrou em Maya, que carregava linho e uma vasilha de água.

Asha queria voltar para o palácio.

Não deveria estar ali.

Mas sentia o corpo pesado como pedra, e a simples ideia de levantar a sobrecarregou.

Enquanto a guardiã lavava e cobria as feridas do skral, Asha se curvou no chão, com o braço dormente dobrado contra seu peito. Só queria descansar um pouco.

Não tinha a intenção de dormir.

Dez

— Iskari, já é quase meio-dia.

Asha abriu os olhos e encontrou Maya abaixada ao seu lado. Não estava de capuz, e a lamparina iluminava as curvas suaves de seu rosto.

O corpo da iskari gemeu em protesto. Ela estava cansada e dolorida, e só o ato de sentar exigia uma quantidade considerável de energia. Asha tentou primeiro com a mão queimada, e a dor foi como um sacolejo, que a despertou completamente. Ela se esforçou de novo, agora com o braço paralisado.

Asha congelou. Já sentada, levou a mão para a frente do rosto, flexionando os dedos um a um. O braço não estava mais dormente, nem flácido.

Contudo, não havia tempo para se admirar. Asha tinha uma preocupação mais urgente: suas roupas estavam cobertas de sangue seco, e ela não podia sair do templo daquele jeito. Não em plena luz do dia.

— Há uma fonte onde as guardiãs se banham — disse Maya, que tinha um embrulho azul enfiado embaixo do braço. — Separei um caftã limpo para você.

— Por que está me ajudando? — perguntou Asha, levantando.

— Invadi a casa do meu próprio noivo, apontei uma arma para ele e fui embora com seu escravo. Sou uma criminosa.

— É como você disse. — Maya sorriu de leve. — Este lugar é um santuário.

Asha olhou para o escravo em cima da cama, dormindo profundamente. Os curativos de linho em volta do seu torso nu já estavam ensanguentados. Mais além, ela podia divisar prateleiras cheias de pergaminhos, com os pegadores de madeira aparecendo.

Asha lembrou de Maya trancando a porta e de quão fundo tinham ido para chegar àquele aposento. O que havia naqueles pergaminhos para que precisassem ficar tão protegidos?

— Agora você tem que se lavar e sair. A cidade inteira está indo para a arena.

— Tem alguma luta programada?

Maya assentiu.

Então Dax estaria lá. Asha precisava contar a ele que fizera o que havia pedido. Depois, voltaria à caça de Kozu.

Ela pegou o embrulho azul da guardiã.

— Onde fica a fonte?

No extremo oposto da cidade, próxima ao portão sul, ficava a arena. Havia sido construída durante o reinado da avó de Asha. Seus muros tinham o formato de dentes, e a entrada se abria semelhante a uma boca. Como de costume, havia draksors do lado de fora, protestando contra as lutas. Poucos meses antes, um protesto havia saído de controle e a luta tivera que ser cancelada.

Agora, os manifestantes jogavam pedras nos soldats e gritavam. Quando Asha chegou, mais da metade dos revoltosos estava acorrentada. Um deles olhou para ela enquanto era arrastado por um soldat.

Aqueles que pensavam que skrals deviam ser libertados ficariam furiosos se soubessem que Asha estava caçando Kozu. Eles compartilhavam o pensamento dos nativos de que as tradições antigas deviam voltar.

Mas todo mundo sabia o que aconteceria se os skrals fossem libertados: iam se voltar contra seus antigos mestres e concluiriam o que haviam planejado fazer durante o reinado da avó de Asha, tomando Firgaard para si.

Aqueles draksors eram tolos se pensavam diferente.

Dentro da arena, Asha chamava a atenção por estar vestida com um caftã azul simples, sem pérolas ou bordados, fora de moda havia anos. Para piorar, não usava armadura ou portava armas. As matadoras haviam ficado no templo, ela teria que voltar para buscá-las.

Asha adentrou na arena, em meio ao estrondo dos aplausos. Havia um cheiro ruim muito forte, com tantos homens aglomerados. A arena estava lotada por draksors que assistiam às disputas.

Mas a notícia da chegada da iskari viajou mais rápido do que uma tempestade, e logo os bramidos se transformaram em sussurros nervosos. As mãos que antes aplaudiam se fecharam em punho. A multidão se dispersou, querendo se distanciar da garota que havia levado fogo de dragão para suas casas e tirado a vida de seus entes queridos.

— Ei — disse alguém ao lado de Asha, que se deparou com a prima. Obediente, Safire mantinha o olhar no chão coberto de caroços de azeitona e cascas de pistache. O capuz de seu novo manto escondia seu rosto, o que a ajudava a se misturar. — Onde esteve? Ficamos preocupados.

— Estou bem — disse Asha, enquanto elas passavam pelas jaulas cheias de escravos esperando para ser enviados para a arena. A iskari se perguntou quais seriam seus crimes. — Cadê o Dax?

Safire assentiu na direção do toldo carmesim no alto da arena. Bancos se espalhavam pelo lugar, como a ondulação produzida por uma pedra lançada na água. A tenda do rei-dragão se erguia acima de tudo, com a melhor visão das lutas possível.

As duas seguiram naquela direção, afastando-se das jaulas dos escravos em sua subida. Quando estavam cercadas por draksors animados, Safire se aproximou mais dela, mantendo a boca perto do ouvido de Asha para dizer em voz baixa:

— Há rumores circulando. — Safire olhou ao redor, verificando se não havia espiões. — Estão dizendo que alguém invadiu os aposentos de Jarek, o atacou e roubou um de seus escravos.

Um arrepio de medo se espalhou pelo corpo de Asha.

Ela pensou no irmão, preso contra o tapete lindamente tecido em um dos salões do palácio. Lembrou das mãos grossas de Jarek em volta do seu pescoço e do modo como Dax se debatia enquanto tentava respirar.

Jarek não gostava que pegassem suas coisas.

Asha olhou para a tenda à frente. O vento fazia suas paredes de seda vermelha ondularem. Só precisava passar a informação a Dax, então poderia ir embora.

Mais espectadores se afastaram enquanto as duas primas se aproximavam da tenda carmesim. Asha entrou, deixando Safire para trás.

Seu pai estava sentado em um trono dourado. Ele assentiu quando a viu entrar, com um olhar questionador. "Por que não está caçando?", ele teria dito se pudesse.

Estou tentando, Asha queria explicar. Ela olhou para Dax, sentado com sua nativa na frente da tenda. Roa vestia sua echarpe azul em volta dos ombros e da cabeça. Era comum usar echarpes para se proteger do vento, da poeira, do frio e do calor no deserto.

Asha prestou atenção no modo como Dax se inclinava na direção da garota, com a mão no banco atrás dela. Ele ficava alternando o olhar entre Roa e um ponto mais distante, sempre mordendo o lábio, sacudindo o joelho, franzindo a testa.

Quando se tratava de garotas, Dax era seguro e arrogante. Sabia as coisas certas a dizer. O que faria uma garota enrubescer e sonhar com ele à noite.

Mas aquilo... Era algo totalmente diferente.

Roa parecia tensa. Suas costas estavam rígidas e suas mãos firmes sobre as pernas, como se não estivesse se divertindo. Ela nem parecia notar a presença de Dax. Olhava fixo para a frente, para a arena, com o falcão branco empoleirado em uma tira de couro em seu ombro. Como se estivesse pensando em centenas de outras coisas que não o rapaz ao seu lado.

Talvez planeje matar todos em Firgaard enquanto dormem, pensou Asha.

Era perigoso tê-la ali. Tão perto do rei.

De repente, alguém parou na frente de Asha, bloqueando sua visão.

Ela encontrou o rosto de seu noivo.

Seu cabelo estava brilhante, seu rosto permanecia forte e austero, e ele tinha feito a barba. A única coisa fora do lugar era o machucado em sua têmpora.

— Asha. — A maneira como suas mãos apertaram as dela, como uma armadilha se fechando, deixava claro que, apesar da embriaguez, ele lembrava de tudo. Ele levava um sabre no quadril. — Por onde andou?

O suor descia pela testa dela.

— Dormindo — a iskari respondeu, falando na mesma altura que o noivo. — Tive uma noite difícil.

O comandante chegou mais perto. O corpo dela ficou tenso como um instante antes do ataque de um dragão.

— Quero meu escravo de volta. — Jarek esfregou os lábios na bochecha dela. — Então podemos deixar isso para trás.

Asha tentou soltar as mãos, mas ele apertou com mais força. Falava tão suave que qualquer um perto deles pensaria que sussurrava palavras de amor.

— Se não fizer isso, quando eu o encontrar, *e vou encontrar*, farei com que você assista a tudo.

Jarek pensava que, como Rayan, ela tinha sentimentos por um escravo, o que a deixou surpresa.

—Vá em frente — ela disse.

Quando o rei olhou para eles, Jarek a soltou.

Asha viu a expressão preocupada de seu pai. Ela sacudiu a cabeça, indicando que não precisava se incomodar. Então contornou Jarek e ocupou seu lugar perto de Dax, enxugando as mãos suadas no tecido rugoso do caftã de Maya.

Jarek não tinha nada a ganhar revelando o que ela tinha feito. Ele queria Asha. Do mesmo modo que queria o sabre mais letal, ou o cavalo mais indomável. Queria conquistá-la e possuí-la. E, se os boatos fossem verdade e realmente planejasse tomar o trono, a união dos dois tornaria tudo muito mais fácil. Ele não sabotaria sua chance expondo os crimes dela. Não quando havia outras formas de puni-la.

Jarek a seguiu até o banco e sentou, encostando a perna na dela.

Ao ver aquilo, Dax ficou tenso, e os irmãos se entreolharam.

Antes que ela pudesse dizer a ele que havia feito o que pedira, Jarek se inclinou para perto.

— Meus soldats disseram que você saiu pra caçar ontem.

Asha se endireitou, mas ele prosseguiu:

— E sozinha.

Se Jarek suspeitasse da verdade, se descobrisse o que o rei havia prometido em troca da cabeça de Kozu...

— Talvez ela só precisasse de espaço — uma voz doce interrompeu. Asha olhou para a nativa do outro lado de Dax, que por sua vez mirava para a perna de Jarek pressionando a de Asha.

Jarek estreitou os olhos.

— Pedi sua opinião, nativa?

O falcão de Roa inflou o peito branco. Seus olhos prateados se fixaram no comandante.

— Na savana, ninguém precisa pedir a opinião de uma mulher — disse Roa. — Qualquer uma tem liberdade para dizer o que quiser.

Asha olhou para Dax. Ele devia ter alertado sua amiga sobre Jarek e o que acontecia quando alguém o desafiava.

— E é por isso que seu povo nunca vai sair da lama em que vive — Jarek zombou.

Os olhos de Roa ficaram sombrios. Foi o único sinal de que as palavras dele a haviam afetado. Dax, por outro lado, transbordava ódio. Sua estrutura franzina zumbia com uma energia perigosa e imprudente, fazendo Asha pensar em todas as vezes em que tinha entrado no caminho de Jarek quando criança. Todas as vezes em que se tornara um alvo para proteger os outros.

Antes que voltasse a fazer aquilo, ela inclinou a cabeça na direção do irmão.

— Ele está no templo — sussurrou para que somente Dax pudesse ouvir. — Pergunte por Maya. Ela é uma guardiã.

Funcionou.

A energia vibrante diminuiu enquanto Dax olhava para o rosto dela. De perto, Asha estudou o rosto magro do irmão. Podia ver uma boa parte dos ossos sob sua pele, como havia acontecido nos últimos dias da mãe.

Obrigado, ele pronunciou sem nenhum som. Depois, lembrando do acordo, tirou o anel da mãe do dedo. Sua mão tremeu levemente enquanto o passava para ela.

Asha pegou a joia e a colocou no dedo.

Não era um anel bonito, mas tinha algum tipo de poder. O

mesmo que havia na voz da mãe em meio à escuridão. Ou em suas mãos quando tocavam o rosto de Asha.

O anel era um lembrete de que as pessoas nem sempre haviam tido medo de tocá-la.

Ou de amá-la.

O peso do anel em seu dedo a reconfortava.

Dax levantou. Roa olhou para Asha antes de levantar também, então desapareceu com ele na multidão.

Jarek assentiu para dois soldats de pé logo depois da tenda. Eles viraram e seguiram o par.

Asha estava prestes a ir atrás deles para alertá-los quando a multidão rugiu. Todos ficaram de pé ou subiram nos bancos, gritando para a arena. Jarek também levantou, tocando o sabre com uma mão e erguendo a outra para proteger os olhos do sol.

Asha nem precisou olhar para saber o que acontecia lá embaixo: um escravo estava prestes a ser morto.

Ela havia perdido o interesse naquelas lutas quando deixaram de envolver dragões. Depois que as caçadas haviam começado, não havia criaturas o suficiente para manter as pessoas entretidas. As barras de metal com pontas de ferro em volta do poço serviam de portão agora, impedindo os draksors bêbados de despencar para a morte. Na época em que eram dragões que lutavam, elas eram baixadas para impedir que fugissem voando.

— Acho que o resultado dessa luta pode ser do seu interesse — disse Jarek.

Outro rugido atravessou a multidão. Com um calafrio, Asha levantou. Nas profundezas da arena, um jovem forçava uma senhora a ajoelhar. O cabelo grisalho da mulher estava preso em uma trança grossa, e suas mãos tinham marcas da idade.

O corpo de Asha ficou tenso ao vê-la.

— Na noite passada um invasor entrou em minha casa, me

deixou inconsciente e roubou meu escravo. — Ele falou para todos em volta ouvirem. Então, apontando para a mulher mais velha, disse: — Foi Greta quem o deixou entrar.

Asha não conseguia respirar.

— Tudo o que tinha que fazer era me dizer para onde haviam ido, mas ela se recusou — Jarek explicou. — Então precisou ser punida.

Asha fechou as mãos em punhos sobre o caftã emprestado.

— Ainda daria tempo. — Ele virou para Asha. — Se ela me dissesse agora onde o escravo está, tudo seria perdoado.

Asha deveria falar a verdade. Deveria declarar a skral lá embaixo inocente e assumir sua culpa. Deveria dizer que o escravo que procuravam estava escondido no templo.

Mas Greta morreria de qualquer jeito. Ela era cúmplice de seu crime. Apesar de suas palavras, Jarek não era alguém capaz de perdoar. No momento em que Asha admitisse a verdade, o escravo com olhos duros como aço morreria com ela. E provavelmente Maya também.

Asha apertou os lábios numa linha rígida.

Então voltou a olhar para a arena.

Os combatentes, Greta e um escravo jovem, se conheciam. Aquele era o motivo pelo qual a luta ainda não tinha acabado.

Era mais difícil para o garoto matá-la.

Greta jogou sua faca e ajoelhou. A lâmina brilhante parou na areia vermelha ao lado do jovem, que caiu de joelhos diante dela. Sua mão livre segurou a cabeça de Greta para trás. Asha viu seus lábios se moverem.

Greta assentiu.

O jovem passou a lâmina na garganta dela.

Sangue escarlate se derramou. Ele segurou Greta junto a seu corpo até que a vida se esvaísse dela.

Gritos de vitória ou derrota, dependendo da aposta, soaram por toda a arena. Draksors desceram correndo. Os que haviam acertado foram coletar seus ganhos. Os outros ficaram para trás, olhando tristemente para a areia ensanguentada.

Asha continuava congelada, com a garganta queimando, enquanto o escravo matinha o rosto no pescoço de Greta e o sangue dela ensopava sua camisa. O jovem beijou o topo da cabeça dela e fez algum tipo de oração antes que os soldats tirassem o corpo da mulher de seus braços à força e levassem embora.

Foi então que ele usou a faca em si mesmo.

Onze

De uma coisa Asha tinha certeza: ela não ia casar com Jarek. Se morresse caçando Kozu, que assim fosse. Preferia perder a vida a casar com um monstro.

Ela atravessou discretamente a horda de draksors e fugiu pelas ruas, ansiosa para afundar seu machado no coração de um dragão. As paredes pareciam esprimê-la. Asha queria sentir a Fenda sob seus pés e o vento do deserto em sua pele. Acima de tudo, queria segurar a cabeça do primeiro dragão diante de toda a cidade e olhar no rosto de Jarek quando seu pai cancelasse o casamento.

Enquanto todos ainda estavam na arena, Asha invadiu a cozinha do palácio para pegar comida. Faltavam cinco dias para sua união. Precisava levar o suficiente para o período.

Uma caixa de prata a esperava em seu quarto. Quando a abriu, um colar de ouro incrustado de rubis brilhou. Mais um presente de Jarek.

Ela fechou a caixa com violência.

Vestiu as roupas de caça, pegou sua armadura e sua bolsa e partiu para o templo. Lá, andou escondida através das sombras, passando por guardiãs murmurando orações nos aposentos iluminados por velas. Enquanto se movia silenciosamente pelos corredores, Asha ouviu o som fraco de um alaúde sendo tocado em algum lugar ao longe.

A imagem da escrava de cabelos grisalhos voltou à sua mente. Ela viu seu sangue se derramando sobre as mãos do combatente. Seu corpo desabando. Greta pagou com a própria vida por ter protegido seu amigo.

Logo, Asha notou que estava ao pé da escada estreita que procurava. A música soava mais alto ali. Ela subiu os degraus, parando diante da porta no topo. Estava prestes a bater, mas o som dentro do aposento a impediu.

Era dali que vinha a música.

Do outro lado da porta, alguém dedilhava um alaúde. Uma voz fluía através das notas. Como a chuva caindo delicadamente na areia.

Uma história cresceu dentro dela, forçando seus limites. Ela pensou em Rayan vendo Lillian dançar no laranjal...

Era como observar um lago de águas paradas. Algo calmo, tranquilizador.

Não. Asha devolveu a história às profundezas sombrias e bateu na porta. A música parou de repente.

Quando abriram, Asha encarou o rosto salpicado de sardas. Os olhos do skral tinham as sombras de duas meias-luas escuras.

— Quer morrer? Dá pra ouvir você tocando em todo o templo. — Ela apontou para o alaúde desgastado. — Onde conseguiu isso?

Asha fez menção de passar por ele, mas parou. Dax, vestido em ouro, estava agachado perto das prateleiras cheias de pergaminhos, mas levantou de imediato.

O escravo bateu a porta.

— Seu irmão trouxe para mim.

Asha olhou para Dax, esperando algum tipo de explicação. Ele retribuiu seu olhar e voltou a ler seu pergaminho.

O que está acontecendo?, ela se perguntou.

Mas fazer perguntas só ia atrasá-la, de modo que decidiu ficar quieta. Asha olhou cautelosa para os dois enquanto pegava as matadoras embaixo da cama.

Dax notou que ela usava armadura por cima das roupas de caça.

— Aonde vai?

Ela o ignorou.

O couro à prova de fogo estava curvado como um pergaminho em volta de seus braços e pernas, sobrepondo-se em alguns lugares. Ela só acertou a armadura.

— Pelo visto, caçar — disse o escravo, sentando na cama. Ele recomeçou a tocar o alaúde, e Asha notou o nome de Greta elegantemente esculpido perto da base. O escravo grunhiu algumas vezes até que o prazer de tocar o instrumento superasse a dor que aquilo lhe causava. Entre as dedilhadas, batia na barriga do instrumento, marcando o ritmo. Dax começou a bater o pé junto, com um sorrisinho nos lábios.

Asha olhou para eles, sem palavras.

Ela não sabia o que a irritava mais: o desrespeito do irmão pela própria posição hierárquica ou a falta de preocupação com o barulho, o que podia colocar o escravo no mesmo perigo do qual ela havia acabado de tirá-lo.

Asha queria sacudir Dax. Aquele não era o comportamento de um futuro rei. Era o comportamento de um *tolo*.

Algo que não podia tolerar.

— Então é esse o plano? — Asha foi para cima do skral. — Trazer Jarek direto até você?

Seus dedos pararam sobre as cordas. Ele olhou para ela.

— Alguém está irritada hoje.

Asha se irritou ainda mais. Antes que pudesse responder, no entanto, ele prosseguiu.

— Está indo caçar? — O escravo a olhou de cima a baixo. —

Porque as leis dizem que seus escravos têm direito a três dias de descanso entre caçadas.

Asha franziu a testa. Por que um escravo doméstico conheceria as leis de caça? E, de qualquer modo, ela sempre dera aos seus caçadores cinco dias de descanso. Assim se saíam melhor.

— Eles não vão comigo.

O escravo deixou o instrumento de lado e levantou. Então foi na direção de Asha, com as sobrancelhas franzidas naquela sua expressão curiosa.

—Vai sozinha? — Ele analisou o rosto dela, parando tão perto que Asha poderia contar suas sardas se quisesse. — Acho que não sou eu quem quer morrer...

Ela estreitou os olhos na direção dele.

Dax devolveu o pergaminho à prateleira antes de parar ao lado do escravo.

— Asha. — O sorriso havia desaparecido fazia tempo do rosto dele. — Não é seguro caçar sozinha.

— E roubar o escravo de Jarek foi?

Ela pensou no shaxa. Na fúria nos olhos de Jarek. Na sensação de ficar presa embaixo dele, incapaz de respirar.

O silêncio dominou o aposento.

Asha não conseguiu impedir que a lembrança se desvelasse por completo. Viu as mãos de Greta tirando Jarek de cima dela. Viu a escrava dando permissão para que tirassem sua vida. Viu seu sangue na areia.

— Iskari? Está tudo bem?

Os olhos do escravo foram a primeira coisa que ela viu. Havia algum afeto ali. Certa preocupação. Por hábito, ela quase pediu que os desviasse. Mas ninguém olhava para ela como aquele escravo: cheio de cuidado, como se enfaixasse um machucado; e gentil, para não machucar.

Asha retribuiu o olhar. Estudou a linha reta do nariz dele, as elevações de suas bochechas, a curva de sua mandíbula. Ele era afiado e firme. Como seu machado favorito.

E, também como seu machado favorito, perigoso.

E ao mesmo tempo reconfortante.

Não.

Em pânico diante dos próprios pensamentos, Asha passou com tudo por ele. Ela pegou seu elmo e colocou sobre a cabeça. Com ele, só podia ver a porta, pela qual saiu, e depois bateu atrás de si.

Do outro lado, Asha se apoiou na madeira, esperando o coração desacelerar. Então desceu a escada dois degraus por vez, jurando que ficaria tão longe quanto possível daquele skral.

Doze

Oficialmente, havia duas maneiras de sair da cidade: o portão norte, que dava para a Fenda selvagem e escarpada, e o portão sul, que dava para o impiedoso deserto. Ambos eram protegidos por soldats.

Mas havia outra forma de sair.

Uma passagem secreta.

Muito abaixo do templo, ficava uma cripta que levava às cavernas sagradas do Antigo. As paredes eram pontuadas por vasos de cerâmica guardando as cinzas dos mortos. Em determinado ponto, no entanto, havia algo a mais: um quarto pequeno o bastante para que apenas uma criança curiosa como Asha conseguisse encontrá-lo, em suas idas ao templo com a mãe. Ele dava acesso a um túnel, que conduzia diretamente à Fenda, bem longe dos muros vigiados pelos soldats.

Aquele túnel havia sido o começo do problema com os dragões.

Depois de Jarek deixar claro que desconfiava de algo, Asha decidiu evitar os portões. Ela desceu por uma escada arqueada até as profundezas do templo. Então abriu uma porta antiga e deteriorada. A luz vinda de dentro invadiu a cripta, fazendo sua sombra se alongar e crescer.

Sem tochas para iluminar o caminho, Asha manteve as mãos nas paredes, deixando a rocha fria guiá-la na escuridão. Ela havia passado tanto tempo se esgueirando por baixo do templo na infância que lembrava com exatidão do comprimento do túnel: noventa e três passos através do escuro e da umidade.

E, depois, as cavernas sagradas.

Ninguém botava os pés nelas fazia anos. Desde que Asha havia evocado Kozu e ele incendiara metade da cidade. Antes, aquele era um lugar venerado. A chama era o coração pulsante do templo.

Um draksor só podia entrar nas cavernas após jejuar por três dias e se banhar na fonte sagrada. Mesmo assim, precisava ir sem nenhum calçado e jamais, em hipótese alguma, podia pisar no coração do santuário. Apenas as guardiãs tinham permissão para aquilo.

Fora no santuário que Asha vira a imagem do rosto de Elorma pela primeira vez. Na época, ela não se importava que o Antigo a punisse por sua desobediência. Na verdade, até queria ser punida. Asha estava com raiva naquele dia. Tinha ficado furiosa, gritado e quebrado coisas. Queria lançar seu ódio contra o coração do lugar sagrado do Antigo.

Sua mãe tinha sido assassinada pelas histórias antigas, assim como os trovadores antes dela.

O luto tornava Asha uma presa fácil. Deixava uma rachadura nela. No momento em que colocara os pés no coração do santuário, o Antigo encontrara aquela brecha. Ele tinha aberto e enterrado uma fome maldita e insaciável ali, que colocaria Asha contra seu pai, seu povo, seu reino.

A partir dali, as histórias antigas passaram a viver dentro de Asha, logo abaixo da superfície. Kozu tinha encontrado a garota através delas, atraído pelas histórias antigas enterradas em seu coração. Histórias que pediam para ser libertadas. E Asha quase destruíra a cidade.

Agora, porém, o santuário estava vazio e seu antigo coração flamejante batia em outro lugar.

Ela não gostava de lembrar os dias antes do incêndio. Nem de pensar em como havia sido escravizada pelo Antigo, fugindo escondida da cidade, seguindo seu comando noite após noite, para satisfazer a sede infinita de Kozu por histórias. Não conseguia recordar muito do que havia acontecido no dia em que foi queimada por ele, mas os dias antes daquilo permaneciam intactos na sua memória. Esperar o sol descer atrás das montanhas. Dormir em silêncio sobre os telhados. Pegar o túnel para ir até a Fenda.

Enquanto atravessava o túnel, Asha se forçava a lembrar tudo. Como havia traído seu pai noite após noite. Como tinha permitido que a corrompessem.

Já na Fenda, cercada por cedros e o canto dos pássaros, ela se forçou a pensar em seu passado mais do que tinha feito em anos, enquanto refazia seus passos para as planícies onde Kozu a havia queimado.

Asha podia ver a criança descalça dentro dela. Podia ouvir as histórias se derramando de seus lábios enquanto corria pela Fenda iluminada pela lua. Podia sentir a ansiedade enquanto seus passos a levavam para mais perto de um mal antigo.

Odiava aquela garota, mas precisava dela agora. Não havia espaço para erros. Asha tinha medo de que, se contasse uma história antiga, acabasse evocando qualquer dragão que estivesse perto o bastante para ouvi-la. Ela não tinha tempo para lidar com outro dragão. Precisava de Kozu, e somente dele. Lembrar era a melhor maneira de encontrá-lo.

O sol começou a baixar, e ela ainda não havia chegado às planícies. Estava cada vez mais difícil de enxergar, até que Asha encontrou uma pequena clareira, desenrolou seu saco de dormir e tirou a armadura.

Não ousou acender uma fogueira. Em vez disso, puxou uma

túnica de lã grossa da bolsa e a vestiu. Os dias podiam ser terrivelmente quentes, mas as noites na Fenda eram capazes de matar um caçador congelado.

Asha não teve medo de fechar os olhos. Ao longo dos anos, havia aprendido a ter um sono leve e acordar com os sons mais ínfimos. Mesmo que alguém a pegasse com a guarda baixa, ela era a coisa mais perigosa na Fenda.

Não havia nada a temer.

O sono a levou para uma escuridão cavernosa que se fundiu em sonhos. Asha sonhou com uma caverna, onde a fumaça incomodava sua garganta. Ouviu o estalido e o crepitar do fogo ao longe e sentiu o calor afundar em sua pele. Mais altas do que a fogueira eram as histórias, brilhantes e abundantes. Tanto que ficava difícil impedi-las de entrar.

Asha sabia exatamente onde estava. Antes mesmo de ver quem esperava por ela.

Elorma olhava para as chamas como se lesse algo inscrito nelas. Quando Asha entrou na luz da fogueira, ele levantou os olhos para encará-la e tirou o capuz.

— Pensei que havia deixado a ordem do Antigo perfeitamente clara — ele disse de repente. — As matadoras só podem ser usadas para *consertar erros*.

— Eu estava consertando um erro — disse Asha, pensando no jovem dragão que havia matado. — Existe erro maior para ser consertado?

Os lábios dele se curvaram, como se houvesse provado algo amargo.

— Toda essa caça aos dragões está matando sua imaginação.

Asha ficou irritada. Ela não tinha tempo para baboseiras.

— O Antigo pode tentar todos os seus truques para me impedir, mas vou encontrar Kozu. E, quando conseguir, será seu fim.

— Você está certa sobre a primeira parte — ele disse. — Mas veremos quanto ao resto.

Um estalido alto rompeu o silêncio. Como um ramo quebrando sob o peso. Devia ser o fogo, porque não havia árvores ali, dentro da caverna.

— O Antigo vai lhe dar seu segundo presente esta noite. Assim como o primeiro, ele vem com uma ordem. — Elorma levantou. —Você deve mantê-lo em segurança.

Algo assoviou na escuridão. Asha ficou arrepiada.

Isso não é real, ela disse a si mesma. *É só um sonho.*

Mas não era só um sonho. E de repente ela não estava mais protegida em uma caverna. Estava na Fenda, deitada e exposta.

Antes mesmo de abrir os olhos, Asha já sabia que algo estava lá com ela.

Treze

Asha acordou, levando um momento para ajustar a visão à escuridão. Então se deparou com um único olho amarelo, fendido no meio, focado nela.

Seu coração acelerou. Sabendo que era melhor não sacar as matadoras, Asha buscou seu machado. Ela saiu do saco de dormir e levantou em silêncio.

Uma série de estalos afiados vinha da escuridão, dando a Asha uma sensação do quão longe o dragão estava. Ela deu um passo vagaroso para trás, tentando lembrar do tamanho da clareira e de onde as árvores recomeçavam. Mas já estava escurecendo quando montara acampamento.

O olho desapareceu com um movimento nas árvores. Galhos estalaram. Folhas sibilaram com a pele escamosa roçando nelas ao passar. Asha firmou a mão no cabo do machado. O dragão grunhiu.

Pouco depois, uma corrente de fogo acendeu a clareira, forçando Asha a se abaixar e rolar. Pegara folhas e galhos secos, revelando o maior dragão que ela já havia visto. Tão grande que podia ocupar todo o pátio de Jarek.

Só havia um dragão que não precisava do poder das histórias antigas para soprar fogo: Kozu. O primeiro dragão. A fonte das histórias.

Oito anos haviam se passado desde que os dois tinham se enfrentado. Asha ficara apavorada na época. Era só uma criança, que não parava de tremer.

Mas ela havia crescido e contava centenas de mortes em sua lista.

O primeiro dragão a circundou. À luz do fogo, Asha viu a horrível cicatriz que começava no olho e descia pela bochecha, passando logo abaixo da mandíbula. Uma cicatriz que espelhava a dela.

A iskari se colocou em postura de luta. Estava mais do que pronta. Aquela noite, consertaria seus erros. Colocaria um fim definitivo nas tradições antigas. Levaria a seu pai a cabeça do dragão que a havia queimado e a deixara para morrer.

Algo zuniu rápido no ar. Com uma batida repugnante, uma dor lancinante brotou na lateral do corpo de Asha. Ela voou com a força do rabo espinhoso de Kozu, agora cravado em suas costelas.

O ar escapou de seus pulmões quando atingiu o chão. Deitada de costas, o mundo girava ao seu redor.

Sempre tenha em mente onde está o rabo de um dragão.

Era a primeira regra da caçada.

Asha ergueu o machado e o desceu velozmente. Kozu gritou. O cheiro de sangue de dragão, quente e cúpreo, entrava pelas narinas dela.

Doeu duas vezes mais quando Kozu soltou o rabo.

Sangue escorreu da ferida. Asha sentiu a túnica de lã ensopar. Quando levantou, viu que o fogo à sua volta se apagava.

Kozu sibilou na escuridão. Estava machucado e sangrando, assim como ela.

Asha o circulou, esperando que cometesse um erro. Seu lado direito estava ensopado de sangue. Sua cabeça girava. Precisava estancar o sangramento.

Com outro zunido, Asha abaixou. O rabo de Kozu passou por

cima da sua cabeça, raspando em seu cabelo. Gotas de sangue quente pontilharam sua pele.

Kozu parou. Asha podia sentir o coração batendo alto e moroso nos ouvidos. O dragão sibilou novamente, mas não atacou.

Três passos. O suficiente para enfiar o machado no coração dele. Três passos.

Era sua chance.

Asha avançou.

Antes do impacto, uma sombra se enfiou entre eles, interceptando o golpe mortal. A lâmina do machado acertou chifres em vez de carne. Algo grunhiu baixo, e não foi Kozu. Asha encarou um par de olhos fendidos e pálidos.

Ela se afastou cambaleando.

Outro dragão?

A sombra sibilou e forçou a iskari para trás, longe de Kozu. Através da escuridão, Asha viu o rabo bifurcado chicoteando furiosamente.

Uma raiva incandescente percorreu suas veias. Como ele ousava se meter entre ela e sua presa?

Asha segurou o machado com mais firmeza, ainda se sentindo tonta. O chão parecia inclinado. Ela olhou para baixo. O lado direito de seu corpo reluzia no escuro.

O som rápido e trepidante da comunicação dos dragões ecoou pela noite. Estavam conversando. Planejando seu próximo movimento.

Asha encontrou seu saco de dormir e arrancou uma faixa larga dele. Trincando os dentes, ela o enrolou no torso, para proteger o corte hediondo no flanco. Ficou tão apertado que dificultava a respiração.

Um rugido fez Asha olhar para cima, esperando encontrar os dois dragões investindo contra ela.

Então ela percebeu que estavam lutando.

Um contra o outro.

O recém-chegado era menor e mais jovem que Kozu, mas duas vezes mais rápido. Quando o primeiro dragão pulou, o outro se esquivou, posicionando-se entre Kozu e a iskari. Sangue gotejava do rabo do primeiro dragão, que atacou, ficando em uma posição vulnerável. O outro se abaixou e depois correu em círculos em volta de Kozu, como se estivesse em um jogo, e seu plano fosse cansá-lo.

Se não estivesse tão fraca por conta da perda de sangue, Asha teria tirado vantagem daquilo e atacado enquanto os dois dragões estavam ocupados.

Mas estava quase perdendo a consciência. Só queria deitar. Precisava fechar os olhos...

Não. Fique acordada.

Se não voltasse para a cidade, se desmaiasse ali na Fenda, sangraria até a morte.

A menos que um dragão acabasse com ela primeiro.

Suas mãos tremeram enquanto afivelava as matadoras. Largou tudo de que não precisava, inclusive o machado. Tinha muitos outros no palácio.

Kozu continuava investindo, tentando chegar até ela, tentando acabar o que havia começado anos antes. O outro dragão o bloqueou, ganhando terreno, fazendo com que fosse cada vez mais para dentro das árvores. Rangendo os dentes, importunando e provocando. Aquilo cansava Kozu.

Finalmente, o primeiro dragão parou de avançar. Asha sentiu seu olhar fendido nela enquanto cambaleava pela escuridão, se afastando.

Um lamento baixo cortou a noite, surpreendendo a iskari. *Um som de pranto.* Geralmente reservado para um companheiro morto ou assassinado, o som da tristeza e do luto.

Aquilo fez Asha tremer. Ela olhou para trás, na direção do som, mas Kozu tinha desaparecido.

O outro dragão continuava lá.

— Chegue mais perto e arrancarei seu coração — ela grunhiu.

Ele a observou, com a cabeça baixa e o rabo balançando. Quando Asha andou, o dragão andou. Quando ela parou, ele parou. Como um filhote perdido a seguindo.

Asha viu a cicatriz de Kozu em sua mente. Ouviu o terrível batimento de seu coração. Ela poderia ter infligido um golpe mortal. Mas o outro dragão a impedira. Assim que estivesse perto o suficiente, ela ia matá-lo.

Enquanto sua fúria fervia cada vez mais quente, uma voz ecoou em sua cabeça:

O Antigo concede seu segundo presente esta noite.

Asha parou.

Ela fixou o olhar na sombra nas árvores.

Você deve mantê-lo em segurança.

Aquele dragão era seu segundo presente?

— Não...

Ao entender a situação, Asha gritou de raiva — para Elorma, para o Antigo, para a lua vermelha pairando no céu. Quando acabou, o dragão ainda estava lá. Com a cabeça inclinada. Olhando fixamente para ela. Como se dissesse: "Aonde você vai? Posso ir junto?".

Catorze

Asha se arrastou pelo templo, então subiu a escada escura e empoeirada. Seus pés saltitaram pelos degraus, deixando os corredores iluminados por velas lá embaixo. A pulsação desacelerando ainda ecoava em seus ouvidos. Suas pernas estavam pesadas como correntes.

Continue consciente. Só mais um pouco.

Parecia que anos tinham se passado até cair contra a porta, inspirando o cedro doce. Asha pressionou a testa contra a flor esculpida na madeira, desejando que a mantivesse de pé.

— Skral!

Silêncio. Ela bateu a palma contra a porta.

— Por favor.

Uma batida equivalente soou do outro lado. A tranca tilintou. A porta abriu, rangendo, e um rosto iluminado saiu da escuridão. Um rosto sardento e cheio de sono.

Sem o apoio da porta, Asha lutou para ficar de pé, mas descobriu que não conseguia.

— Iskari?

O escravo a segurou, apoiando-a nele.

— O que fez?

Mas nenhuma palavra se formou na língua de Asha. O skral apoiou a lamparina, ergueu a garota em seus braços e fechou a porta com um chute.

★

Asha acordou à noite, com uma lamparina queimando e o skral inclinado sobre ela. Alguém havia removido o curativo improvisado e limpado o ferimento dele.

Ela sentiu uma dor aguda e se afastou ofegando. Era como uma picada ardendo em suas costelas.

— Aguente firme — o escravo disse, segurando o ombro dela com sua mão quente para deitá-la. Na outra mão, ele tinha uma agulha, que brilhou à luz da lamparina. — Estou quase acabando.

Ela ficou tensa com o toque, mas cedeu. O escravo soltou seu ombro. Arqueando-se como um falcão, franziu a testa em concentração para costurar a ferida, que tinha voltado a sangrar devido ao movimento repentino.

— Quem me deu banho? — A túnica ensopada de sangue tinha sumido. Seu cabelo estava molhado e preso em uma trança firme. Mas aquela não era a pior parte.

Asha vestia uma camisa de escravo. Sentia o linho fino, simples e áspero sobre a pele.

Era a camisa *dele*.

Asha vestia a camisa *dele*, e mais nada.

Para costurar o corte no flanco, ele suspendera o tecido até o peito e, por questão de recato, tinha jogado um cobertor de lã sobre sua cintura e sobre suas pernas. O dorso de Asha inteiro estava visível, incluindo a cicatriz da queimadura, que percorria toda a extensão do corpo, rastejando em direção ao umbigo.

O escravo encarou seu olhar apavorado sem dizer nada. Nem precisava. Asha já sabia quem havia lavado seu corpo.

É só um escravo. A vida toda despiu e banhou seus mestres. Não é nada de mais.

Só que era. Ele tinha visto tudo. Seu corpo horrendo por inteiro.

Pela primeira vez em um longo tempo, Asha não sentiu orgulho de sua cicatriz.

Teve vergonha dela.

Ela se manteve deitada quieta na cama, mas desviou o rosto.

— Aqui — ele disse, erguendo uma bandeja do chão e colocando-a sobre suas pernas. Um pequeno prato de azeitonas brilhava ao lado de um naco de pão e de azeite. — Você perdeu muito sangue. Precisa comer.

— Não estou com fome.

— Iskari.

Asha o encarou.

— Por favor.

Rangendo os dentes, ela ergueu o corpo. Arrancou um pedaço de pão, mergulhou-o no azeite e o colocou na boca.

— O que aconteceu? — o escravo perguntou quando a agulha mergulhou novamente.

Asha gemeu e engoliu o pedaço de pão.

— Eu o encontrei. Ou melhor, ele me encontrou.

— O dragão que estava caçando?

Asha assentiu, arrancando outro pedaço de pão e molhando no azeite.

Ela apontou para o rasgo que ele costurava.

— Foi o rabo dele que fez.

O escravo parou de costurar.

— Você o matou?

Ela colocou o pão na boca e balançou a cabeça, pensando na sombra nas árvores. No açoite do rabo bifurcado.

É a primeira vez que volto de uma caçada com as mãos vazias.

Asha cerrou a mão direita com força ao pensar naquilo.

Ela não disse mais nada, e o escravo voltou a trabalhar. Ele começou a murmurar uma melodia, parando para trocar as notas de lugar, então recomeçando em uma ordem diferente. Fez aquilo de novo e de novo. Como se estivesse testando a música e não gostasse do resultado.

Asha deitou, deixando a voz dele distraí-la da dor e da vontade de ranger os dentes provocada pela agulha.

Uma história invadiu sua cabeça.

Rayan atravessava a passos largos o laranjal de sua mãe quando parou de repente. Alguém estava cantando. Parecia o canto de um rouxinol.

Asha afastou o pensamento.

— Posso perguntar uma coisa, skral?

A melodia parou. Mantendo a cabeça voltada para o trabalho, ele ergueu as sobrancelhas e franziu a testa, direcionando apenas os olhos a Asha.

— Você acredita no Antigo?

Decidindo que aquilo exigia apenas uma parte de sua atenção, ele voltou ao trabalho.

— Seus deuses não têm utilidade para mim.

— Mas você acha que ele é real — Asha disse, se apoiando nos cotovelos para olhá-lo melhor. O movimento disparou uma dor aguda no flanco, e ela gemeu. O escravo fechou os olhos em reprovação.

— Ele é real para muitos draksors.

— Não é o que estou perguntando.

Suspirando, o skral tirou a linha da agulha e amarrou o ponto.

— E por que pergunta? — Ele correu os dedos com delicadeza pela costura em seu dorso, inspecionando seu trabalho.

Ao toque, um calor estranho brotou na barriga dela.

Asha o estudou ao brilho laranja da lamparina. A coleira prateada em seu pescoço lançava sombras em suas clavículas. Ele era um fugitivo. Ela poderia lhe dizer o que quisesse, não havia perigo.

Asha não respondeu, e ele lavou as mãos sujas de sangue na bacia de água que estava no chão.

— Acredito em um deus — o escravo disse, sacudindo as mãos. — Morte, a misericordiosa.

Asha sentou para encará-lo. A camisa de linho desceu por seu torso, escondendo a cicatriz.

Ele apontou para a ferida com a cabeça, já segurando os curativos de linho branco.

— Ainda preciso enfaixar.

— A morte é uma ladra — Asha disse, pensando em uma história antiga. Sobre Elorma, cujo amor verdadeiro fora roubado pela morte na noite de seu casamento.

O escravo pegou a bandeja vazia e a colocou no chão. Asha suspendeu a camisa novamente, revelando a ferida recém-costurada.

— Talvez para você — ele disse, enquanto começava a fazer o curativo, passando as tiras brancas várias vezes pela caixa torácica. Seus dedos roçaram sua pele. — Para alguns de nós, a morte é libertadora.

Asha ergueu os olhos. Ele estava tão perto que ela podia sentir seu calor, como se fosse uma lareira. O escravo chegou ainda mais perto para passar o linho de uma mão para a outra por trás de suas costas, e a bochecha dele roçou sua orelha.

O coração de Asha disparou. O escravo parou e fez menção de virar o rosto na direção dela. Então algo o impediu, e ele endireitou o queixo. Asha notou seu esforço para manter a bochecha longe dela enquanto enfaixava a ferida.

Asha soltou o ar que não sabia que estava prendendo.

A falta de janelas a impedia de saber a hora do dia. Podia ser de manhã ou meia-noite quando Asha acordou. De qualquer modo, tinha perdido o sono, e ficou olhando para as prateleiras cheias de pergaminhos à luz fraca da lamparina. Suas costelas doeram quando tentou se mover, então ficou parada na mesma posição. Quando não aguentava mais, virou cuidadosamente e encontrou alguém dormindo no chão, ao lado de sua cama.

O escravo de Jarek.

Ele parecia uma flor cujas pétalas desabrochavam somente à noite, raras e belas sob a luz das estrelas. Asha se abaixou e aumentou a luz da lamparina para poder observar as sombras tremeluzentes projetadas por seus cílios. Ela passou os olhos em seus traços ossudos e duros. O cabelo dele a lembrava do mar de Darmoor: inconstante, indisciplinado, cheio de ondas.

Ela pensou mais uma vez em Rayan observando Lillian no laranjal, então voltou a ficar de costas depressa e ficou olhando para o teto, tentando sem sucesso esquecer aquela história. Então puxou a gola da camisa para cobrir o nariz e a boca, respirando dentro dela. O cheiro do escravo estava impregnado no linho. Um almíscar salino que fez seu estômago vibrar.

Ela puxou a camisa para baixo e virou para as prateleiras cheias de pergaminhos do outro lado da cama, tentando se distrair. Tocou os cabos de madeira, passando os dedos pela superfície lisa e lubrificada. Eram novos. Asha podia dizer pelo cheiro forte de madeira.

Quando se deu conta, estava sentada. Pegou um rolo, ignorando a dor ardente na lateral do corpo. Estava muito escuro para enxergar, o que fez Asha colocar a lamparina na cama e aumentar a chama.

Ela começou a ler e parou no instante seguinte.

Era uma das histórias antigas. Sobre o terceiro namsara, o homem que projetara os aquedutos da cidade em um ano de seca.

Assim como seu cabo, o pergaminho em si também era novo em folha. A tinta preta brilhava e reluzia, mas havia algo estranho nos traços. Pareciam tremidos, incertos. Algumas das palavras estavam escritas errado.

Asha ergueu os olhos para a prateleira, onde centenas de outros pergaminhos tinham sido empilhados com cuidado. Ela puxou e desenrolou outros, para descobrir exatamente o que temia: mais histórias. Todas proibidas. Histórias dos sete namsaras que haviam se erguido para defender seu povo do perigo, derrotando inimigos e destronando reis indignos. Histórias do primeiro dragão, companheiro de cada namsara e o elo vivo entre o Antigo e o povo.

Asha puxou pergaminho atrás de pergaminho, lendo só para soltá-lo pouco depois. Aquilo ia além de um ato criminoso. As histórias antigas tinham sido banidas e queimadas muito antes de Asha nascer. Transcrevê-las e mantê-las ali era traição.

Quando desenrolou o pergaminho seguinte, contudo, ela o manteve na mão, segurando firme.

— O que ele diz?

Asha levantou os olhos. No chão, o escravo bocejou e passou as mãos pelos cabelos. Asha olhou dele para a caligrafia incerta.

— É a história de Willa — ela disse. Asha ouviu a voz de sua mãe dentro de si. Ou talvez o eco de sua voz. Apesar de tantos anos, e do destino que teve, a lembrança de sua mãe trazia alguma alegria para Asha.

A iskari sentiu a cama afundar. Era o escravo que tinha subido nela e espiava o pergaminho desenrolado em seu colo. A coxa dele descansava perigosamente perto de seu joelho nu. Asha pensou em pedir que se afastasse. Mas, depois de tudo, considerando que a havia banhado e cuidado de suas feridas, pareceu desnecessário.

— Quando eu era mais nova, tinha pesadelos todas as noites — ela disse. Fazia anos que não falava daquilo. — Minha mãe chamava de "terrores", porque eu continuava vendo mesmo de olhos abertos.

Asha passou o dedo em cada palavra escrita errada no pergaminho.

— Ela convocou todos os médicos da cidade, que prescreveram coisas diferentes. Leite quente de cabra antes de dormir. Raízes e ervas penduradas nas colunas da cama. Um deles chegou a colocar um dente de dragão embaixo do meu travesseiro.

Asha torceu o nariz.

— Funcionou?

Ela balançou a cabeça.

— Só piorou. Então minha mãe tentou seu próprio remédio. — Não faria diferença contar a ele. E todo mundo já sabia, porque os escravos tinham escutado atrás da porta. Haviam sido eles a espalhar após a morte da rainha-dragão que ela morrera tão nova porque tinha contado histórias antigas para salvar a filha.

— Noite após noite, quando acordava com meus gritos, minha mãe saía da cama, expulsava os escravos do meu quarto e se trancava comigo. — Asha levantou o rosto e viu que ele a observava. — Ela me contava histórias até sua voz ficar rouca e o sol aparecer. Era a única coisa que afastava meus pesadelos.

Então os sintomas começaram: o cabelo caindo, a perda de peso, as tremedeiras, a tosse.

E, por fim, a morte.

Asha enrolou o pergaminho. Não queria mais falar sobre aquilo. Mas não conseguiu deixá-los com os demais.

— Também tenho pesadelos.

Asha notou que o escravo olhava para as próprias mãos, viradas com a palma para cima no colo. Ela sentiu uma urgência estranha de tocá-las. Percorrer as palmas grandes. Passar os dedos nas calosidades.

— Sonho a mesma coisa todas as noites, desde que consigo lembrar.

— Sério?

Ele assentiu.

— Mas não começou como um pesadelo. Quando eu era pequeno, ficava louco para ir dormir, só para poder vê-la.

—Vê-la?

Seus ombros subiram e desceram com um suspiro.

— Sim — ele disse, calmamente.

O escravo pegou e desenrolou o pergaminho de Asha, e depois enrolou novamente. Como se suas mãos precisassem se ocupar com alguma coisa.

— Eu costumava pensar que era algum tipo de deusa, e que havia me escolhido para um destino grandioso. — Ele apertou o pergaminho, mas devolveu ao perceber o que fazia. — Era um tolo. — O skral forçou um sorriso amarelo, sem vida. Ele evitou os olhos de Asha enquanto dizia: — Agora ela é um pesadelo do qual não consigo escapar.

Sua coxa roçou no joelho dela. Asha prendeu a respiração e olhou para baixo, onde seus corpos se tocavam, esperando que ele se afastasse.

Mas foi em vão.

— Seu irmão tem razão, sabe? Você não devia ir caçar sozinha.

Aquilo interrompeu o momento.

Kozu.

Asha não sabia que hora do dia era, mas tinha certeza de uma coisa: a lua vermelha estava mais minguante do que quando havia adormecido. O tempo escorria por seus dedos.

— Preciso ir...

Asha levantou. Pergaminhos caíram aos seus pés, fazendo barulho. A camisa de linho branco que vestia parava no meio de suas coxas, deixando o resto das pernas exposto — uma marcada pela cicatriz, a outra ilesa.

— Espere — o escravo pediu, empurrando a cama e pegando algo do chão. — Não pode sair desse jeito. Vista isso. — Ele passou um caftã simples para Asha, feito de um tecido grosseiro e irregular. — Maya trouxe enquanto você dormia.

Seus dedos se roçaram quando ela pegou a roupa.

Asha não precisou pedir ao escravo que virasse enquanto se vestia; ele o fez de imediato.

Asha pegou a armadura e procurou as matadoras embaixo da cama. Tocou apenas o mármore frio, a dor invadindo seu flanco enquanto buscava.

Elas não estavam lá.

Mas eu as trouxe comigo. Tenho certeza.

Asha procurou pelo quarto todo, em vão. Tinham sumido.

Só mais uma pessoa havia passado a noite ali. Asha olhou para o escravo atenta, como uma caçadora olha sua presa. Ele estava de pé na porta, com curativos brancos enrolados em volta do peito nu.

— Onde estão?

— Não sei do que está falando — ele respondeu, mas sua voz dizia o contrário.

Asha levantou e atravessou o aposento, a raiva crescendo dentro de si. Raiva dele por ter feito aquilo e raiva de si mesma por ter permitido.

Ela bateu o corpo dele com força contra a porta.

O escravo silvou entredentes. Seu pescoço se contorceu de dor. Aquilo a fez pensar nele preso à fonte de Jarek. No shaxa cortando suas costas. Provavelmente havia reaberto suas feridas.

— Ladrão — ela grunhiu, plantando uma mão de cada lado da porta para prendê-lo no lugar. — *Diga onde estão.*

Os olhos do escravo brilharam como aço afiado. Ele agarrou

o tecido de seu caftã solto, e a trouxe para mais perto, lembrando Asha de que não era inocente. Era um skral. Ela precisaria se proteger melhor dali em diante.

— Diga como passa pela muralha sem ser vista.

— Eu não passo — ela mentiu.

O escravo se aproximou, tirando seu fôlego. Estava tão perto que as pontas dos narizes quase se tocavam.

— Os soldats não a deixariam sair sabendo que estava indo caçar sozinha. Seu noivo nunca permitiria.

— *Permitiria?* — Ela soltou os braços ao lado do corpo e cerrou os punhos. — Jarek não é meu mestre.

— Mas será — disse o escravo.

Asha abriu a boca para brigar, mas... Não era exatamente aquilo que ela temia?

Não era o motivo pelo qual precisava matar Kozu?

Ela baixou os olhos para o pescoço dele, onde uma veia pulsando entregava seu coração acelerado.

—Você tem razão — ela disse por fim. — Nem sempre uso o portão.

— É só uma questão de tempo até meu mestre me encontrar — ele disse. — Se continuar aqui, estou morto e enterrado.

Asha abriu os punhos.

— Está me pedindo pra mostrar a você como escapar?

Ele assentiu.

Faria alguma diferença? Ele não sobreviveria por conta própria na Fenda.

— Devolva as matadoras e eu mostro como.

— Quando?

— Hoje à noite.

Ela havia deixado tudo além da armadura na Fenda. Precisava de roupas de caça, um saco de dormir e um machado.

— Hoje à noite, então — ele disse.

Ela notou seu olhar suavizando ao percorrer seu rosto.

De repente se sentiu como um dragão escravizado por causa de uma história antiga, incapaz de escapar da armadilha mesmo sabendo do que se tratava.

Precisamos sofrer grandes dores para nos fortalecer contra a maldade.

Sempre houvera algo de errado com Asha. Algo facilmente corrompível. Seu vício de infância por histórias antigas fora o primeiro sinal. O terrível incidente com Kozu fora o segundo. E agora...

Sua incapacidade de dizer não ao skral que, por algum motivo, era importante para seu irmão.

Ele ergueu o canto da boca, fazendo a pulsação de Asha acelerar.

— Ficarei esperando, iskari.

A traição da rainha-dragão

O reino estava dividido por um mar de areia. De um lado se erguia Firgaard, murada, protegida e refinada. Do outro ficavam os nativos, selvagens, corajosos e livres. Eram inimigos antigos. Amargos rivais.

Após a morte de sua mãe, o rei-dragão queria paz. Todos sabiam disso, mas ninguém achava que seria bem-sucedido.

Estavam errados.

Na Casa das Estrelas, uma das cinco grandes casas do mar de areia, vivia Amina, uma nativa. Ela seria a ponte entre o antigo e o novo, entre as ruas de paralelepípedos e a vasta extensão de areia.

O rei-dragão se uniu a ela no deserto. Então rumaram para a capital, pensando que haveria paz.

Amina era gentil e sábia. Não importava que fosse uma nativa: o povo de Firgaard a amava.

Logo deu à luz dois herdeiros, um menino e uma menina. O menino era exatamente como ela. A menina era desafiadora e selvagem.

— Está tomada por um espírito perverso — os escravos sussurravam atrás das portas.

— Seu sangue nativo a corrompeu — diziam discretamente na corte.

Amina via os olhos estreitos. Ouvia as línguas tagarelas. Mas amava o espírito da filha. A pequena a lembrava de sua casa.

Quando os pesadelos começaram e a garota gritou e chorou de medo, Amina convocou os melhores médicos. Eles lhe passaram instruções. Fizeram remédios. Mas os pesadelos só pioraram. Logo os médicos estavam olhando para sua filha do mesmo jeito que todos os demais.

Corrompida, Amina lia nos olhos deles. Infectada.

Então ela tomou as rédeas.

Quando a luz diminuiu, as velas foram apagadas e seu marido começou a roncar, ela saiu da cama de fininho, percorrendo os corredores do palácio para se trancar com a menina.

Lá, sem ninguém para vigiá-la, Amina expulsou os pesadelos com histórias. Histórias antigas. Histórias proibidas. Atravessou a noite contando tais histórias, até que a garota parasse de chorar e adormecesse.

Mas, a cada noite que a rainha-dragão ia sorrateira para a cama de sua filha contar as histórias antigas, ela ficava um pouco mais doente. Um pouco mais fraca. As histórias a estavam envenenando, assim como haviam envenenado os trovadores. Eram mortais, motivo pelo qual tinham se tornado proibidas.

Mesmo que as histórias a envenenassem, fortaleciam sua filha, que parou de ter pesadelos e dormia mais profundamente do que nunca.

Quando o rei-dragão descobriu e soube do perigo ao qual sua esposa estava exposta, ele interveio. Mas era tarde demais. As histórias tinham drenado a vida de sua amada.

Antes que a próxima lua nascesse, Amina morreu.

Isso partiu o coração do rei-dragão.

Por sua traição — por quebrar sua própria lei e colocar sua filha em perigo —, ela não podia ter uma cremação adequada. Os ritos finais não poderiam ser executados. Ele só poderia observar enquanto as guardiãs abandonavam seu corpo fora dos portões da cidade, para apodrecer sob o sol, como os traidores antes dela.

Quando os nativos souberam da morte de Amina e de seu funeral profano, choraram de tristeza e uivaram de raiva. Declararam o rei-dragão um monstro e, furiosos, transformaram seu filho — um menino de apenas doze anos, que era um convidado em sua terra — em prisioneiro. Ele era *herdeiro de um rei monstruoso, de modo que também ia se transformar em um monstro ao crescer, então foi tratado como tal. A aliança com o rei-dragão foi estilhaçada, espalhando seus cacos na areia.*

Amina, a rainha gentil, não seria lembrada como aquela que havia curado os pesadelos da filha.

Seria lembrada para sempre como uma traidora.

Quinze

O PROBLEMA DE VOLTAR AO PALÁCIO quatro dias antes de sua união era que Asha corria o risco de ser vista e, automaticamente, convocada.

Por isso, ela não ficou surpresa quando ouviu alguém chamá-la:

— Iskari! — Era uma jovem escrava, que trabalhava para as costureiras do palácio. — Está atrasada para a prova.

— Que prova?

— Do vestido.

Asha franziu a testa. Precisava de roupas para caçar, não de um vestido elegante.

— Para a união, iskari.

Naquele exato momento Jarek apareceu à sua frente. Parecia uma armadilha. Asha congelou, se sentindo encurralada.

— Lembra? — perguntou a escrava.

Jarek olhou para a armadura que carregava debaixo do braço, depois para o caftã que vestia e que claramente não era dela. Asha o observou pensando, considerando a estranha peça de roupa, e imaginando por que estaria carregando sua armadura. Tentando juntar as peças sem sucesso.

De repente, tudo de que Asha precisava era ficar trancada no quarto, ajustando um vestido. Antes que Jarek pudesse questioná-la, a iskari passou depressa por ele.

— Estou atrasada para a prova do vestido.

Ele tentou segurá-la, mas Asha não deixou.

—Você viu Safire? — ele perguntou.

Ela parou e viu um sorriso deformando o rosto bonito do noivo ao virar.

— Nem eu — Jarek prosseguiu.

Asha deu as costas para ele. Apesar do pânico crescendo dentro dela, apesar do frio na base da sua espinha, manteve os passos firmes e calmos.

Assim que virou no corredor, começou a correr.

Ela não foi para seu quarto, mas sim para o de Safire, que estava vazio. A porta tinha sido consertada — Asha tinha pedido a um escravo para trocá-la por uma mais forte, de um quarto que ficava no fim do corredor. Não havia qualquer sinal de luta. Tudo estava no seu devido lugar.

Então Asha verificou a enfermaria.

Vazia. E cheirando a limões frescos.

— Por favor, iskari. Vamos terminar muito mais rápido se ficar quieta no lugar.

A dor brotava da ferida costurada em seu flanco. Ela permaneceu imóvel e reta pelo que pareceram dias enquanto as escravas trabalhavam, prendendo o tecido delicado onde estava muito solto e marcando onde estava muito apertado. Com o machucado latejando e a mente girando em preocupação, era difícil ficar parada.

Podia ser um truque. Jarek sabia melhor do que ninguém como irritá-la. Talvez tivesse mencionado Safire só para deixá-la preocupada.

Asha trincou os dentes com a dor na mão queimada. Ela continuou vestindo as luvas à prova de fogo para escondê-la. Forçando os braços estendidos a se manter imóveis, Asha voltou a atenção para a escrava diante dela. A que tinha ido buscá-la.

— Pode baixar os braços agora, iskari.

A escrava virou para marcar um ponto na parte de baixo do vestido. Aliviada, Asha obedeceu. As outras duas se viraram para tirar os alfinetes, deixando a garota com a visão livre para o espelho. Seu vestido brilhava como a luz do sol refletida no mar — pelo qual Asha havia navegado muito tempo antes, em viagens para Darmoor com a mãe. A cidade portuária era cercada por uma vasta extensão de água salgada.

As mangas compridas abriam nos cotovelos e caíam até os punhos. Flores bordadas se entrelaçavam ao redor da gola. Uma camada dourada era coberta por outra branca. Da cintura para baixo, o vestido de união fulgurava em camadas brilhantes de um tecido tão leve que parecia espuma do mar.

Era a coisa mais bonita que Asha já tinha visto.

Não combinava com ela.

A elegância delicada fazia sua cicatriz se destacar ainda mais. Pele manchada e descolorida percorria o lado direito de sua testa e descia até a orelha e o maxilar, depois continuava pela garganta e pelos ombros, desaparecendo sob o decote. O resto ficava escondido sob o tecido.

Mas o escravo de Jarek a tinha visto. Por completo.

O pensamento a deixou vermelha de vergonha.

A jovem escrava voltou com uma peça de tecido dourado, ficando entre Asha e seu reflexo.

— Pode erguer os braços, iskari? — ela perguntou, segurando o que em breve seria uma faixa na altura da cintura da noiva.

Asha obedeceu.

No mesmo instante, um grito interrompeu a calma.

Asha e a jovem escrava olharam para a porta, pela qual dois

soldats entraram correndo sem bater, com os morriões de aço tortos.

— Tem um dragão na cidade, iskari!

As escravas tremeram de pavor.

Asha despiu a camada de cima do vestido com facilidade, mas a camada de baixo já era outra história. Jarek havia encomendado o vestido com especificações precisas: botões minúsculos subiam pelas costas, tornando fisicamente impossível para a pessoa que o vestia abri-lo, o que garantia que apenas ele poderia fazê-lo, na noite de núpcias.

Outra demonstração de poder. Outra forma de controle.

— Tirem isso de mim!

As três escravas se moveram ao mesmo tempo na direção de Asha. Seus dedos trêmulos se atrapalharam com os botões enquanto mais gritos irromperam. A batida pesada e rítmica das botas dos soldats ecoou pelos corredores. Asha não esperou que as escravas terminassem. Pegou uma faca de caça que estava pendurada na parede e a colocou nas mãos de uma delas.

— Corte.

Com os olhos arregalados e apavorada, a garota pegou a faca. Asha virou. O aposento ficou em silêncio enquanto a faca rasgava o tecido delicado, que afrouxava ao redor dos ombros e das costelas. Se notaram os curativos de linho em seu corpo, nada disseram.

Assim que se viu livre, Asha vestiu as perneiras e uma camisa, depois afivelou a armadura. Pegou um machado com um punho cravejado de joias da parede, presente do pai em seu último aniversário. Nunca tinha sido usado, permanecendo afiado como no dia em que fora amolado. Ela o enfiou no cinto, amarrou as botas e foi procurar o dragão que pensou que havia deixado para trás.

Asha o viu pelas janelas enquanto corria pelos corredores do palácio. Jovem e magro, o dragão voava enquanto a cidade lá embaixo mergulhava no caos e na histeria. O sol brilhava sobre sua silhueta.

Da segunda vez que o avistou, ela notou o rabo vermelho bifurcado e a curva de sua cabeça.

Enquanto Asha corria pelo pátio externo, deixando o sol para trás, ele apareceu uma terceira vez. Ela reconheceu seus olhos pálidos e fendidos. Os mesmos que a haviam encarado na noite anterior, ao interceptar seu golpe final.

As palavras de Elorma lhe voltaram à mente:

Você deve mantê-lo em segurança.

Soldats corriam gritando ordens contraditórias, como "Pro terraço!" e "Pra rua!".

Caso um dragão aparecesse em Firgaard, a prioridade dos soldats era proteger a cidade. Os guardas do palácio eram instruídos a abandonar seus postos e ir para o terraço com lanças e flechas — coisas que podiam derrubar um dragão — ou para as ruas estreitas e sinuosas, onde tentariam dar ordem ao caos.

A rua era o lugar mais perigoso para se estar com um dragão à solta.

Asha correu para fora do palácio. Carroças tinham sido derrubadas e as tendas dos mercadores, abandonadas. Pessoas corriam em todas as direções tentando fugir do dragão, dando encontrões umas nas outras, enquanto soldats tentavam manter a calma e mandá-las para casa.

Uns poucos mais corajosos foram para os terraços com os soldats, carregando fundas com vidro, pedras e pedaços de ossos quebrados. Quando os projéteis o acertaram, o dragão rosnou. Asha pensou que ia retaliar, mas só voou mais alto, na direção da Fenda.

Asha o seguiu rumo ao portão norte.

A muralha bloqueava a visão das montanhas mais além. Soldats permaneciam em posição de ataque como colunas ao longo dos baluartes empoeirados, olhando para a forma no céu. Jarek tinha dobrado o número deles depois da última grande revolta nos alojamentos dos escravos, quando armas tinham sido encontradas em armários e panelas, sob colchões e na armação das camas.

No solo, meia dúzia de soldats permanecia em fila, bloqueando o portão. Asha desacelerou ao vê-los.

— Você não precisa ir, iskari. O comandante já mandou os caçadores.

Asha firmou a mão no cabo do machado. O que aconteceria se os homens de Jarek matassem a criatura?

Ela se lembrou de seu braço paralisado, punição pelo uso indevido do primeiro presente do Antigo e por desobedecer ao comando que o acompanhara.

Precisava impedir os caçadores.

— Abram o portão.

Por baixo das orlas metálicas, os soldats se entreolharam.

— Temos ordens de não abrir, iskari.

Asha franziu a testa.

— Ordens de quem?

Certamente não do pai dela.

— Do comandante.

—Vocês servem a Jarek ou ao rei? — Asha deslizou o dedão pela borda afiada do machado. — Porque foi meu pai quem me deu a tarefa de caçar dragões — ela apontou para a sombra no céu —, inclusive aquele ali.

Os soldats não responderam. Nem precisavam. Seu silêncio era uma indicação clara de que seguiam as ordens do rei... desde que não entrassem em conflito com as de seu comandante.

Asha ficou inquieta. Era justamente o que temia.

— Abram o portão.

O dragão mergulhou para dentro da Fenda, onde caçadores esperavam para matá-lo.

— *Abram!*

Ninguém se moveu.

— *Asha* — rosnou uma voz.

Ela sentiu o fogo estalar dentro de si. Virou e encontrou Jarek, que disparava em sua direção como uma tempestade. O brasão de oficial — dois sabres intercruzados — resplandecia em seu peito.

— Diga a eles para abrir — ela ordenou, apontando com a lâmina do machado para o portão.

Jarek se aproximou dela com um olhar penetrante. Era um dos motivos pelo qual as pessoas o admiravam: ele não a temia.

— Conte onde ele está e vou pensar no assunto — Jarek disse.

Ele.

O escravo.

Por que parecia tão importante para todo mundo?

Asha pensou nos dedos calejados costurando seu corpo à luz da vela. Pensou no joelho dele tão perto dos seus enquanto lhe contava sobre os pesadelos.

Ela afastou os pensamentos e encarou Jarek.

— Não é o *seu* dever encontrar e capturar criminosos? Se parasse de interferir nas minhas tarefas, talvez realizasse as suas com mais rapidez.

Um brilho percorreu os olhos dele.

— Já tenho cinco caçadores lá fora, Asha. Um deles vai derrubar o dragão.

— Ambos sabemos que posso matar aquele dragão muito mais rápido — ela rosnou. — *Sou a iskari.*

Ele apertou forte seu braço, fazendo doer para mostrar a facilidade com que a dominava, iskari ou não. Faria o mesmo depois que estivessem unidos. Quando ninguém pudesse impedir.

Asha não podia deixar que acontecesse.

Jarek se aproximou ainda mais.

— É meu dever manter você fora de perigo, *iskari*.

Os olhos de Asha se encheram de um fogo que tomou conta de sua visão, deixando tudo de um vermelho flamejante.

Era possível que ele não entendesse?

— Eu *sou* o perigo! — Asha disse.

Jarek assentiu para um soldat próximo.

Irritada, ela viu o soldat tirar um chaveiro do bolso e passar por uma porta. Asha sabia que levava aos alojamentos. Jarek mantinha algumas celas ali, para viajantes suspeitos que tentassem passar pelo portão.

Quando o soldat saiu, trazia Safire a seu lado.

O capuz do manto dela estava amarrotado ao redor dos ombros. Seu olho esquerdo se mantinha fechado de tão inchado, rodeado por um hematoma preto purpúreo, e seu lábio inferior estava cortado. A bainha da roupa estava manchada de vermelho, e pela maneira que Safire mantinha o braço dobrado contra o quadril, devia estar doendo.

Ver Safire naquele estado foi como uma faca no coração de Asha.

Era aquilo que acontecia quando não se dava a Jarek o que ele queria.

O dragão precisaria esperar.

Dezesseis

Asha levou a prima para Dax. Ele ficou escutando, em silêncio e imóvel, seus olhos castanhos endurecendo sob seu semblante cada vez mais sombrio, enquanto Safire explicava o que havia acontecido.

Roa não estava com ele.

Ótimo, pensou Asha. Tinha esperanças de que o irmão tivesse caído em si e voltado a manter os nativos bem longe do rei.

Dax continuava a observar a prima, enquanto Asha afiava seu machado incrustado de joias, à espera do pôr do sol. Sob o manto da escuridão, ela teria uma chance melhor de não ser vista pelos soldats de Jarek. No momento em que a estrela dourada se escondeu atrás do cume da montanha, ela subiu na janela, jogou seu elmo no terraço e pulou para fora.

Asha seguiu em direção aos pomares do palácio, que ficavam vazios ao anoitecer. As árvores floridas enchiam o ar com seu cheiro doce, enquanto morcegos roçavam os galhos. Ela subiu no muro mais externo do palácio e passou para a rua.

Asha ziguezagueou pela cidade, ficando longe do canto e da batucada do mercado noturno, assim como de seus comerciantes bastante convincentes. Ela pegou as ruas estreitas, onde era menos provável que deparasse com soldats fazendo a ronda, até chegar nas portas do templo, onde entrou silenciosa.

★

Asha parou na porta de cedro, enfiou o elmo debaixo do braço, ergueu o punho e bateu.

— Iskari? — O escravo abriu a porta e a deixou entrar. Ela passou direto por ele. — Você está bem?

Asha foi direto para o par de lâminas negras largado sobre a cama, pensando na cabeça de Kozu pingando sangue enquanto a arrastasse pelas ruas de Firgaard. Pensando na cara de Jarek quando o que mais queria fosse tirado dele.

— O que aconteceu?

Asha pensou no rosto machucado de Safire.

— Gostaria de conseguir fazer com que ele tivesse medo — ela disse.

Um silêncio estranho preencheu o espaço entre eles. Asha notou que o escravo a observava. De alguma forma, via tudo. Ouvia cada palavra que ela não dizia.

Asha desviou os olhos para as prateleiras cheias de pergaminhos. Algo chamejou dentro dela. Uma memória. Seu irmão naquele mesmo quarto, puxando os pergaminhos da prateleira. Pergaminhos escritos com letras irregulares e erros de grafia.

Asha pegou um pergaminho e o desenrolou, olhando para as letras tremidas em sua superfície branca e quebradiça. Eram recentes.

Ela lembrou das aulas de Dax de muito tempo antes, frustrando seus tutores porque não aprendia a ler. Lembrou dos murmúrios discretos quando pensavam que ele não poderia ouvir.

Burro. Inútil. Imprestável.

Todo mundo havia assumido que Dax nunca aprenderia a escrever.

Mas talvez ele tenha aprendido sem que ninguém notasse, ela pensou.

Asha recordou o tremor do irmão. A perda de peso. A luz extinta de seus olhos outrora brilhantes. Então se concentrou num passado mais distante. Os sintomas de sua mãe tinham começado quando passara a contar histórias antigas para Asha.

E se Dax estivesse escrevendo as mesmas histórias nos pergaminhos?

Teria o mesmo efeito que contá-las em voz alta?

— Parece que você viu um fantasma, iskari.

Asha encarou o escravo.

— É meu irmão — ela disse. — Acho que ele pode estar doente.

Asha pensou novamente na mãe. *O que veio depois dos tremores? A tosse.*

Ficaria alerta para os sintomas assim que acabasse com Kozu.

O escravo vestia o manto carmim de Jarek. Ele ficava irreconhecível com os botões do capuz presos em volta do seu pescoço. Não que houvesse muita necessidade de disfarce: enquanto a iskari levasse o escravo de Jarek pelas escadas abaixo do templo, não passariam por ninguém.

— Me conte sobre as lâminas que ficam nas suas costas — ele pediu.

— Me conte como um escravo doméstico sabe tanto a respeito das leis de caça. — Chegando à cripta, Asha acendeu a lamparina. O brilho laranja tremeluziu sobre as paredes de pedra, lançando sombras nas alcovas compridas e estreitas, e revelando fileiras sobre fileiras de vasos sagrados, com restos ancestrais.

— Greta era escrava de caça antes de ser comprada por meu mestre — ele explicou.

Greta. A escrava mais velha. O nome atingiu Asha como uma pedra. Ele não sabia que ela estava morta. Tinha ficado se recuperando no templo. Devia achar que Greta estava segura nos alojamentos.

— Ela me ensinou tudo o que sei sobre caçadas e dragões. — Seus dedos traçaram as paredes úmidas e brilhantes, como se as memórias estivessem ali. — Tudo o que sei a respeito de qualquer coisa, na verdade. Greta me criou.

Asha pensou naquela noite nos aposentos de Jarek. Nas lágrimas nos olhos de Greta quando abrira a porta. Deveria ter ido para o alojamento, mas tinha decidido ficar para trás. Porque amava aquele escravo.

Asha engoliu em seco. Alguém precisava contar.

— Greta morreu.

Seus passos hesitaram. Um arrepio gelado percorreu a pele de Asha. Ele estava fora do brilho da lamparina, de modo que não conseguia vê-lo.

— O quê? — ele sussurrou.

Asha ficou parada.

— Eu... Eu a vi morrer.

O silêncio se infiltrou na escuridão. E então um grito abafado ecoou pela cripta e seu punho acertou a pedra. A garganta de Asha se apertou ao ouvir o som. Devagar, ela caminhou até a luz da lamparina para encontrá-lo. O escravo estava agachado, com os cotovelos nos joelhos e as palmas das mãos sobre os olhos.

Asha não conseguia se lembrar da última vez que havia chorado. Não sabia o que dizer a ele. Mas ficar em silêncio parecia errado. Como se sua caixa torácica de repente tivesse ficado muito pequena, apertando seu coração.

— O túnel é aqui — ela disse quando o silêncio pareceu dolorido demais. Então ergueu a lamparina e iluminou a fenda na rocha. — Agora você sabe. Pode escapar. Não precisa voltar nunca mais. Está livre.

Asha podia acrescentar "libertar um escravo" à sua lista de atividades criminosas.

Ele não falou nada. Sequer levantou a cabeça.

Sem saber mais o que fazer, Asha o deixou lá. Precisava encontrar seu dragão. Depois, mataria Kozu. Faltavam apenas quatro dias.

Asha tinha feito o que prometera. Havia mostrado o túnel a ele. Se fosse pego lá, soluçando como uma criança, não seria culpa dela.

No entanto, quanto mais subia, mais pensava. Mesmo se o skral conseguisse entrar na Fenda, havia criaturas selvagens lá, os elementos, e, é claro, os caçadores de Jarek. E se o pegassem?

Ela deu meia-volta imediatamente.

Dezessete

Eles não tinham trocado uma única palavra até chegar ao fim do túnel. O que para Asha estava ótimo. Ela não precisava falar.

Quando saíram, foram recebidos pelo luar e pelo piado suave de uma coruja. Asha respirava o ar frio da noite quando o escravo parou de repente, esticando o braço. Ela trombou com ele e estava prestes a tirá-lo do caminho quando viu entre os cedros à frente o que o havia feito parar: dois olhos fendidos e pálidos espiando os dois no meio da escuridão.

Asha deixou escapar um suspiro trêmulo.

O dragão. Então os caçadores não o haviam encontrado.

— Continue andando — ela disse a ele.

— O quê?

—Você vai ver.

Asha entrou no bosque. Fora do seu campo de visão, o dragão os acompanhava. Acima do murmúrio do vento, Asha podia ouvir seu corpanzil se esfregando nas folhas. Podia ouvir suas escamas estalando suavemente enquanto se movia. Ela continuou andando até as árvores ficarem mais próximas umas das outras, seguindo o som da água. No pequeno córrego, Asha parou. Cheirava a terra molhada. Agachada na grama, olhou na direção das árvores, de onde o dragão a observava, e se perguntou o que deveria fazer.

O escravo sentou perto dela, com os olhos arregalados e o corpo tremendo.

— Eu disse que você pode ir embora — ela repetiu, sentando também e abraçando os joelhos. — Não vou te impedir.

— Sabe qual é a punição por libertar um escravo?

Ela sabia.

— Uma mão decepada — ele mesmo respondeu.

Asha deu de ombros. Precisariam provar que ela era a culpada. E só precisava de uma mão para matar Kozu.

— Fique longe das trilhas — ela disse. — Começam aqui, na parte de baixo da Fenda, e seguem até oeste, na direção dos criadouros. Talvez consiga chegar a Darmoor. — Mas era uma longa caminhada a pé, e a Fenda era um lugar perigoso e selvagem. As chances de conseguir sozinho eram mínimas. O escravo devia saber disso, porque falou:

— Acho que vou continuar com você por enquanto.

Asha olhou para ele, que pegou uma longa folha e começou a torcê-la em volta dos dedos.

— Tem um dragão ali. — Ele assentiu na direção das árvores enquanto arrancava mais duas folhas, atando as três em uma espécie de trança. — Como você é uma caçadora de dragões, meu plano é ficar por perto até que ele morra ou vá embora.

— Infelizmente para nós dois, nada disso vai acontecer — Asha murmurou.

— Como assim? — Ele olhou para as árvores perto de onde o dragão havia se agachado, depois voltou a Asha. — Por que não?

Ela suspirou. O ar saiu pesado dela, de uma vez só. Asha caiu para trás na grama e ficou olhando para a lua, apenas uma lasca vermelha no céu negro.

— Não posso matar esse dragão — ela sussurrou. — Bem que eu queria, mas... — Ela olhou para o escravo meio envergonhada. — Tenho que protegê-lo.

O escravo olhou de volta para Asha, bloqueando a luz da lua.

— Mas você é a iskari. A caçadora de dragões do rei.

— Se ele morrer, o Antigo vai me punir — ela disse, encarando os olhos dele.

— O Antigo? — ele ergueu uma sobrancelha em uma leve zombaria. — Iskari, você já matou centenas de dragões. Ele te puniu alguma vez? — O escravo chegou um pouco mais perto dela.

Perto demais.

O coração de Asha começou a bater mais rápido e ela levantou. Concentrando toda a sua atenção no dragão no meio das árvores, andou pelo córrego, espalhando água. Se o capturasse, talvez conseguisse domá-lo. Então poderia ensiná-lo a não segui-la até a cidade.

Asha sentiu que ele estava abaixado e pronto para fugir. Aproximou-se devagar. Com cuidado. Quando estava a poucos passos, diminuiu o ritmo. Ela imitou o ruído de um dragão estalando a língua suavemente, na tentativa de persuadi-lo.

Ele desapareceu na escuridão.

— Ótimo! Vai embora mesmo! — ela gritou, pegando pedras na nascente da fonte e jogando uma atrás da outra nas árvores. — Odeio olhar pra sua cara!

Quando ficou sem pedras, evitando o olhar do escravo do outro lado do córrego, Asha disse:

— Ele me seguiu o caminho inteiro até o palácio, mas não me deixa chegar mais perto do que isso. — Ela virou e atravessou as águas rasas, então chutou seu elmo. — Como vou mantê-lo longe do perigo assim?

O escravo a olhou de cima a baixo.

— Posso ser sincero? Se eu fosse um dragão, não ia querer chegar nem perto de você.

Asha acompanhou seu olhar: da armadura para as botas e para o elmo no chão. Ela o pegou estudando sua forma. Tudo o que vestia era feito de pele de dragão.

O escravo se esticou para pegar o elmo. Asha o segurou com mais firmeza.

Ele o puxou dela mesmo assim.

— Confie em mim.

O medo a percorreu quando lembrou de como havia se sentido ao ficar desprotegida diante de Kozu quando ainda era criança.

O fogo avançando em sua direção.

Os gritos presos na garganta.

A carne queimando.

Com o elmo enfiado embaixo do braço, ele se aproximou. Perto o suficiente para pegar as fivelas do seu peitoral. Sustentando seu olhar, começou a soltá-las.

O coração de Asha disparou e sua respiração acelerou.

— Nem pensar — ela disse, dando um passo para trás.

— Está bem. — Ele colocou o elmo aos pés dela. Tirou suas sandálias e enrolou a calça na altura dos joelhos, então sentou na margem do córrego e deslizou os pés descalços para dentro da água. — Talvez até o amanhecer você já o tenha espantado de vez e eu possa seguir meu caminho em segurança.

Ele ficou com os pés mergulhados enquanto as mãos permaneciam plantadas na margem.

Asha se viu sozinha sob a luz da lua, olhando para si mesma.

Do que tinha medo? Se o dragão quisesse matá-la, já teria feito aquilo, não?

Ela começou a desatar as fivelas e tirou algumas partes da armadura. A queimadura na mão doía mais do que nunca. Desafivelou as matadoras nas costas, e as deixou perto da armadura. O ar noturno sacudiu sua camisa e tocou seus braços nus. Asha agachou para desatar as botas.

Descalça e com a grama roçando seus joelhos, Asha se sentiu... exposta. O vento fazia seus cabelos voarem. O ar noturno beijou sua pele, marcada pela cicatriz. Ela pensou que ficar de pé sem armadura diante de um dragão ia fazer com que se sentisse vulnerável e exposta. E de fato sentia aquilo. Mas também sentia outra coisa.

A ausência de correntes.

Selvageria.

Liberdade.

Sem uma única peça para protegê-la, Asha passou pelo escravo, atravessou o córrego e seguiu na direção daqueles olhos fendidos. Ela ouvia o açoite ansioso de um rabo bifurcado conforme se aproximava.

Três passos. Dois. Depois...

O dragão voou.

Asha cerrou os punhos e resmungou.

— Não funcionou!

A silhueta do escravo se moveu na direção dela. Asha passou direto por ele, voltando pela água fria do córrego, tremendo com o frio da noite. Tinha sido um erro.

Quando parou diante da pilha de peças de armadura, não a reconheceu. Parecia mais a pele descartada de um lagarto. Asha não conseguiria prender nada daquilo em si de novo.

— Estou perdendo tempo — ela disse, pensando em Kozu perambulando em algum lugar da Fenda. Devia estar atrás dele, não tentando domar aquela criatura irracional. Faltavam somente quatro dias para sua união. Quatro dias para Jarek levá-la para a cama.

Seus olhos arderam com o pensamento. Asha levou as mãos à testa e se abaixou na grama.

Uma sombra passou por cima dela.

— É uma criatura selvagem, iskari. E você é uma caçadora.

Não pode esperar que venha quando chamar. Precisa conquistar sua confiança.

Ela olhou para a silhueta do escravo.

— E o que eu faço então?

— Só espere — ele disse. — Deixa que venha até você.

A lua estava minguando. Asha não podia esperar.

Mas talvez não precisasse. Quantas vezes no ano anterior não tinha atraído um dragão até ela? O pensamento fez seu estômago revirar. Se fizesse o mesmo com aquele dragão, o escravo saberia que vinha usando as histórias antigas. Ela ainda era aquela garota corrompida que havia levado destruição a seu povo.

Ao mesmo tempo, quem se importava com o que o escravo sabia?

Asha respirou fundo e começou.

A história de Willa

Willa era filha de um fazendeiro. Ela era um problema para seus pais, que não conseguiam casá-la. Afinal, ninguém queria uma esposa que precisava parar e descansar no meio da colheita. Ninguém queria uma esposa que talvez não sobrevivesse ao parto.

O coração fraco de Willa a tornava um fardo. Então, um dia, ela foi pastorear ovelhas e nunca mais voltou.

O Antigo apareceu para Willa nas colinas de areia. Disse que a tinha escolhido para seu primeiro namsara. Ela seria sua hika — sua companheira sagrada, numa combinação perfeita, moldada para Elorma como se o céu e a terra se tornassem apenas um. O Antigo ordenou que Willa abandonasse sua família e procurasse o namsara. Ela era devota desde sempre, então fez o que lhe foi pedido.

Willa partiu pelo deserto. Quando chegou a Firgaard semanas depois e atravessou as portas do templo, Elorma — que nunca a tinha visto antes — soube exatamente quem era.

Contudo, o encontro aconteceu nove luas antes de Willa completar dezoito anos e os dois poderem casar. Naquele meio-tempo, Elorma a ensinou a ler e escrever para que pudesse ajudá-lo no templo. Ele explicou os costumes de Firgaard e como viviam os habitantes da cidade. Ele nunca se importou, nem uma vez sequer, que ela precisasse parar e descansar por causa de seu coração fraco. Na verdade, a cada dia que passava, Elorma se apaixonava mais.

Mas Willa *não o amava da mesma maneira. Ela faria o que lhe fora pedido, mas o Antigo não tinha como obrigar que amasse um homem. Elorma tentou conquistar seu afeto. Deu presentes a ela e, quando não funcionou, passou a escrever poemas, que tampouco tiveram sucesso. Então ele procurou o Antigo em busca de orientação, mas só obteve silêncio em resposta.*

Um dia, a cidade foi assaltada por inimigos do oeste. Elorma foi capturado e mantido refém enquanto os invasores ocupavam a cidade. Willa reuniu o povo e o liderou em uma revolta. Ela se pôs diante do autoproclamado rei com milhares de punhos atrás de si, exigindo que devolvesse seu noivo.

Depois que expulsaram os invasores, Elorma suplicou ao Antigo que libertasse Willa *de sua obrigação. Não queria ser responsável por aprisionar um pássaro numa jaula.*

Dessa vez, o Antigo atendeu ao seu pedido.

Elorma procurou Willa e disse que podia voltar para sua antiga vida e ser livre.

Mas ela se recusou. O povo de Firgaard não a via como uma camponesa tola. Era uma heroína aos olhos deles, e aquela cidade passara a ser seu lar. Willa *havia se igualado a Elorma.*

Na noite de sua união, ele esperou no templo enquanto ela percorria as ruas. Os cidadãos de Firgaard jogaram flores aos seus pés. Beijaram suas bochechas e lhe fizeram bons desejos. O coração de Willa estava pleno. Não era mais um fardo.

Mas ela nunca chegou a Elorma. Ouviu a morte chamando seu nome, então seu coração fraco e brilhante falhou.

Quando caiu de joelhos nos paralelepípedos, os gritos de comemoração ao seu redor cessaram.

— Meu amor — ela sussurrou. — Esperarei você nos portões da morte.

O vento carregou suas palavras até Elorma, que correu até ela. O coração de Willa parou de bater antes que chegasse. A morte a havia roubado.

Quando Elorma o tocou, o corpo de Willa ainda estava quente. Ele se agarrou a ela, amaldiçoando o Antigo por não a salvar, chorando em seus cabelos.

Nos portões da morte, Willa firmou os pés e olhou novamente para a terra dos vivos. Era proibido que almas se demorassem ali, então a própria morte foi até ela.

Willa não se moveu.

A morte enviou um frio intenso para congelar o amor em seu coração, e nem assim Willa se moveu.

Enviou um fogo furioso para queimar suas memórias, e Willa as manteve com firmeza.

Enviou um vento tão forte quanto o mar para forçá-la a seguir adiante, mas Willa segurou nas barras e não soltou.

Então a morte desistiu e a deixou sozinha, pensando que o tempo por si só ia movê-la. Mas a lealdade de Willa nunca vacilou. Ela esperou até o próprio Elorma chegar ao portão, uma vida depois, e só então soltou as barras.

— Por que demorou tanto? — ela perguntou. E então, segurando a mão de seu amado, Willa o conduziu para dentro dos portões.

Dezoito

Asha ficou em silêncio, mas a história antiga permaneceu dentro dela, exalando poder. A versão do pergaminho terminava com Elorma conduzindo sua amada através do portão. Mas ela não gostava daquilo. Afinal, era a história de Willa. Ela tinha resistido ao frio, ao fogo, ao vento e ao tempo. E era ela quem deveria conduzir seu amado portão adentro. Então Asha havia mudado a última frase.

Quando a influência da história sobre ela diminuiu, Asha viu o escravo caminhando na sua direção. Mais uma vez, foi surpreendida pela gentileza em seu olhar. Diferente de Jarek, ele não tentava dominá-la. Tampouco demonstrava temor, como os demais. O olhar do escravo era delicado e leve como uma pena.

Um farfalhar suave quebrou o silêncio. Eles olharam para o dragão parado acima, sua respiração quente e fétida batendo em seus rostos, seu rabo sacudindo perigosamente.

A criatura estreitou os olhos fendidos. Um grunhido retumbou baixo.

Ainda sem armadura ou armas, Asha entrou em pânico. Levantou rápido e se afastou, cambaleante.

— Não. — A dor em suas costelas foi lancinante quando o escravo a agarrou com força, fazendo com que encarasse o dragão. — Não fuja.

Fogo, vermelho e furioso. Queimando a pele e selando os gritos...

O escravo resistiu aos socos e às cotoveladas, segurando firme. O dragão rastejou para mais perto.

— Calma. Pare de lutar.

Quando ficou claro que o escravo não ia soltá-la, Asha desistiu. Apavorada, virou para ele, esperando o dragão atacar.

A noite se calou ao redor. Podia sentir o coração palpitando em seus ouvidos.

— Iskari. — O escravo afrouxou o braço em sua cintura. — Veja.

O dragão estava sentado, observando os dois com a cabeça inclinada.

O escravo estalou a língua para ele. Asha se perguntou se Greta havia explicado a ele mais do que ela imaginava.

Ele manteve um braço firme em volta de sua cintura e esticou o outro, produzindo estalos suaves para tentar atrair o dragão. Asha prendeu a respiração.

Ele parecia incerto, seu olhar indo e vindo da mão esticada do escravo para a iskari. Então rastejou para a frente, sem tirar os olhos de Asha. Cheirou sua mão, depois a esfregou gentilmente. O escravo firmou ainda mais o braço em volta dela, como se temesse que pudesse correr. Então deslizou a mão sobre o focinho escamoso do dragão. Depois pegou a mão boa de Asha e a esticou devagar.

O dragão se demorou farejando os dedos dela, e levou ainda mais tempo para esfregar a cabeça em sua mão. Quando ele se aproximou, fungando em seu pescoço, Asha segurou seu focinho com cuidado. Seu hálito era terrível. Cheirava a carne podre.

— Me explique uma coisa — o escravo sussurrou perto da bochecha da iskari. — Foram as histórias que deixaram a sua mãe doente, certo?

— Sim — disse Asha, inalando o cheiro denso e fumacento do dragão.

— Então por que não acontece o mesmo com você?

— Minha mãe era muito frágil — ela explicou, permitindo que ele a guiasse e passando a mão no focinho quente do dragão. — Boa demais. Não conseguia controlar as histórias, que a devoraram como um veneno. Do mesmo jeito que aconteceu com os trovadores. Eu sou... diferente.

Quando ela o olhou para ver se entendia, notou a interrogação no ar.

— É difícil explicar.

Asha virou de novo para o dragão, apoiando a testa em suas escamas ásperas. No mesmo instante, sua mente bruxuleou como a chama de uma vela. Imagens vieram em relances e explosões: *um homem de capuz montando um dragão negro, um exército avançando pelo deserto.*

Asha se afastou e as imagens se dissolveram. Ela olhou para o dragão, que disparou ao redor dos dois, fazendo círculos em volta deles com animação. Por fim, ele se aquietou, agachou e a encarou. Como se estivesse ansioso por algum tipo de jogo.

O escravo disse algo, mas Asha não o ouviu. Estava pensando. Lembrou de si mesma de anos antes, a garota com o coração de borboleta. Ela deu um passo na direção do dragão e pegou seu focinho nas mãos. Mais uma vez, imagens se acenderam em sua mente.

Era o dragão. Ele estava tentando contar uma história para ela, em troca da que lhe havia contado. Só que, em vez de palavras enfileiradas em sequência, a criatura enviava relances de imagens para a mente de Asha. Eram como cacos de vidro brilhante, às vezes afiados demais para segurar, às vezes fora de ordem.

Oito anos tinham feito com que ela esquecesse disso: dragões gostavam de contar histórias tanto quanto gostavam de ouvi-las. Asha se forçou a voltar no tempo, recordando a época de parceria com os dragões, em vez de oposição.

O dom de Kozu de contar histórias de uma maneira simples era lindo. Aquele dragão falava como uma criança que ainda não havia aprendido a formar as frases adequadas.

Asha fechou os olhos, tentando se concentrar. Ela se esforçou para juntar os relances de imagens, como se montasse um mosaico em sua mente.

Havia um homem de capuz, que parecia importante. Ele continuava surgindo, de novo e de novo, montando um dragão preto como tinta. Asha supôs que era Kozu antes de ganhar sua cicatriz. Mas somente um namsara ousaria montar o primeiro dragão. Então devia se tratar de um.

Contudo, foi a mulher montada ao lado dele que mais a interessou. Ela usava o medalhão de citrino do pai de Asha. E, embora fosse jovem, Asha reconhecia seu rosto. Os olhos árduos e desaprovadores que a encaravam da tapeçaria na sala do trono.

Era a avó de Asha.

E a história do dragão era sobre o último namsara.

Mas ela não terminava onde costumava terminar, com os skrals sendo acorrentados e transformados em escravos. O dragão estava contando a parte que vinha depois.

O Rompimento recontado

O Antigo garantiu a vitória da rainha-dragão sobre os skrals. Deu a ela um namsara que a levou direto para o acampamento do inimigo enquanto dormia. Ofereceu sua proteção. E como ela retribuía?

Com desonra.

A rainha-dragão não afugentou os skrals do reino como o Antigo havia ordenado. Ela os escravizou.

— Draksors não mantêm escravos — o namsara disse. — O Antigo proíbe.

— Pense no que conseguiremos realizar! — disse a rainha-dragão. — Pense em quão poderosos seremos, com nossos inimigos forçados a nos servir!

— Desafiar as ordens do Antigo será sua desgraça — o namsara alertou.

A rainha continuou com seu plano mesmo assim.

As ruas sinuosas e estreitas da cidade se encheram de escravos sendo medidos para confecção de coleiras. Os do palácio usariam ouro. Os dos ricos usariam prata. E todo o resto usaria ferro.

O namsara foi até a rainha-dragão para um segundo aviso.

— O Antigo será misericordioso se soltar o inimigo. Quebre as coleiras e liberte todos agora mesmo.

A rainha baniu o namsara.

Os escravos receberam tarefas, e foram criadas regras para governá-los: nunca olhe um draksor nos olhos ou fale seu nome; nunca toque um drak-

sor que não seja seu mestre; nunca beba do copo ou coma do prato de um draksor.

O namsara agiu uma terceira e última vez. Dessa vez, não suplicou à rainha. Não ofereceu misericórdia. Declarou, para a cidade inteira ouvir:

— *O Antigo deixa um alerta. Seus aliados mais ferozes vão se voltar contra vocês. Vão queimar suas casas e atacar suas famílias, e suas sombras em fuga marcarão uma ruptura em toda a Firgaard.*

E foi exatamente o que aconteceu.

Dezenove

O DRAGÃO ERA UM MENTIROSO.

Aquela história estava toda errada. Os skrals eram impiedosos. Tinham pilhado e saqueado todas as cidades por onde passavam, deixando apenas um rastro de ruína. Se a rainha-dragão os deixasse ir embora, o terror continuaria. Sua avó estava protegendo seu povo e todos os demais.

O dragão distorcia a verdade. Assim como Asha tinha mudado o final de sua história, ele mudara o da dele.

À noite, Asha acordou com o cheiro de fumaça. Ela se pôs de pé, pronta para gritar com o escravo imprudente o bastante para acender uma fogueira e denunciar sua localização. Mas as palavras morreram em seus lábios quando viu o homem sentado à sua frente. Uma fogueira crepitava entre eles, mas não havia qualquer sinal do skral ou do dragão.

Era Elorma quem estava sentado diante dela.

— Você agiu bem com o segundo presente — ele disse. — O Antigo está feliz.

Uma onda de raiva tomou conta de Asha.

— Não dou a mínima para como o Antigo se sente.

Elorma ergueu o canto da boca.

—Vamos ver como se sai com o próximo.

— Não — ela disse. — Por favor, chega.

—Você vai gostar desse, prometo. — Elorma tirou o capuz da iskari e analisou a cicatriz de queimadura que percorria o rosto dela. — Imagino que vai achá-lo... útil.

Asha não era boba. Ela rangeu os dentes e cerrou os punhos.

— Não importa quantas vezes o Antigo se meta no meu caminho, ainda vou matar o dragão dele. Eu juro.

Elorma suspirou, então levantou.

— O Antigo concede seu terceiro presente — ele disse com cansaço. — *Escamas*. Precisará delas para realizar a próxima ordem.

Escamas?

Asha desarmou os punhos.

—Você vai pegar a chama sagrada do ladrão que a roubou e a devolverá ao lugar ao qual ela pertence.

Um tremor de pânico atingiu suas pernas. Seu pai havia tirado a chama sagrada das cavernas — o lugar ao qual pertencia.

—Você quer que eu traia o meu próprio pai?

O silêncio de Elorma serviu de confirmação.

De repente, ela não conseguia respirar. Era como se tivesse corrido.

Asha se sentiu tonta. Tão tonta que sentou e levou a cabeça aos joelhos, tentando fazer o mundo parar de girar. Tentando forçá-lo a fazer sentido novamente.

Ela pensou no pai na enfermaria, segurando sua mão através de noites longas e dolorosas. Mantendo-se firme ao seu lado enquanto o povo xingava e cuspia aos seus pés. Olhando para ela com orgulho sempre que voltava de uma caçada com a cabeça de um dragão em uma bandeja.

Asha não podia fazer aquilo. Não ia traí-lo.

Mesmo que ousasse, não havia como isso dar certo. Um ladrão

não podia simplesmente entrar e pegar a chama sagrada. Seria visto e parado na hora.

— Não posso fazer isso — ela disse. — É impossível.

—Você encontrará uma maneira — disse Elorma.

Quando Asha acordou, as cotovias cantavam chamando o dia, e o sol era uma névoa de ouro que acendia a copa das árvores. Perto dali, o dragão vermelho arquejava enquanto dormia.

Era como se o mundo não soubesse nada a respeito da tarefa maldita que o Antigo havia lhe passado.

Asha não queria mais saber de joguinhos. Em três dias, estaria unida a Jarek. Tinha que matar Kozu. Era a única forma de evitar o que estava por vir.

Ela precisava de um plano, uma maneira de tapear o Antigo.

Esfregou os olhos para se livrar do sono, parando ao perceber que a mão queimada não doía. Ela a levou à frente do rosto e começou a desenfaixá-la.

Quando o linho caiu, Asha olhou em choque.

A mão que um dia antes estava murcha e em carne viva agora apresentava a pele resistente de uma cicatriz. Cobria sua palma inteira e parte dos seus dedos. A queimadura estava completamente curada.

Asha sentou. O que Elorma havia dito sobre o terceiro presente do Antigo?

Ele havia chamado de "escamas".

Mas o que aquilo significa?

Ela tinha uma leve ideia.

Asha pegou os fósforos perto da lamparina e acendeu um. Quando a chama apareceu, segurou a respiração. Devagar, segurou a chama tremeluzente sob sua palma e começou a contar.

Um. Dois. Três.
Quatro. Cinco. Seis.
Sete. Oito. Nove.
Nada. Nenhuma dor.

Um sorriso se formou lentamente em seu rosto. Se fosse à prova de fogo, ficaria muito mais fácil matar Kozu.

O escravo esticou a mão, derrubando o fósforo, que se apagou ao cair na terra.

— Qual é o seu problema? — Ele se agachou ao lado dela, sem ar. Havia um falcão branco como névoa empoleirado em seu ombro, que a encarou com seus olhos prateados.

Asha ficou surpresa ao vê-lo.

— É o falcão de Roa?

O escravo tocou suas penas brancas, como se houvesse esquecido que a ave estava ali.

— O nome dela é Essie. — Ele sacudiu a cabeça e voltou ao assunto original. — Estava tentando se machucar?

Asha franziu a testa. Como se ele fosse se preocupar com aquilo.

— Sim — ela disse, encarando os olhos dele. Ela pegou outro fósforo e o acendeu. Sem desviar o olhar, pôs a mão em cima da chama e a manteve lá. Aquilo fez cócegas. Esquentou, mas sem queimar.

— Meu terceiro presente.

Ele franziu ainda mais o cenho.

— O quê?

Asha sacudiu o fósforo, apagando-o.

— Ele quer que eu use minha mão para roubar a chama sagrada.

— *Ele quem?* — Suas sobrancelhas eram linhas rígidas e escuras. Ele parecia excepcionalmente agitado aquela manhã. Asha olhou para o falcão, para Essie, e imaginou se sua presença era o motivo daquele humor. — Do que está falando?

As vozes acordaram o dragão, que se sentou.

— O Antigo me deu isso — Asha disse, erguendo a mão cicatrizada. — Da mesma maneira que me deu aquilo ali. — Ela apontou com a cabeça na direção do dragão, que já perambulava na direção deles. — Assim como me deu aquelas armas. — Asha indicou as matadoras embainhadas. — Cada presente vem com um comando.

O escravo tentou segurar sua mão. Asha permitiu, surpresa. Ele franziu o cenho enquanto a estudava, esfregando o dedão na pele áspera e descolorida, enviando uma onda de calor por ela.

— Isso não é possível — ele disse. Essie a observava de seu ombro. — Enfaixei sua mão poucos dias atrás. Estava em carne viva.

Asha sentiu o roçar suave de seu polegar. Mais uma vez, pensou na mãe, no modo como se esticava para colocar uma mecha do cabelo de Asha atrás da orelha. Ou a segurava quando passava correndo pelo corredor e a puxava para um abraço. Asha sempre se esquivava — tinha coisas melhores a fazer.

Agora, contudo, ela se perguntava que coisas seriam aquelas.

Ele soltou a mão dela, tirando Asha de suas lembranças.

— Qual é a ordem? — O escravo olhou para o cabelo dela.

Asha passou os dedos pela trança e percebeu que estava se soltando.

— Tenho que roubar a chama sagrada e devolver às cavernas.

— E vai fazer isso?

— Não sei. — Talvez ela pudesse roubá-la apenas temporariamente. Até matar Kozu. Então a chama não teria mais importância. Nada ligado às tradições antigas teria.

As histórias antigas eram como os galhos de argânia e Kozu era a raiz sedenta: se cortada, tudo murcharia e morreria. O silêncio no coração do primeiro dragão calaria para sempre as histórias, e com elas a ligação do Antigo com seu povo.

No momento em que Kozu morresse, as tradições antigas iam se desintegrar e virar pó.

Asha balançou seu cabelo escuro, passando os dedos por ele.

Quando levantou o rosto, viu que o escravo a observava. Ele virou a cabeça tão rápido que Essie guinchou com o movimento repentino, então bateu suas asas brancas e voou dali.

—Você precisa de mim — o escravo disse, sem olhar para ela.

— *Como assim?*

—Você mesma disse que ele te segue. — O escravo olhou para o dragão, que pulava tentando pegar o falcão, suas escamas vermelho-tijolo ondulando. Um borrão branco voou de baixo dele, chiando aborrecido. — Assim que voltar, o que vai impedi-lo de voar atrás de você até a cidade?

As asas de Essie soavam como o murmúrio calmo do mar de Darmoor. O dragão olhou para o céu, contemplando sua presa perdida, depois se retirou furtivamente para onde Asha estava sentada. Ele deu duas voltas em torno dela e do escravo, depois afundou no chão, bloqueando a luz do sol com suas asas dobradas. Deitado, tinha quase a altura de um cavalo.

O escravo estava certo: se ela fosse realizar sua tarefa, precisaria de ajuda para manter a criatura no lugar. Não tinha tempo de ensiná-lo a sentar e esperar. E não podia arriscar que a seguisse de novo.

O dragão cutucou o braço de Asha. Ela o ignorou. Quando cutucou mais forte, a iskari se afastou.

O escravo estalou a língua, tirando a atenção de Asha e atraindo-o para si. Ele coçou seu queixo escamoso, e o dragão semicerrou os olhos de prazer.

— Está se oferecendo para tomar conta dele?

— Por um preço.

Asha ergueu o queixo.

— Qual?

— Que me leve voando para Darmoor quando concluir sua missão.

Asha o encarou. Ele estava falando *sério*?

— Se me levar voando até lá, posso encontrar trabalho a bordo de um navio partindo, então nunca mais vai ter que me ver — ele disse.

— Não posso simplesmente te levar voando para onde você quiser.

— Por que não?

Ela olhou para o dragão.

— Eu... nunca montei um.

Era assim que se formavam os elos entre dragões e draksors: no voo. O laço com aquela criatura já era uma inconveniência, no entanto. Asha não queria aprofundá-lo.

— Será que é tão difícil assim? Seus ancestrais conseguiam.

— Os dragões se voltaram contra meus ancestrais. Além disso, não tenho tempo para voar com você por aí — ela disse, olhando para o céu azul. A luz do dia havia espantado a lua minguante.

— E por que não?

Todas aquelas perguntas infernais! Asha ergueu as mãos nervosa.

— Só tenho três dias para caçar Kozu.

O sorriso na boca do skral se desfez.

Asha baixou os olhos para a terra empoeirada.

— Se conseguir matar o primeiro dragão, meu pai vai cancelar minha união.

— *O quê?* — O escravo franziu a testa. — Por que ele...

— Meu pai pretende destruir as tradições antigas. — Para escapar de seu olhar penetrante, ela começou a traçar símbolos na terra. O padrão de flor usado da enfermaria começou a surgir: namsaras elegantes de sete pétalas. — Mas o Antigo continua me mandando esses *presentes*, que sempre vêm com ordens... Parece que é o jeito dele de me atrasar. — Asha sacudiu a cabeça. — Entende agora? Não posso ajudar você. Meu tempo é curto.

O escravo ficou quieto por um momento.

— Podemos voar depois que você matar Kozu — ele disse.

— Só tem um problema — Asha resmungou, desmanchando as flores desenhadas na areia. — *Não monto dragões.*

— Se quer que te ajude a manter seu dragão a salvo enquanto realiza sua missão suicida, então vai ter que aprender. É o preço a pagar.

Asha olhou para o dragão vermelho. Como poderia cruzar o céu em cima de uma das criaturas que tinha jurado caçar até a extinção?

Depois que matasse o primeiro dragão, talvez não importasse mais. Com a morte dele, qualquer traço do Antigo viraria pó. A ligação do dragão vermelho com ela provavelmente ia se desfazer também.

Asha olhou para o escravo. Ele não sabia daquilo.

— Ótimo — ela disse.

— Preciso da sua palavra. Alguma garantia de que vai cumprir sua promessa e não mudar de ideia.

Droga.

Sem pensar, Asha tocou o anel de sua mãe. Se arrependeu no exato momento em que o fez, porque o skral fixou os olhos nele.

— Isso serve.

Asha sacudiu a cabeça.

— Não.

— Então tome conta sozinha do seu dragão. — O escravo levantou e foi para o córrego.

Ele tirou a camisa, dando a ela uma visão clara da força de seus ombros e braços. Da bela curvatura do seu torso. Dos curativos de linho se entrecruzando em suas costas.

Manchados de sangue.

Asha franziu a testa. Ele não devia estar carregando mais curativos.

Tentou evitar encará-lo enquanto enrolava as calças até os joelhos, deixando o córrego cintilante correr entre suas panturrilhas. Unindo as mãos, ele pegou água e bebeu profundamente antes de jogar o restante no rosto.

Asha girou o anel da mãe no dedo. Contanto que cumprisse sua palavra, o escravo teria que devolvê-lo. Não era como se estivesse lhe dando o anel em definitivo.

O dragão observou com seus olhos preguiçosos semicerrados enquanto ela tirava o anel. Asha levantou e caminhou até a beira do córrego.

— Se tomar conta do dragão, prometo te levar voando pra onde quiser. Isso *depois* que eu matar Kozu.

Ele olhou para cima. A água se acumulou em seus cílios e pingou de seu cabelo. Vê-lo daquele jeito, brilhando ao sol, era alarmante.

Quando percebeu que estava encarando, Asha jogou o anel na direção dele.

— Aqui.

Ele o pegou, colocou no dedo mínimo e avaliou. Quando ergueu de leve o canto da boca, Asha se sentiu relaxar. O que quer que o estivesse perturbando se desfez, deixando apenas certa graça em sua expressão.

E então, antes que ela soubesse o que estava acontecendo, ele agarrou sua camisa e a puxou para o córrego.

Asha gritou ao sentir a água fria ensopando seu corpo. Quando se recuperou, ela empurrou o escravo. Ele riu cambaleando, seus olhos brilhando de alegria. E então, como se não tivesse nem um pouquinho de medo, jogou água no rosto dela.

Irritada, Asha o empurrou com mais força.

Ele caiu, engolido pelo córrego gelado. Quando levantou, seu sorriso torto havia sumido, substituído por um que ia de orelha a orelha. Um sorriso inteiro.

Ele levantou e foi na direção dela. Seus olhos queimaram brilhantes enquanto colocava uma mecha molhada de cabelo atrás da orelha.

— Seu cabelo fica bonito solto.

Aquelas palavras a atingiram como um shaxa.

Bonito?

Ele estava *zombando* dela?

A iskari poderia matá-lo por aquilo.

Asha se aproximou, estreitando os olhos.

— Diga isso para mim outra vez, skral, e cortarei eu mesma sua língua mentirosa.

Ela virou, queimando de raiva, e o deixou sozinho no córrego.

Vinte

Asha ainda estava molhada quando saiu da escada e entrou no templo. A raiva desapareceu ao ouvir uma voz familiar.

— Você é mesmo um idiota inútil — Jarek rosnou de algum lugar no labirinto de corredores. Asha seguiu sua voz até a base de uma escadaria. Ela levava à sala onde o escravo estivera escondido até o dia anterior.

Asha ficou com o coração na boca.

Ela virou ao ouvir o som de bainhas de espadas batendo contra cintos e fivelas. Dois soldats percorriam o corredor, seus passos ecoando pelas paredes caiadas.

— Da próxima vez que fizer uma ilegalidade, faça um favor a todos e escolha algo que seja punido com a morte.

Uma segunda voz se ergueu, tão familiar e feroz quanto.

— Sabe, Jarek, estou realmente ansioso por sua união. Em especial a noite de núpcias quando minha irmã vai cortar suas bolas fora e pendurar na parede.

Dax.

Suas palavras foram seguidas por um estalo alto.

Ele xingou.

Asha subiu dois degraus por vez, com o coração disparado. Quando chegou à porta aberta, a luz de uma tocha iluminava seu irmão, que estava tonto do soco que Jarek havia dado. Sua bochecha já inchava.

Cercado por dois soldats, o comandante permanecia de pé com um pergaminho na mão. Havia mais pergaminhos espalhados no chão aos seus pés e, mais atrás, escondida na escuridão, a cama, com seus lençóis dobrados de um modo apressado.

Mas muito pior era o que havia na prateleira de baixo, parcialmente oculto nas sombras: um alaúde desgastado, com o nome de *Greta* elegantemente talhado.

Distraído com os pergaminhos, Jarek ainda não havia notado aquela pista que seu escravo fugitivo deixara. Mas no momento em que notasse...

De repente, Maya, a guardiã do templo, apareceu. Ela entrou no quarto acompanhada por um soldat. Seus olhos se arregalaram ao ver a iskari na porta. A mulher sacudiu a cabeça quase imperceptivelmente, indicando a Asha que devia ir embora, e não se envolver no que quer que estivesse acontecendo.

Asha recuou para as sombras da escada, pressionada contra a parede, fora do campo de visão dos outros.

— Não percebi que havia aprendido a escrever — disse Jarek. Asha notou a zombaria em sua voz. Ouviu quando ele desenrolou um dos pergaminhos. — Foi sua nativa vadia que ensinou? Ou quem escreveu foi ela?

Asha se arriscou a olhar além da soleira da porta. Pegou Dax cerrando os punhos e enrijecendo o rosto.

Jarek rasgou o pergaminho uma, duas, três vezes. Pegou outro e fez a mesma coisa. Dax o observou com um olhar afiado como uma adaga.

A cada rasgo, Asha sentia um aperto no peito.

A vergonha ardeu dentro dela. Não ligava para pergaminhos rasgados, claro. As histórias antigas haviam matado sua mãe. Ela as odiava. *Queria* que fossem destruídas.

Quando Jarek virou para as prateleiras para pegar mais, percebeu que ela estava parada nas sombras além da porta. Seu ar de zombaria desapareceu.

— Asha? O que está fazendo aqui? — Ele tirou a mão das prateleiras. — Por que está molhada?

Ela olhou para o alaúde. No momento em que Jarek virasse, ia vê-lo e reconhecê-lo.

Precisava evitar que aquilo acontecesse.

Asha entrou a passos largos na sala, ficando entre Jarek e o alaúde e apontando os pergaminhos rasgados e amassados aos seus pés.

— O que aconteceu aqui?

— Depois das notícias da manhã, segui seu irmão até o templo — Jarek respondeu. — Ele me trouxe direto pra isso. — Ele abrangeu o aposento com um gesto, depois abaixou para pegar um pergaminho, e o passou a Asha. Ela não precisava desenrolá-lo, claro. Sabia o que continha.

Era bem a cara de Dax levar o comandante até a prova de sua própria traição.

— Notícias? — Asha pegou o pergaminho. — Que notícias?

Os olhos de Jarek se estreitaram, desconfiados.

— Ninguém te contou?

Ela sacudiu a cabeça. Tinha passado a noite na Fenda.

— Os nativos tomaram Darmoor na noite passada. Seu pai ficou sabendo hoje.

Asha pensou em Roa e seu falcão. Pensou no modo como Dax sempre se inclinava na direção da garota. Como se fosse a lua, e ele uma flor.

Pensou no modo como Roa nem parecia notá-lo.

Ela olhou para o irmão, que se recusou a encará-la, preferindo fitar o chão.

Ah, Dax.

Era a segunda vez que os nativos o traíam.

— Os *convidados* de seu irmão desapareceram — Jarek disse. — A presença deles aqui era um ardil. Uma distração enquanto o exército deles invadia nosso porto. — Jarek virou para Dax, querendo intimidá-lo. — É mais uma prova de que ele não é apto a governar.

Asha se moveu para proteger o irmão, mas Dax a encarou, desviando o olhar rapidamente para indicar o alaúde.

Livre-se daquilo, aquele olhar dizia.

Mas como, com Jarek parado ali?

— Se Dax é tolo a ponto de não saber a diferença entre um amigo e um inimigo, como pode proteger um reino? Se é idiota a ponto de não notar que eu o seguia pelas ruas de Firgaard, como vai perceber seus inimigos conspirando contra ele em sua própria mesa?

Dax afrouxou os punhos, seu instinto de lutador já havia partido. Não ouvia mais a voz de Jarek, e sim a de seus antigos tutores, Asha sabia.

Burro. Inútil. Imprestável.

— Ele só tinha uma tarefa: apaziguar os nativos e acabar com a insubordinação. Depois de passar três meses negociando, eles o enganaram. Mandei metade do nosso exército pra lidar com os insurgentes. Seu irmão comprometeu a segurança da cidade inteira. — Jarek sacudiu a cabeça em desgosto. — E agora ainda temos isso aqui para resolver. — Ele apontou para os pergaminhos. — As histórias antigas, proibidas pelo seu pai.

Jarek passou os olhos pela prateleira, depois pelo restante do aposento. Estava a ponto de olhar para a cama atrás de Asha quando Maya saiu das sombras, atraindo sua atenção.

— Você será removida da sua posição imediatamente. — Jarek pegou a tocha de um dos soldados, fazendo um gesto para que o homem prendesse Maya.

Mais algumas batidas de coração e ele descobriria o alaúde. Aquilo certamente custaria a vida de Maya.

Asha deu um passo à frente.

— Espere.

Todos a olharam.

— Se você prendê-la, ampliará a divisão entre o palácio e o templo.

O que significava que enfraqueceria o rei.

O olhar de Jarek passou pela camisa úmida que ela usava, observando sua silhueta através do tecido fino. Asha recuou para perto das prateleiras, colocando mais espaço entre eles.

— A força não é a única maneira de atingir alguém — ela disse.

Jarek abriu um sorriso, fazendo um arrepio congelante percorrer a espinha de Asha.

— É mesmo? — Ele chegou mais perto, encurralando a iskari contra a prateleira, devorando seu corpo com o olhar sob o brilho laranja da tocha. — E qual é a sua proposta?

Dax tentou ir até a irmã, mas os soldats o seguraram.

— Podemos esquecer que isso aconteceu — Jarek colocou sua mão grande na bochecha dela, marcada pela cicatriz —, caso você me ofereça algo em troca. — Sua mão desceu pelo rosto dela, passou pelo pescoço e foi ainda mais para baixo. — Se vier comigo agora, posso deixar o incidente com o escravo para lá...

Os olhos de Asha arderam. Ela se sentiu vil. Repulsiva. O toque de Jarek fazia com que se odiasse mais do que qualquer outra coisa. Mais do que as histórias antigas, o primeiro dragão e o Antigo, Asha odiava a si mesma por ser desejada por alguém tão desprezível.

Mais uma prova de que era corrompida.

— Me diga o que devo fazer. — A voz dele ficou rouca. Cheia de desejo. — Minha valente iskari.

Os dedos de Asha coçavam de vontade de pegar o machado. Mas não havia nenhum ali.

Então ela procurou outra coisa.

— Conhece a história de Moria e do quarto rei de Firgaard? — Ela o olhou com raiva. — É uma história antiga sobre um homem que pegou o que não era dele e foi derrubado por uma garota. Quer que eu conte?

Algo mudou. Jarek afrouxou a mão.

Asha desencostou das prateleiras, e ele cambaleou para trás.

— Me dê a tocha.

Ela não esperou que a passasse, arrancando a estaca de sua mão. Antes que alguém pudesse impedi-la, Asha tacou fogo nos pergaminhos.

Maya gritou, cobrindo a boca com as mãos enquanto as chamas lambiam o pergaminho e a madeira. Dax, livre das mãos do soldat, abriu a porta e pegou a guardiã, tirando-a do caminho do fogo, enquanto a fumaça enchia o quarto. Asha viu os pergaminhos se enrugarem e queimarem.

— As histórias mataram nossa mãe. — Asha não olhou para o irmão. — Elas devem ser destruídas.

A iskari tentou lembrar da voz da mãe afastando seus pesadelos, dos braços macios a segurando num abraço. Mas eram apenas lembranças de lembranças, perdidas havia muito tempo.

Ela abraçou a si mesma enquanto observava as chamas vorazes consumirem tudo, incluindo qualquer prova da traição de seu irmão. Se Jarek fosse falar com o rei, seria a palavra dele contra a de Dax.

Mas aquela não foi a única prova que o fogo destruiu.

Enquanto Asha ouvia as cordas do alaúde — empenando, dobrando, estalando — o rosto sardento do skral surgiu em sua mente, encharcado e sorrindo, enquanto colocava o cabelo dela atrás da orelha.

Há um monte de outros alaúdes na cidade, ela disse a si mesma, cobrindo a boca com a manga da camisa para não respirar a fumaça. *Arranjarei outro para ele.*

Moria e o quarto rei de Firgaard

O quarto rei de Firgaard não era um homem gentil. Era considerado cruel, sedento por poder. Simplesmente mau. Ele construiu um palácio mais alto que o templo. Cobrou impostos que deixaram seu povo na pobreza. E levava uma garota diferente a cada noite para a cama.

Se o quarto rei de Firgaard fosse até sua casa atrás de sua filha, você a entregava para ele. Caso contrário, ele ia levá-la à força e sua família seria executada ao nascer do sol.

Moria era a filha da sacerdotisa. Ela levava uma vida devota e protegida no templo. Ia para a cama cedo e levantava antes de o sol nascer para rezar. Visitava os pobres e doentes, e era muito apegada às leis do Antigo.

Até que o rei levou sua amiga mais querida.

Naquela noite, Moria não foi dormir cedo. No dia seguinte, não levantou antes de o sol nascer. Passou a longa e fria lua ajoelhada no piso de pedra do templo, falando com o Antigo.

— Não posso salvá-la — Moria disse a ele —, mas posso salvar a próxima.

— Tirar a vida de outra pessoa é um ato monstruoso — o Antigo retrucou. — Até a vida do mais vil de vocês é sagrada.

— Se preciso me tornar um monstro para impedir outro, então é o que farei — disse Moria.

— O preço de matar um rei é a morte — lembrou o Antigo.

— Então que assim seja — Moria disse.

Ela levantou e pegou a faca cerimonial do altar. A lâmina arranhou a pedra.

Moria escovou o cabelo até brilhar. Passou kohl nos olhos e água de rosas na pele. Vestiu seu caftã mais bonito e foi para o palácio.

Os guardas a levaram direto para o rei.

Moria fez uma mesura para ele. Não o encarou, com medo de que visse a fúria ardente em seus olhos. Não falou seu nome, com medo de que identificasse o tom afiado de sua voz.

O rei-dragão dispensou seus guardas.

A chama em Moria vacilou. Quem era ela para se levantar contra um rei? Não passava de uma garota. Não completara nem dezoito anos. O rei tinha o dobro do seu tamanho.

Quando ele avançou em sua direção, Moria congelou.

Quando ele abriu os botões do seu caftã, ela tremeu.

Quando o tecido deslizou de seus ombros e caiu no chão, Moria pensou na sua amiga mais querida. Pensou em todas as garotas que haviam ficado bem ali, tremendo e com medo. Com as roupas emboladas junto aos pés, Então ela pegou a faca amarrada em sua coxa.

Ao vê-la, o rei arregalou os olhos, surpreso.

Então Moria cortou a garganta dele.

Os guardas a encontraram sobre o corpo, com a faca cerimonial na mão, suja de sangue. Quando Moria olhou para eles, todos tremeram. Como se fosse o olhar da própria iskari.

Tirar a vida de alguém era proibido. Especialmente do rei. O próprio Elorma havia instaurado a lei contra o regicídio. Ela era tão antiga quanto a fundação de Firgaard.

Leis antigas precisavam ser mantidas.

Então, três dias depois, marcharam com Moria para o bloco manchado de sangue na praça central, onde um homem segurando um sabre a esperava. Toda a Firgaard foi assistir. As garotas que haviam sido levadas pelo rei se enfileiraram pelas ruas, com suas famílias atrás.

Quando os guardas passaram por eles com Moria, todos colocaram um punho sobre o coração. Ela manteve a cabeça erguida por todo o caminho até o bloco de execução.
Destemida.

Vinte e um

Asha aguardava tranquila, sob o olhar atento dos soldats, esperando o momento de roubar a chama.

Ao sol escaldante, ela e Dax caminharam lado a lado. Jarek marchava seis passos à frente, e soldats os cercavam, seus olhares afiados como lanças passando pelas ruas de paredes verdes do novo quarteirão. Os visitantes nativos tinham desaparecido, e o escravo fugido de Jarek não havia sido encontrado. A cidade estava em alerta máximo.

— Ninguém tem permissão de entrar ou sair até que os nativos sejam encontrados. — Asha ouviu Jarek dizer a seu subordinado imediato.

Enquanto o irmão refletia ao seu lado, ela se concentrava em sua tarefa: tirar a chama sagrada da sala do trono de seu pai sem ser pega.

Adiante, Jarek tirou seu manto, útil no frio do início da manhã, mas sufocante agora com o calor cada vez mais forte do sol. Havia uma adaga pendurada em sua cintura, o cabo de marfim polido e brilhante. O olhar de Dax em suas costas poderia abrir um buraco na camisa dele.

— Você não precisava tacar fogo em tudo — disse Dax. Seus cachos castanhos pendiam úmidos de suor.

— Você não me deu escolha — ela disse.

Se Asha não tivesse aparecido, o que Dax teria feito? Como

teria escondido os vestígios do escravo fugitivo de Jarek? Ela amava o irmão, mas ele era um sonhador. Especialista em planos inúteis, sem nenhum talento para colocá-los em prática.

Como no caso dos pergaminhos.

No que ele estava pensando?

— Onde está Torwin? — Dax manteve a voz baixa e não olhou para a irmã.

— O escravo? — Asha balançou a cabeça para sussurrar de volta. — Você levou Jarek diretamente para o esconderijo dele. Por que eu contaria onde está agora?

Dax abriu a boca para responder, mas as palavras não saíram, só um acesso de tosse. O som áspero e irregular deixou Asha tensa. Dax se curvou, pressionando as mãos nos joelhos para tossir.

Ela olhou para o irmão. Por um momento, não era Dax que estava de pé na frente dela no meio da rua. Era sua mãe, parada na janela da enfermaria, segurando o parapeito sem forças, na esperança de conseguir se apoiar enquanto a mesma tosse áspera atormentava seu corpo.

Não, pensou Asha.

Quando Jarek virou para ver por que os soldats haviam parado, a tosse de Dax diminuiu. Ele enxugou a boca, e Asha procurou por sangue na manga dourada de sua túnica. Ele a afastou antes que ela conseguisse ver.

Quando chegaram à porta alta no muro caramelo do palácio, Jarek emitiu uma ordem para os soldats do outro lado. Antes que Asha pudesse entrar, ele a segurou pelo braço, olhando fundo em seus olhos.

— Minha oferta continua de pé — ele disse baixo. — Posso esquecer que ele existe se aceitar. Ou vou encontrar aquele escravo e acabar com a raça dele.

Asha se livrou da mão de Jarek e acompanhou o irmão.

— Faça o que seu coração manda — ela disse por cima do ombro.

— A lua está minguando, Asha! — Jarek gritou. — Por que adiar algo de que não pode escapar?

Mas seu pai tinha dado a ela uma saída. Só que Jarek não sabia daquilo.

Assim que ela e Dax entraram, Asha se moveu rapidamente pelas arcadas sombreadas, deixando o irmão para trás. O som da água fluía das fontes, e vapor era formado com o calor do sol.

— Asha, fale comigo. Por favor — disse Dax, correndo para alcançá-la.

— Falar com você? — Ela parou de andar e virou para encará-lo. — Quem colocou os pergaminhos naquele aposento? Quem trouxe inimigos para nosso lar? Não vou te contar nada. Jarek tem razão. Você colocou todos nós em perigo.

Escravos ocupados com suas tarefas diárias pararam para espiar os dois irmãos no meio da arcada. Quando Asha os olhou de modo ameaçador, eles voltaram depressa ao que faziam.

Ela pensou nas histórias antigas escritas com a caligrafia de Dax. Então baixou a voz.

— As histórias naqueles pergaminhos. Foi você que escreveu?

Ele ergueu as sobrancelhas.

— Fico surpreso por pensar que seria capaz.

Aquilo não era uma resposta.

Ela o estudou. As maçãs de seu rosto estavam protuberantes. Suas roupas, largas. Por mais difícil que seu irmão fosse, ela não aguentaria perdê-lo.

—Você está parecido com ela — disse Asha. — Antes de morrer, digo.

Uma emoção selvagem passou pelo rosto dele, desaparecendo em seguida.

— Nem tudo é o que parece, Asha. — Ele espiou por cima dos ombros dela, procurando soldats e escravos. Satisfeito por estarem sozinhos, sem ninguém para vigiar, ele se aproximou e disse baixinho: — *Quando a escuridão cai, o Antigo acende uma chama.*

Asha recuou.

— O quê?

— É o que Roa diz.

Roa? A garota que o havia traído?

Ele estava falando sério?

Asha não tinha tempo para aquilo. Seu irmão era uma causa perdida. Ela precisava roubar a chama sagrada para retomar a caçada a Kozu.

Então seguiu sozinha mais para dentro do palácio.

Os passos de Dax soaram atrás dela.

— O reino está dividido!

Ela o ignorou e continuou andando. Passou pelas galerias sombreadas, pelos pátios brilhantes, pelos jardins cheios de tamareiras e trepadeiras de jasmim branco subindo pelas paredes.

Dax permaneceu em seu encalço.

— Você não percebe porque passa o tempo todo na Fenda, cumprindo as ordens do papai — ele insistiu. — As coisas estão ruins e só vão piorar. A revolução está chegando.

Quando eles chegaram à sala do trono, Asha se virou para ele.

— E o que isso tem a ver com você? — ela perguntou. — Desde quando se importa com alguma coisa, Dax?

Ele deu um passo para trás. Como se ela o tivesse empurrado. Sob o olhar ferido, a iskari podia ver uma guerra sendo travada. Podia ver o Dax descuidado e imprudente lutando para escapar. Para esconder o que havia de mais amável e verdadeiro de dentro dele.

Ela não devia ter dito aquilo. Claro que ele se importava. Com coisas demais.

Só que eram as erradas.

— O Antigo não nos abandonou. — Ele a encarou ao dizer. — Está mais poderoso do que nunca, esperando pelo momento certo, pela pessoa certa. O próximo namsara vai consertar as coisas.

Asha parou logo após o arco da sala do trono, fora do campo de visão dos soldats ali dentro.

Será que Dax tinha noção de como soava?

Insano. Traiçoeiro. Como um nativo.

Asha olhou para o irmão. Ele sempre tinha sido heroico de um jeito imprudente. Como Namsara e Iskari, ele era o herói compassivo e ela, a destruidora.

Mas, diferente de Namsara e Iskari, Asha não odiava o irmão. Só se preocupava com ele.

Chega. Não tenho tempo para isso.

Asha procurou esquecer Dax e olhou para a chama eterna e brilhante que ardia em um vaso de ferro sobre o pedestal negro.

Muito embora o trono do rei-dragão estivesse vazio, os guardas mantinham suas posições ao longo das paredes. Asha contou dezesseis deles. Dezesseis pares de olhos observando enquanto ela passava pelo arco e entrava no espaço anexo, seus passos ecoando pelo teto abobadado. Ela passou os olhos pela sala. Havia apenas uma porta pela qual entrar e sair. A única outra abertura era a claraboia. Os soldats e seus olhos observadores guardavam o trono o tempo todo, trocando de turno ao amanhecer e ao anoitecer. E Asha devia roubar a chama sem ser vista.

Sem saber o que fazer, olhou para ela, que se retorcia de modo estranho, num branco brilhante que não produzia som. A chama não precisava ser alimentada; seguia queimando desde que Elorma a levara do deserto para lá, milhares de anos antes.

Não, ela pensou. *Não para cá. Elorma a levou para as cavernas embaixo do templo.*

Você vai pegar a chama sagrada do ladrão que a roubou e a devolverá ao lugar ao qual ela pertence.

Asha pressionou as têmporas, tentando esquecer o comando em sua cabeça.

O que ia fazer?

Seu pai preferiria que se concentrasse na caçada. Uma vez que Kozu estivesse morto, não importaria mais onde a chama queimava. A morte do dragão acabaria com o regime do Antigo de uma vez por todas. Depois que se provasse que seu deus era falso, os nativos iam se render e a falação de Dax sobre o namsara chegaria ao fim.

Mas que preço ela pagaria se ignorasse a tarefa de Elorma?

Asha pensou em seu braço paralisado, o custo por ter usado as matadoras de forma imprudente.

Para garantir que sua força não diminuísse, teria que roubar a chama. E então acabaria com Kozu. De uma vez por todas.

Mas ela não podia concluir aquela missão sozinha.

Precisava de um cúmplice.

Um cúmplice grande que cuspia fogo.

Vinte e dois

Asha pegou Oleander, sua égua, e correu pelas ruas estreitas e pavimentadas, atravessando o maior mercado da cidade. Grandes pedaços de seda recém-tingida pendiam no espaço entre as construções, formando um dossel índigo e açafrão acima dela. Tendas se alinhavam às paredes, despejando mercadorias na rua.

Enquanto carroças e cavalos se apressavam em sair do caminho da iskari, Asha procurava por uma tenda em particular. De tanta pressa, quase passou direto por ela. Oleander empinou as patas dianteiras quando Asha puxou as rédeas para que parasse, voltando ao mostruário de instrumentos musicais de madeira.

O mercado ficou em silêncio. Escravos e compradores se reuniram para olhar e sussurrar enquanto a iskari comprava um alaúde elegante de mogno polido. Eles mantiveram uma distância cuidadosa enquanto o artesão fechava o alaúde em um estojo de couro rígido e a temida filha do rei o pagava.

Ela galopou em direção ao portão enquanto os observadores se dispersavam. Os soldats não a pararam, apesar da ordem de seu comandante de impedir que qualquer um entrasse ou saísse da cidade. O rei havia emitido uma ordem direta. Uma que eles não podiam ignorar, apesar da lealdade a Jarek.

Ela cavalgou depressa. Quando chegou ao córrego reluzente, não encontrou ninguém. Asha parou Oleander e analisou a clareira. Com exceção do farfalhar dos arbustos e do vento sussurrando entre os pinheiros, tudo estava silencioso. Não havia sinal de que alguém passara por ali. Asha não encontrava nem a armadura que havia largado na noite anterior.

O pânico a percorreu.

Por favor, não...

Ela desmontou, amarrou a égua na sombra e pegou o estojo com o alaúde.

— Skral?

Ninguém respondeu.

Asha adentrou os pinheiros, pronta para contar uma história antiga. Era o jeito mais rápido de ter certeza. Antes que o fizesse, no entanto, ouviu o som de vozes com o farfalhar das árvores. Ela se manteve imóvel para escutar.

Com cuidado para não fazer barulho, Asha seguiu as vozes abafadas, chegando cada vez mais perto, silenciosa como uma cobra.

Até que alguém pisou em um galho.

Asha congelou.

Estava sendo seguida. Podia sentir o calor às suas costas. Asha procurou um machado que não estava lá, depois virou depressa, pronta para bater no perseguidor com o estojo do alaúde se fosse necessário.

O skral olhou para ela, o rosto pontuado pelas sardas familiares. Cachos de cabelo caíam sobre os olhos afiados. Logo atrás dele, estava o dragão vermelho, agachado, com o olhar fendido fixo nela. Asha abaixou o estojo. Apesar do coração acelerado, vê-los em segurança permitiu que respirasse com mais calma.

O escravo olhou por cima do ombro dela, na direção das vozes. Asha puxou sua camisa para atrair sua atenção. Seus lábios formaram uma pergunta: "Quem?".

"Os homens de Jarek" foi a resposta muda.

O escravo apontou com a cabeça para o caminho por onde tinham vindo. Asha o seguiu pelas árvores desbastadas e chegou à clareira brilhante.

De repente, vozes ecoaram de cima e de trás deles.

E então, como se tivesse feito aquilo milhares de vezes antes, o escravo segurou a asa do dragão, pisou na curva atrás de seu joelho e montou nele, então se abaixou para pegá-la.

Asha olhou para o skral com uma mistura de choque e pavor.

Outro galho estalou. Aquilo a tirou do transe. Asha aceitou sua mão e ele a puxou para cima.

— Segure firme — o skral sussurrou.

Mas não havia nada em que segurar além dele. O escravo produziu um estalo afiado no fundo da garganta e o dragão esticou as asas. Ele repetiu o estalo duas vezes, depois fincou os calcanhares na criatura.

O dragão avançou.

Asha entrou em pânico, passando os braços em volta do torso dele.

Uma parede de árvores se erguia na frente deles. O dragão planou direto para ela. O coração de Asha batia forte no peito. Ela fechou os olhos e enfiou o rosto no pescoço do escravo, mas a batida nunca veio.

O escravo se encolheu com o aperto, lembrando Asha de seus machucados.

— Desculpe — ela disse, apesar de não conseguir afrouxar o abraço.

— Tudo... bem — ele disse, entredentes.

Asha abriu os olhos, o que se provou um erro. Ao ver as copas das árvores, teve que fechá-los novamente. Na escuridão de suas pálpebras cerradas, só conseguia pensar em uma coisa: *Estou montando um dragão.*

O que tornava tudo ainda pior.

Galhos estalaram sob eles. Quando Asha olhou, notou que o dragão estava voando muito baixo. Seu rabo e suas asas batiam nas árvores. Então o escravo emitiu uma série de comandos em estalos e o dragão margeou o rio.

Por fim, com nada além do céu azul diante deles e água abaixo, Asha se permitiu relaxar. Olhou por cima do ombro e não conseguiu ver a muralha da cidade ao longe.

De repente, a fila de árvores se abriu, transformando-se em pedra. Asha olhou para a frente e viu o rio desaparecer.

Ou melhor, *cair*.

Uma cachoeira rugiu embaixo deles. E então, sem nenhum aviso, o dragão mergulhou.

Asha segurou um grito apavorado enquanto eles caíam. Ela sentiu o corpo se erguer, seu estômago revirar. Abraçou o escravo com mais firmeza, pressionando a bochecha contra seu ombro. Ele segurou as mãos dela, entrelaçando seus dedos firmemente enquanto eles voavam direto para a névoa que ia engoli-los.

E então para a escuridão.

O dragão balançou ao pousar sem jeito em terreno sólido, quase jogando Asha de suas costas. O escravo segurou sua cintura para estabilizá-la enquanto a criatura se sacudia, espirrando água para todos os lados. A única luz vinha detrás deles.

Asha permaneceu imóvel, torcendo para não enjoar.

O escravo desmontou. Seus passos ecoaram na pedra. Um momento depois, ela ouviu uma batida, depois o cheiro de uma chama se acendendo. Logo um brilho iluminou a caverna reluzente.

— Sinto muito. Devia ter contado pra você. Passamos o dia praticando. — Ele colocou a palma da mão na nuca. — Pensei que...

— *Praticando?* — Asha estava em choque, seus braços e pernas tremiam. — Praticando? Tem ideia do que fez?

Elos eram formados no voo. Aprofundavam-se toda vez que um cavaleiro e um dragão voavam juntos. Enquanto Asha gritava, a criatura se escondeu atrás do escravo. Ele deslizou sua cabeça plana e escamosa sob a mão dele, buscando conforto. O skral esfregou o dedão no topo de sua cabeça, como se dissesse que ia protegê-lo.

Asha jogou as mãos para o alto e se aproximou da entrada da caverna, de onde caía a cascata. A água corria em riachos pela rocha, tornando o piso escorregadio e brilhante. Enquanto olhava, uma pergunta silenciosa penetrou por uma fresta no muro de sua raiva.

Por que ele me esperou?

O escravo poderia ter voado com o dragão para a liberdade, conforme desejava. Por que se expor ao perigo só para esperá-la?

Asha virou para trás e se deparou com o olhar dos dois, como imagens espelhadas, embora o dragão tivesse quase o dobro da altura do escravo.

Aquilo a amoleceu um pouco.

— Você poderia ter ido embora — ela disse. — Poderia ter voado para longe.

— Tínhamos um acordo — ele disse, então virou e entrou mais fundo na caverna. — Venha. Quero te mostrar uma coisa.

— Primeiro preciso de sua ajuda — ela disse.

Ao pôr do sol, entrariam em ação. Asha contou o plano enquanto o seguia pelos degraus escorregadios na rocha.

Seu pé deslizou e ela caiu para a frente.

O escravo a segurou pela cintura.

— Cuidado — ele disse, pensando nos curativos em seu flanco. Ele era quente e firme, e por um momento nenhum deles se afastou.

Um silêncio estranho se instaurou. Então, de repente, o skral abaixou o queixo e a soltou, continuando a descer os degraus atrás do *pic-pic-pic* das garras do dragão.

Asha rompeu o silêncio.

— Como você encontrou esse lugar?

— Foi o Asa Vermelha que encontrou.

— Quem?

— Seu dragão.

—Você deu um nome pra ele?

O escravo deu de ombros na escuridão.

— Ele precisava de um. Ele é vermelho. Tem asa.

Asha balançou a cabeça. Da próxima vez que Elorma dissesse que não tinha imaginação, mostraria o escravo a ele.

De repente, luz irrompia na escuridão. Onde a escadaria terminava, havia uma câmara redonda com uma piscina profunda no centro. Uma claraboia natural bem no alto deixava entrar um pilar solitário de luz, e a água fluía suavemente parede abaixo.

Asha caminhou pelo perímetro da piscina, olhando para cima.

— O que é este lugar? — Suas palavras ecoaram parede acima.

— Achei que você saberia — disse o escravo, com o olhar fixo no dragão.

Parecia algum tipo de lugar antigo e sagrado.

E agora era um esconderijo perfeito.

— Acho que a asa dele está ferida.

— Como assim? — Asha girou, seguindo seu olhar, focado no dragão que fitava a água, observando os peixes nadarem em círculos com a cabeça inclinada.

Ela precisava que o dragão a ajudasse em seu plano. Ele não conseguiria voar com a asa machucada. Devagar, Asha se aproximou de um lado, enquanto o escravo se aproximava de outro.

— Ele não precisa de um nome — ela disse.

— Qual é o problema nisso?

— Um nome cria uma ligação emocional.

O mesmo valia para os escravos. No momento em que se começava a chamá-los pelo nome, perdia-se o poder sobre eles. Era melhor mantê-los sem identidade, para que não se virassem contra você.

— Kozu tem nome — ele apontou.

— Sim, e logo estará morto. — Asha se esgueirou cada vez mais para perto do dragão que se empoleirava do lado da piscina. Podia ver de qual asa o escravo estava falando. Sangue negro escorria da membrana fina.

Lentamente, ela esticou a mão. O dragão recuou rápido como o vento, saltando para o outro lado da piscina. Balançava alegre seu rabo bifurcado.

—Você odeia Kozu tanto assim?

A pergunta a perturbou. Asha virou para o escravo.

—Você já viu meu rosto? — Ela deu um passo em direção a ele. — Sabe o que Kozu fez com a cidade logo depois de me marcar?

Ele não recuou, só a encarou de volta.

—Você viu a coleira no meu pescoço? — Era a calmaria antes da tempestade. — Seu noivo nos envia para matar uns aos outros na arena enquanto vocês ficam lá, apostando. — Seus olhos eram mais frios que aço. — Então eu deveria caçar vocês?

— Quero ver você tentar — Asha murmurou, virando para o dragão. Precisava cuidar daquela asa para poder executar seu plano.

— Tem algo que nunca entendi — ele disse atrás dela. — Por que Kozu se virou contra você naquele momento? Naquele dia exato, e não antes?

O dragão vermelho se preparou, agachando nas patas da frente, com o rabo balançando e os olhos desafiadores. Devagar, ela começou a diminuir a distância entre eles.

— E tem outra coisa que não entendo: você devia ter morrido.

Queimaduras de dragão são fatais, e uma como aquela... — Sua voz se suavizou de repente. —Você era apenas uma garotinha.

Uma chama acendeu em suas entranhas. Ele não tinha estado lá. Não sabia nada àquele respeito.

O dragão voltou a se mexer, deslizando para o outro lado da piscina, mais próximo do escravo, que era mais amigo do que inimigo. Ele deixou uma mancha negra de sangue para trás.

Asha levantou para encarar o escravo.

— Eu estava sozinha — ela disse, pensando na enfermaria. Lembrando do pai preenchendo as lacunas em sua memória. — Tinha ido terminar tudo. Dizer a Kozu que estava farta das histórias antigas. Ele me pressionou e foi ficando cada vez mais irritado. Quando recusei pela última vez, ficou furioso, então me queimou e me deixou para morrer enquanto atacava a cidade. Se Jarek não tivesse me encontrado a tempo...

Ela raramente contava essa história porque não gostava de pensar a respeito. Mas, agora, ouvindo as palavras saírem dos próprios lábios, percebeu que alguma coisa não fazia sentido. O escravo estava certo. Uma queimadura tão séria quanto a que Kozu fizera nela precisaria ter sido tratada imediatamente.

Ela devia estar esquecendo algum detalhe. Ia prestar mais atenção na próxima vez que seu pai contasse aquela história.

Asha se concentrou mais uma vez no dragão, que estava atrás do escravo, usando-o como escudo. Ela se aproximou furtivamente.

O escravo esticou o braço, interrompendo seu avanço.

— Por que você precisava colocar um fim nas coisas? — ele perguntou.

Porque as histórias mataram minha mãe.

Asha lembrava daquela última noite. A mãe não conseguia mais falar, porque exigia uma força que ela não tinha. Asha tinha ficado sentada com ela no escuro, afagando seu lindo cabelo. Chumaços saíam quando seus dedos se emaranhavam neles. Ela se lembrava de tentar dar água para a mãe beber, e de como escorria pelo seu queixo. Lembrava de deitar ao lado dela e cobrir seu rosto de beijos.

Asha lembrava de cair no sono ouvindo o batimento do coração de sua mãe...

E de acordar ao lado de um corpo gelado.

Ela fechou os olhos com força.

— Você não sabe — sussurrou, passando pelo escravo. — As histórias antigas são capazes de crueldades que desconhece.

Ele pegou no braço dela.

— Não a história de Willa. Parece... O oposto de cruel.

Tão ingênuo, pensou Asha. As histórias antigas eram como joias: deslumbrantes, intrigantes, capazes de atrair os outros.

— Elas são perigosas — Asha murmurou, encarando por cima do ombro dele o dragão, que a encarava de volta.

— Pelo visto o perigo me atrai — ele disse tranquilo.

Asha sentiu suas bochechas arderem. Os olhos dele não desviaram.

— Estive pensando — ele prosseguiu — na primeira vez em que vi você. Tinha oito anos, talvez nove. Minha mestra convidou sua mãe para um chá, e você foi junto. Enquanto Greta atendia as duas nos jardins, você perambulou até a biblioteca.

Estranhamente, Asha lembrava daquele dia. Ela lembrava da enorme cabeça de dragão na parede da biblioteca. Dos olhos de vidro sem vida, das escamas douradas e pálidas, da boca aberta exibindo dentes afiados como facas...

— Eu estava espanando as prateleiras — ele continuou. — Vi você entrando e sabia que devia sair, para dar privacidade, mas... — O escravo engoliu em seco. — Não fiz isso. Você estava vestindo um caftã azul e seus cabelos estavam soltos sobre os ombros. Me lembrava alguém.

Percebendo que o jogo tinha terminado, o dragão soltou um suspiro e se afastou.

— Observei você deslizar os dedos pelos cabos de madeira dos pergaminhos até encontrar o que procurava. Vi quando o puxou e sentou nas almofadas para ler. Depois voltou para pegar mais.

Os pergaminhos eram o motivo pelo qual eu estava lá para começo de conversa, ela pensou. *Estava atrás de histórias.*

O pensamento surpreendeu Asha. Será que ela lembrava direito? Será que já se sentia atraída por histórias antes que o Antigo a corrompesse?

— Você chegou perigosamente perto da estante em que eu me escondia. Sabia que, se olhasse, seria capaz de me ver.

Asha tentou recuperar a memória, se esforçando para lembrar de um garoto skral na biblioteca naquele dia.

— Não me mexi. — A luz refletida na piscina dançava sobre seu rosto. — Queria que você me visse.

— Mas eu não vi — ela sussurrou.

De repente Asha se sentiu exposta. Como quando despira sua armadura com um dragão espreitando por perto. Ela se afastou rapidamente do skral, indo em direção ao dragão.

— Iskari.

Ela parou, mas não olhou para trás.

— No dia em que te encontrei na enfermaria, sabia que as coisas estavam prestes a mudar. E antes que mudassem — ele fez uma pausa — eu precisava que você me visse. Pelo menos uma vez.

Quando Asha virou, não havia mais ódio em seus olhos.

Ele abaixou o olhar, como se estivesse tímido, então gesticulou em direção ao dragão.

— Venha. Vou ajudar a cuidar dele.

Vinte e três

Asha contou a primeira história para atrair o dragão até ela. Contou a segunda para mantê-lo calmo enquanto limpava a ferida na asa, e a terceira enquanto o escravo a costurava. A cada história que fluía dela, o dragão vinha com uma nova. E cada vez mais, com a ajuda de Asha, as histórias da criatura ficavam mais fortes. Menos fragmentadas e mais claras.

— Bom garoto — ela disse quando terminaram, coçando seu queixo.

O escravo — que cantarolara uma música que parecia inacabada enquanto trabalhavam — levantou o rosto para eles e sorriu.

Eles voaram com Asha de volta à clareira quando o sol estava quase se pondo.

Ela foi pegar o estojo do alaúde onde o tinha deixado.

— Tem só uma coisa — Asha disse, entregando o estojo.

— O quê? — ele perguntou.

— Você não pode chamar o dragão de Asa Vermelha.

Ele se agachou para abrir o estojo.

— Tem uma sugestão melhor?

— Na verdade, tenho.

Ele parou e levantou o rosto para ela.

— Sombra é melhor.

— Sombra. — O escravo parou para refletir, então olhou para o dragão se espreguiçando à luz do sol. — Sombra é... aceitável.

Seus olhos enrugaram quando sorriu. Ao abrir o estojo, a expressão em seu rosto mudou.

Ele olhou fixamente para o alaúde, mas não o pegou.

— Isso não é meu — disse. Sua voz soava estranha. Frágil.

— Eu sei — Asha disse. — Comprei de manhã para substituir o outro.

— Substituir o outro? O que aconteceu com...

— Eu o queimei.

— Você... — Ele levantou lentamente. — Você o quê?

Asha levantou as mãos.

— Jarek encontrou o quarto onde estava se escondendo, então fiz a única coisa em que consegui pensar: queimei os pergaminhos, a cama, o alaúde, tudo.

Asha se assustou quando ele segurou o punho dela com força. Seus olhos estavam tempestuosos quando disse:

— Tem noção de como é desalmada?

As palavras a queimaram. Não deveriam, porque ela tinha noção, claro. Era pior que desalmada. Seu coração era uma casca ressecada.

Asha poderia ter dado uma cotovelada no antebraço dele, para se soltar. Mas não o fez. Queria que acreditasse nela.

— Estava tentando te proteger.

— Estava protegendo a si mesma — ele disse. E então, como se ela fosse um monstro que não suportasse mais tocar, o escravo a soltou, virou de costas e passou as mãos bruscamente pelo cabelo. — Greta me deu aquele alaúde.

A imagem da escrava de cabelos grisalhos passou de relance na mente de Asha.

— Ela foi o mais próximo que já tive de uma mãe. E agora a perdi, assim como a única coisa que tinha para lembrar dela.

Asha se sentiu desfiar. Como se fosse um carpete ou tapeçaria, e as palavras dele fossem garras puxando fio a fio.

— Eu não...

— Você nem se importa. É por isso que não chama escravos pelo nome. Pelo mesmo motivo que não queria dar nome ao dragão. — Ele deu um passo em direção a ela. — Se nos chamar pelo nome, talvez comece a se importar. E aí não vai poder nos matar quando for conveniente.

O escravo que cantarolava enquanto trabalhava tinha desaparecido. Em seu lugar estava um estranho. Um inimigo. Uma parte dela dizia que deveria ter medo. Mas outra parte notava como as mãos dele tremiam; enxergava os fantasmas em seus olhos. Asha tinha perdido a mãe, mas aquele escravo tinha perdido muito mais. Ela havia acabado de destruir seu bem mais precioso. Talvez sua única posse.

Parecia que alguém havia cravado um machado em seu peito.

Ela não percebeu o que estava fazendo, até ser tarde demais. Tudo o que sabia era que, assim como ele tinha feito um curativo em sua queimadura e costurado seu flanco, devia cuidar das feridas dele. Queria suavizar seu sofrimento.

Ela pressionou a palma marcada contra o peito dele e quebrou sua própria regra.

— Torwin.

Seus lábios se abriram. Ele olhou fixamente para a boca dela como se não tivesse entendido. Como se ela tivesse falado em uma língua estrangeira.

— Desculpe.

Bem devagar, seus dedos se levantaram para tocar sua mão, verificar se ela estava realmente ali, tocando seu peito.

Asha olhou para o alaúde novo, ainda no estojo.

— Vou tirar isso da sua frente.

Ela baixou a mão.

— Não. — Torwin pegou no pulso dela para impedi-la. Ambos ficaram parados enquanto o dedão dele traçava um círculo em torno do osso saliente do punho dela. — Não foi justo da minha parte. Você não sabia.

Ela o fitou sob a luz do sol que desaparecia.

Ele deixou a mão cair ao seu lado.

— Você não é desalmada — Torwin disse. — Eu me odeio por ter dito isso.

Asha desviou o olhar.

— É melhor eu ir.

Ela recolheu sua armadura e a vestiu. Depois de embainhar as matadoras nas costas, esticou a mão para seu machado, caído na grama. Em vez de colocá-lo na cintura, contudo, Asha virou para Torwin.

— Se encontrarem você — ela disse, oferecendo o machado para ele —, não pense, apenas reaja.

Ele pegou o cabo com joias incrustadas e seus dedos roçaram nos dela.

Antes de abrir caminho até as árvores, Asha se manteve no ponto onde a luz do sol terminava e a escuridão das copas começava, ainda quente onde o escravo havia encostado nela.

— Torwin? — ela chamou, sem ousar olhar para trás.

— Sim?

— Você pode me chamar de Asha. Se quiser.

Vinte e quatro

Um par de soldats caminhava na rua abaixo. Asha prendeu a respiração e esperou que virassem a esquina antes de pular. Suas botas bateram no chão com um impacto suave, levantando poeira.

Ela evitou as ruas principais. Quando ouvia passos ou sentia olhos na escuridão, recuava e achava outro caminho. Enquanto pudesse evitar ser vista, melhor.

Subir no terraço do palácio era mais difícil do que descer. Mas, se Asha conseguia fazer aquilo quando pequena, com certeza ainda conseguiria. Ela encontrou a parede mais baixa e a escalou. Correu por cima do terraço, passando por escravos cozinhando e carregando a roupa limpa, e pelo açougueiro que se preparava para a matança noturna. Ninguém a viu.

Entrou no próprio quarto, onde havia mais uma caixa prateada esperando por ela. Os presentes de Jarek estavam começando a se acumular: um caftã, um colar cravejado de rubis, e agora uma peça de seda de um vermelho vibrante. Ela os deixou de lado e pegou o que precisava: uma lamparina de cobre com vidro colorido. Desafivelou as matadoras das costas e as escondeu debaixo da cama, prendendo as armas no estrado, então despiu a armadura que a tornava instantaneamente reconhecível. Asha não precisava de nada daquilo para matar Kozu. Apenas de seu colete de escamas e do machado, que estava com o escravo.

Não. Não "o escravo".

Torwin.

Asha desfez suas tranças, colocou seu manto mais simples e foi para a janela. Com a lamparina firme em sua mão, ela esperou, observando o horizonte.

A lua vermelha subiu.

Mais dois dias até a união.

O céu foi de azul para roxo.

Mais dois dias para caçar Kozu.

O sol se pôs na Fenda, e então...

Os gritos começaram. Soldats gritavam:

— Dragão na cidade!

Se ela não estivesse tão nervosa, talvez até sorrisse.

Torwin sabia escolher o momento certo.

Um dragão na cidade significava que todos os soldats abandonariam seus postos. Uma vez que o rei estivesse seguro, iriam para os terraços ou as ruas.

Com o rosto coberto pelo capuz, Asha se moveu rapidamente pelo caos de soldats alvoroçados.

Quando o arco da sala do trono apareceu em seu campo de visão, os corredores estavam mais silenciosos. Asha podia ouvir os gritos nas ruas, os brados de soldats tentando manter a ordem; mas ali nas profundezas do palácio, tudo estava calmo.

As palmas de Asha estavam suadas, de modo que a alça da lamparina escorregava em sua mão.

Ela foi depressa em direção ao pedestal, seus passos ecoando alto pelo aposento vazio. Viu a bacia de ferro e a chama branca queimando silenciosa. Misteriosa.

Quando criança, aquilo a maravilhava. Mas não se sentia impressionada no momento. Apenas com medo.

Asha desenganchou o fecho da lamparina. Suor se acumulava em suas têmporas e escorria pelas costas. Ela não fazia ideia de como Elorma tinha levado a chama do deserto até a cidade, mas a lamparina era tudo o que tinha. Torcia para que servisse.

Asha esticou a mão para a bacia rasa, e a fechou em torno de algo liso e pesado, como uma pedra. No instante em que tocou o coração da chama, ela a queimou; mas não na pele. Num nível muito mais profundo. Talvez na alma.

Mil vozes sussurrantes ecoaram em sua mente, cada uma contando uma história sagrada. Como se todas as vozes de todos os contadores de histórias desde os tempos primordiais vivessem ali.

Asha enfiou a chama dentro da lamparina e voltou a fechá-la.

As vozes se silenciaram.

— Ei!

Asha virou, com o coração acelerado.

Um único soldat estava de pé sob o arco, olhando para ela. Jovem. Talvez da idade de Dax. Ele mantinha a mão na cintura, mas seu morrião estava ausente. Devia ter caído na confusão.

— O que acha que está fazendo? — O soldat olhou da lamparina fortemente iluminada na mão de Asha para a bacia vazia atrás dela. Percebendo o que tinha acabado de acontecer, ele sacou seu sabre.

Asha tentou puxar um machado que não estava lá e fez uma careta.

— Devolva, ladra.

O soldat deu um passo e atravessou o arco com o cenho franzido, apontando a lâmina para o peito dela.

Asha tinha duas escolhas: correr e arriscar levar um golpe ou tirar o capuz e torcer para que o medo da iskari sobrepujasse seus outros instintos. Estava prestes a escolher a segunda opção quando seu irmão entrou na sala.

— Isso é interessante.

— Senhor — disse o soldat, que ainda não tinha reconhecido Asha. — Ela roubou a chama.

A iskari permaneceu imóvel, e Dax esticou sua mão.

— Me dê sua espada. Vou segurar a ladra aqui, vá buscar ajuda.

O soldat assentiu. Asha observou o jovem correr, disparando o alarme. Contando para o palácio inteiro sobre a ladra na sala do trono.

Assim que ele saiu, Dax abaixou a lâmina.

— Não sei o que está fazendo, irmãzinha — ele olhou por cima do ombro —, mas é melhor você correr.

Os olhos de Asha se encheram de lágrimas de alívio.

— Anda!

Assentindo, ela disparou, escondendo a lamparina nas dobras do manto para ocultar seu brilho pouco natural.

Assim que viu uma esquina, virou. Assim que pôde começar a correr sem chamar a atenção, acelerou. E assim que chegou a uma janela em arco sem vidro, passou por ela e subiu até o terraço.

Foi então que gritos de alarme soaram.

A ladra tinha sido vista.

Vinte e cinco

Asha correu.

Correu por terraços iluminados pelo crepúsculo e escalou paredes de gesso. Correu por ruas congestionadas e por praças caóticas.

O céu estava vazio. Não havia nenhum dragão à vista. Torwin tinha passado para a segunda parte do plano. Ela precisava encontrá-lo no templo.

Ela se enfiava em portas e vitrines quando um ou mais soldats apareciam. Ficava lá até terem passado, escutando a descrição que faziam da ladra de capuz.

Asha correu até o templo, sem se preocupar em se esconder nas sombras agora. Sob as flores laranjas vibrantes da romãzeira, ela prendeu a lamparina no cinto, agarrou o galho mais baixo da árvore e se projetou para cima. Ela chegou à janela do primeiro andar e entrou, a lamparina batendo ruidosamente contra o peitoril.

A iskari hesitou, esperando que o Antigo a castigasse por ser tão descuidada com a chama sagrada.

Felizmente, ele pareceu se conter.

Ela voou pela escada abobadada e adentrou a escuridão da cripta do templo. Precisava ir até Torwin e escapar o mais rápido possível.

Asha passou pelo quartinho que escondia a entrada para o túnel secreto, mas ele não estava lá.

Então foi mais fundo, com o coração acelerado, a luz fulgurante da lamparina iluminando as paredes rochosas.

E se ele não conseguiu?

Como que em resposta à sua pergunta, ela viu um brilho no horizonte.

Asha apertou o passo. Passou pelas cavernas exteriores vazias, suas paredes reluzentes de umidade. O ar estava úmido e frio ali, como em um porão. Na porta que dava para o coração do santuário, Asha parou, pensando na única vez que tinha estado ali. No dia da morte de sua mãe. No dia em que o Antigo a corrompera para sempre.

Torwin encarava as paredes, com o machado dela preso ao cinto. Exceto pelo brilho da lamparina dele, o santuário estava mergulhado nas sombras.

As batidas do coração de Asha desaceleram ao vê-lo.

— E Sombra? — Asha perguntou.

— Esperando perto da entrada do túnel. — Torwin olhou por cima do ombro para ela. — Venha ver isso.

Asha não queria. Estava lá por um único motivo, e precisava resolvê-lo logo. Respirando fundo, adentrou o recinto e foi em direção ao centro do santuário, onde uma estrela de nove pontas tinha sido entalhada no chão muito tempo antes. Asha se agachou sobre ela, pousando a lamparina no chão. Ela desenganchou o fecho e esticou a mão até a luz vibrante lá dentro. Fazendo uma concha com as mãos, a iskari tirou o coração frio, que mais parecia uma pedra, de lá.

Os sussurros preencheram sua mente, mais fortes e altos do que antes. Uma energia poderosa pulsava, deixando seu corpo inteiro formigando, da sola dos pés até a palma das mãos. Era um choque tão poderoso que fez sua cabeça latejar e seus dentes doerem.

Rapidamente, ela colocou a chama dentro da estrela.

Ela brilhou com tanta força que a caverna reluziu. Palavras douradas brilharam na escuridão, escritas nas paredes, no teto, no chão. Histórias arderam como fogo por toda a volta. Centenas delas.

Asha conhecia todas.

Ela esticou os dedos para encostar nas palavras. Sua boca doía com a ansiedade para lê-las. Uma faísca queimou nela, crescendo até virar uma chama sedenta.

Na parede atrás de Torwin estava o mosaico colorido do homem que a visitara três vezes nos últimos quatro dias. Ela reconheceria aquele sorriso em qualquer lugar. Dizia: "Veja a confusão em que te meti dessa vez".

Asha estava de pé diante do retrato de Elorma. O primeiro dos sete namsaras, heróis sagrados que surgiam em épocas difíceis. As chamas sagradas do Antigo queimavam na noite. Enquanto ela encarava aqueles olhos escuros, as vozes retornaram. Só que daquela vez não estavam contando histórias.

Namsara, sussurravam, como o vento suspirando.

Torwin se virou para encarar Asha.

— Tem alguém vindo — ele disse, segurando o braço da garota.

O momento foi interrompido como um barbante sendo cortado. Asha olhou para trás, para o caminho por onde tinha vindo, e mais além na cripta viu luz, uma luz fraca, mas crescente.

Asha pegou a mão de Torwin. Eles correram de volta pelas cavernas, deixando a chama sagrada ardendo no seu lugar de direito.

— É uma via sem saída — disse uma voz ao longe. — E os soldats estão por toda parte. Se ela estivesse aqui, teria sido vista.

Quanto mais perto Asha e Torwin chegavam da entrada da caverna, mais próximos à luz da tocha ficavam. Eles não conseguiriam alcançar o túnel secreto a tempo. Asha parou na borda estreita de uma fissura e empurrou Torwin para dentro. Quando ele se deu conta do que ela estava fazendo, segurou seu pulso, para puxá-la também. Mas não havia espaço para os dois. A luz da tocha iluminaria a fenda revelando Asha, e ambos seriam pegos.

A iskari balançou a cabeça, tentando se desvencilhar dele.

Torwin abraçou Asha pela cintura, e a puxou para perto de si. Seus quadris colidiram, selando o espaço entre eles enquanto a luz da tocha de Jarek passava além de seu ombro e iluminava a parede de pedra à distância.

Torwin fez uma concha com a mão e tapou a boca de Asha. Ela fechou os olhos com força, sua mente tomada por uma infinidade de xingamentos.

A voz de Jarek se aproximou e então sumiu. Com a têmpora pressionada contra a garganta de Torwin, Asha tentou imaginar o que o comandante via. As cavernas sagradas escancaradas. A luz fulgurante da chama sagrada do Antigo queimando as histórias em sua mente.

O coração de Asha martelava em seus ouvidos. Torwin devia ter escutado, porque afagou sua nuca, tentando acalmá-la. Quando seu dedão roçou no ouvido desfigurado pelo fogo de Kozu, ele parou.

Eu sei, Asha pensou. *É horrível.*

Mas, em vez de desistir enojado, seus dedos traçaram a forma do mesmo modo que seus olhos gostavam de acompanhar sua cicatriz — com uma curiosidade gentil.

Asha relaxou ao senti-lo.

Como posso estar me acostumando ao toque de um escravo?

Era mais que aquilo. Seu corpo ardia diante da sensação do braço forte em torno dela, que a mantinha pressionada contra ele. Asha inspirou seu cheiro. Sal e areia. Garoto e terra.

Seria possível gostar tanto do cheiro de alguém que se quisesse prová-lo só para saber se o gosto seria igual?

Você foi corrompida, disse uma voz em sua cabeça. *Olhe só pra você, desejando um escravo.*

Asha deveria ter se afastado naquele momento. Deveria ter prestado atenção naquela voz.

Em vez disso, com o perigo à espreita, ela deslizou os braços em torno da cintura de Torwin, puxando seu corpo com ainda mais força contra si. Os dedos dele pararam, ficando completamente imóveis. Depois de um tempo, ele virou o rosto para ela.

Bem devagar, passou o seu nariz pela maçã do rosto dela, numa pergunta silenciosa. Faíscas percorreram o corpo de Asha. Seu sangue queimava. Ela arqueou seu pescoço em resposta, roçando seu queixo contra o dele.

Torwin apoiou sua testa na dela. Seus narizes se tocaram enquanto suas mãos deslizavam por seu cabelo, embalando seu rosto.

— Ela está aqui — a voz de Jarek ecoou.

Torwin ficou tenso. Os braços de Asha se apertaram em torno dele.

— Está vendo a lamparina? Está escondida em algum lugar. Me traga lenha.

— Sim, comandante. — O som de botas ecoou pelas paredes.

— Se ela quer brincar com fogo — resmungou Jarek —, vou vencê-la em seu próprio jogo.

Ele vai nos tirar daqui com fumaça, Asha se deu conta.

Ela não podia deixar aquilo acontecer. Não podia deixar que Torwin fosse pego. Se Jarek o encontrasse, seria morto. Ou talvez algo ainda pior.

Só havia um jeito de sair daquela situação.

Saindo do abraço de Torwin, Asha ficou na ponta dos pés e sussurrou na altura da sua bochecha:

—Volto assim que anoitecer. Fique pronto pra voar.

Antes que ele pudesse interrompê-la, Asha respirou fundo e deu um passo para fora, entrando na luz da tocha de Jarek.

Vinte e seis

O AR FRESCO BATIA EM SUA PELE, um calafrio substituindo o calor de Torwin. Jarek estava de pé na entrada das cavernas, de costas para ela, como se temesse entrar.

— Sua ladra está bem aqui — Asha disse.

Jarek girou. Seus olhos se estreitaram vendo seu manto, seu cabelo solto.

—Você cometeu um crime contra o rei — ele disse. — Contra seu próprio pai. Por quê?

Passos ecoaram pelas cavernas. Era um dos soldats, carregando um feixe de lenha com ambos os braços. Ele parou, olhando fixamente para o santuário.

— A chama sagrada — sussurrou, com os olhos arregalados.

O olhar de Jarek cortou Asha enquanto esperava por uma resposta. Quando ela não a deu, ele agarrou seu braço e a conduziu pelas passagens estreitas da cripta, em direção à escada abobadada que levava para dentro do templo.

Asha não lutou com ele. Queria arrastá-lo para fora dali, para que Torwin pudesse chegar ao túnel e escapar.

Jarek procurou armas nela e não encontrou nenhuma, então pegou seu manto. No arco da sala do trono, seus dedos puxaram as borlas em torno do seu pescoço. Ele jogou Asha no chão frio de pedra diante do pedestal que continha a bacia vazia.

Seus joelhos colidiram com o chão, e ela mordeu os lábios para segurar um grito de raiva.

— O que é isso? — Os passos de seu pai ecoaram suaves pela sala.

— Aqui está sua ladra — disse Jarek.

O rei ficou de pé diante dela. Asha não levantou os olhos dos sapatos sob a bainha dourada do robe.

— Asha? Certamente houve algum equívoco. Levante, minha filha.

Ela não levantou. Como poderia encará-lo? Manteve a testa pressionada contra os azulejos.

— Eu a encontrei embaixo do templo. A chama sagrada estava na caverna interior.

— Impossível.

Ela imaginou Jarek balançando a cabeça.

— Um dos meus soldats a viu pegar a chama, senhor.

A iskari imaginou o olhar no rosto de seu pai.

— Asha? Pode explicar isso?

Ela tentou se imaginar através dos olhos do pai. Quando ele tinha proposto seu acordo pela primeira vez, ela era a mais feroz dos caçadores de dragões, disposta a fazer qualquer coisa para escapar de sua união. Agora? O que seu pai faria se soubesse a profundidade com que o seu inimigo mais antigo tinha cravado suas garras nela? Entenderia que ela estava além da salvação? Ia expulsá-la? Acharia outra pessoa para matar Kozu?

— Me diga por que fez isso, Asha.

Sua voz estremeceu.

— Eu... eu sinto muito.

— Não quero um pedido de desculpas! — Sua voz saiu num

estrondo, reverberando pela sala do trono, vazia exceto por ele, seu comandante e um punhado de soldats. — Quero uma resposta.

Ela engoliu em seco, os olhos fixos nos azulejos azuis e verdes sob suas mãos. Precisava ser cuidadosa com o que diria. Jarek não tinha como saber de seu acordo com seu pai. E o rei não tinha como saber das ordens do Antigo.

— Fiz isso... pela caçada. — Ela olhou de relance para Jarek, com os braços cruzados com força. — Esse dragão é... mais evasivo do que os outros. Eu precisava de uma isca.

— Então roubou a chama?

— O dragão não consegue resistir a ela.

Mentirosa, Asha pensou, então arriscou olhar para cima. O rosto de seu pai se fechou quando seus olhares se cruzaram.

— Por favor — ela sussurrou. — Preciso que confie em mim.

O olhar dele se suavizou diante daquelas palavras.

— Majestade — interrompeu Jarek, dando um passo à frente. — Não pode deixar que ela fique impune só porque é sua filha. Isso estabelece um precedente. Você quer ser lembrado como um rei que só faz cumprir a lei quando lhe é conveniente?

Silêncio pairou na sala do trono enquanto o rei-dragão olhava de sua iskari para seu comandante.

— Não fiz tudo o que me pediu, majestade? Não defendi suas muralhas? Controlei as revoltas? Guardei seus segredos?

Diante daquela última pergunta, o rosto do rei-dragão fechou como o céu antes de uma tempestade. Asha se perguntou que tipo de segredos seu pai confiava a Jarek. Aquilo a deixou com inveja. Deviam ser importantes. Fortes o suficiente para fazê-lo se curvar diante da pressão, porque foi exatamente o que fez.

— O que está me pedindo? — disse o rei-dragão, olhando para a filha ajoelhada aos seus pés.

— Tem alguma coisa errada aqui. — Os passos pesados de Jarek ecoavam pela sala. — Primeiro, meu escravo desaparece. Em seguida, nossos supostos aliados saem escondidos na calada da noite. Na manhã seguinte, tomam Darmoor. E agora a chama sagrada é roubada por sua própria filha. — Ele balançou a cabeça. — Quero que ela fique aqui, onde podemos vê-la. Tudo o que estou pedindo é que faça cumprir sua própria lei. Asha deve ser punida como a criminosa que é, e ficar trancada no calabouço até o dia de nossa união.

Seu pai não permitiria. Ele queria Kozu morto, e apenas Asha poderia acabar com o primeiro dragão.

Contudo, o rei hesitou.

Aquilo fez as entranhas de Asha se contorcerem.

O rei olhou dela para Jarek, como se tentasse escolher. Como se fosse um jogo de estratégia e ele precisasse decidir qual peça era mais importante manter: seu comandante ou sua iskari?

O peito dele subia e descia a cada respiração.

— Está bem — o rei-dragão disse, cuidadosamente.

Asha ficou sem ar.

— Pai...

O rei ergueu a mão.

— Levante, Asha.

Não era um pedido. Ela deu impulso para ficar de joelhos e em seguida levantar, mas manteve os olhos no chão. O rei-dragão segurou seu queixo, forçando Asha a encará-lo. Aquilo a chocou. O rei-dragão nunca tocava em sua iskari. Suas sobrancelhas formaram um vale cruel e seus olhos normalmente calorosos pareceram cautelosos. Distantes.

— Será que cometi um erro ao confiar em você?

Sim. Sou mais corrompida do que imaginava.

Asha queria fechar seus olhos diante de seu olhar de decepção.

— Não, pai.

— Como posso ter certeza?

— Se me permitir voltar à Fenda, farei o que pediu. Trarei a cabeça do dragão amanhã antes do amanhecer.

Não havia nada mais no seu caminho agora. Nenhuma outra ordem. Nenhum presente que na verdade era uma maldição.

— Não posso deixar que saia impune. — Ele franziu a testa em concentração. Precisava dela para caçar Kozu, mas também precisava fazer cumprir sua lei. — Você cometeu um crime sério. Um crime contra seu rei.

Ele a observou por bastante tempo antes de soltar o queixo.

— Vai retornar à Fenda.

Asha suspirou de alívio.

— Daqui a dois dias.

Asha paralisou. Um calafrio a percorreu.

— Mas isso...

— É na manhã da sua união. — O olhar dele dizia a Asha que sabia o que estava pedindo dela, mas não lhe restava escolha.

Vinte e sete

Na manhã do dia da sua união, a porta da cela foi aberta.

Não foi Jarek quem entrou, contudo. Conforme os olhos de Asha se ajustaram à luz das tochas, ela viu dois soldats de pé no retângulo iluminado.

—Você precisa vir conosco, iskari.

Asha levantou. Enlaçou o próprio corpo para impedir que o frio úmido penetrasse ainda mais fundo em seus ossos.

— Cumpri minha sentença. Meu pai disse que poderia voltar à Fenda.

— Tem um vestido no seu quarto — disse um dos soldats, ignorando suas palavras. —Você deve vestir e nos seguir. Foi a ordem que seu pai deu.

O quê?

Ela pensou em tentar fugir, mas seis outros homens de Jarek esperavam no corredor.

Quando chegaram no quarto dela, a primeira coisa que Asha percebeu foram os ferrolhos afixados à parte externa das portas.

A segunda foram as barras pesadas de ferro entrecruzadas sobre a janela, trancando ela lá dentro.

E a terceira foi a parede vazia. Tinham levado suas armas.

— Jarek fez isso?

Ninguém respondeu.

Asha bateu a porta na cara deles, então ajoelhou diante da cama e tateou pelo estrado à procura das matadoras.

Ainda aqui.

Ela as puxou.

Havia um vestido cuidadosamente esticado na cama. Não era o da união, mas Asha podia ver que Jarek havia escolhido, pelo excesso de miçangas, pelo decote profundo, pela seda dourada.

Os soldats bateram na porta, em aviso.

Asha não colocou o vestido.

Em vez disso, foi até o baú ao pé da cama. Sua armadura permanecia intocada lá dentro. Deixando de lado as matadoras, Asha retirou as peças e vestiu, do peitoral até as botas. Assim que tivesse a chance, iria direto para a Fenda.

Com sua armadura, Asha se sentia segura — escondida do olhar sedento de Jarek.

Depois de arrumar o cabelo em uma trança simples, ela prendeu as matadoras nas costas e vestiu seu elmo.

A porta logo ia abrir.

Asha pegou os presentes de Jarek — o caftã índigo, o colar de rubi, a peça de seda — e os jogou na lareira. Encontrou um fósforo e o riscou. Assim que acendeu, ela o jogou na pilha. A peça de seda foi a primeira a pegar fogo.

O som de passos preencheu seus ouvidos.

Eles entraram no quarto.

— Chega! Peguem a iskari!

Asha virou, esticando a mão para o vestido dourado para jogá-lo no fogo também. Mas um soldat a segurou e a puxou com força em direção à porta.

—Vamos nos atrasar, iskari.

Asha olhou para trás e observou o fogo crepitando. Viu seus presentes arderem em chamas — todos menos um.

Os soldats se entreolharam desconfiados antes de marchar com ela pelo corredor.

Safire os encontrou no portão da arena, que estava estranhamente vazio, sem ninguém protestando.

O coração de Asha pulou ao vê-la. Quase não a reconheceu, vestida em um caftã turquesa intenso. Seu cabelo negro que ia até o queixo estava trançado e preso na nuca.

— Asha. Onde esteve?

Cercada de draksors gritando, o primeiro instinto de Asha foi manter a prima por perto. Mas soldats a flanqueavam, e ela não conseguia alcançá-la.

— O que é isso? — Asha perguntou através da escolta. — Por que estou aqui?

Havia fileiras e mais fileiras de bancos de madeira, metade ocupados, em um círculo em torno da arena.

Dos dois lados, havia draksors de pé em mesas, falando, balançando sacos de dinheiro, fazendo apostas. Mas foi a própria arena que prendeu sua atenção.

Normalmente as estacas de ferro que a rodeavam apontavam para o céu, impedindo que criminosos escalassem para fora e espectadores caíssem do lado de dentro. Naquele dia, contudo, estavam abaixadas.

— É a manhã da sua união — Safire disse, se movendo pela multidão em uma tentativa de acompanhá-la. — Esperam que você troque presentes de noivado com Jarek.

Asha não tinha um presente. A mera ideia de dar um a Jarek era ridícula.

Mas por que a arena? Normalmente presentes de noivado eram trocados na maior praça da cidade, para construir expectativas para a união, que sempre acontecia ao nascer da lua. Ela olhou em torno, se esforçando para pensar, em busca de uma saída.

Homens vestidos em túnicas de seda e mulheres em caftãs cuidadosamente costurados estavam sentados em volta da arena. Mas, para uma ocasião tão importante — a troca de presentes —, ela parecia mais vazia do que nunca. Mesmo se Asha conseguisse se livrar de sua escolta, não havia uma multidão em meio à qual se perder. Não teria como chegar à saída sem ser detectada.

Era fácil demais identificar a iskari. A multidão se abria para Asha passar. Seus olhares temerosos se mantinham fixos nela.

Quando alcançou o dossel rubro, o ponto mais alto na arena, com a melhor vista das lutas, localizou Jarek. Sua túnica preta usual, adornada com seu brasão — dois sabres cruzados — tinha sido substituída por uma branca com bordas douradas. Cores de união. O vestido no quarto dela teria combinado com ele.

Jarek a puxou para si. Asha ficou tensa.

— Tenho o presente perfeito pra você — ele disse, seu corpo exalando uma energia estranha. Ele nem parecia notar o que ela vestia.

O rei-dragão estava sentado com as costas eretas e seu medalhão de citrino no peito. Anéis reluziam em seus dedos. Ao seu lado havia um escravo de pé, segurando um prato de torrone e damascos secos. O rei assentiu para Jarek, dando-lhe permissão para começar.

Jarek levantou a mão que segurava a de Asha no ar. O silêncio se fez. Todos os olhos na arena se voltaram para eles em um instante.

— Essa noite, a iskari e eu seremos unidos! Que esse meu presente seja um testamento à nossa formidável união!

O som de aplausos ensurdeceu Asha. Quando o silêncio voltou a reinar, era a vez dela de falar. A iskari olhou na direção de Safire, do lado de fora da tenda, lembrando uma piada que ela tinha feito pouco tempo antes.

Ouvi dizer que corações de dragão estão na moda. São ótimos presentes de noivado.

A iskari se virou para encarar seu povo. Ela sabia o que tinha que fazer.

— Essa noite, o comandante e eu seremos unidos. — Sua voz não saía nem alta nem confiante. — Que meu presente seja um testemento à nossa união duradoura!

O aplauso daquela vez foi mais contido. Mas Asha não tinha terminado. Ela se desvencilhou de Jarek e deu um passo à frente.

— Hoje, caçarei o primeiro dragão!

O som de aplausos desapareceu.

— Hoje, darei o golpe final nas tradições antigas e arrancarei o mal da minha própria alma! — Um silêncio frio se fez quando Asha virou para o noivo. — Como símbolo da minha devoção, trarei a você o coração de Kozu. Esse será meu presente.

Ninguém aplaudiu. Ninguém respirou. Todos os olhos na arena se voltaram para o rei-dragão. Quando a própria Asha virou para encarar o pai, ele levantou seu cálice dourado. Fazendo um brinde a ela. "Muito esperta", seus olhos pareciam dizer.

A arena irrompeu em sons. Mas a reação parecia dividida: alguns draksors gritavam e comemoravam; outros falavam em voz baixa, trocando olhares nervosos.

A caçada era assunto público agora. Precisariam deixá-la partir, para que pudesse cumprir sua promessa.

— Que a luta comece! — Jarek ordenou, entrelaçando os dedos de Asha e a puxando para seu colo.

Ela estremeceu. Queria levantar. Mas estava interpretando um papel.

Se não matasse Kozu, precisaria interpretá-lo pelo resto da vida.

Um grupo de draksors abaixo se virou para a arena. Eles começaram a entoar um brado, golpeando o ar com os punhos, esperando a chegada dos lutadores. Mais e mais draksors acompanharam o brado, até que o som reverberou no ouvido de Asha, abafando todo o resto.

O interior da arena estava escuro. As tochas ainda não tinham sido acesas. Tudo o que ela conseguia enxergar eram hordas de espectadores, sentados, de pé, apostando. Comemorando e gritando. Aguardando que a luta começasse.

Um súbito rugido ressoou pela multidão, interrompendo os brados e abalando Asha.

Jarek passou um braço em torno da cintura dela, prendendo seu corpo.

Um dragão? Ela olhou para os céus. *Aqui?*

Mas nada voava acima deles, no límpido azul-celeste.

Draksors que ainda estavam de pé abriram caminho até os bancos. Jarek segurou com força, seu corpo cheio de energia.

— Achei algo seu — ele disse acima do ruído. — Você deve ter esquecido dele no templo.

O comandante esticou a mão para pegar algo embaixo do banco. Quando sua mão subiu novamente, segurava um machado decorado com joias. O machado que ela tinha dado a Torwin.

O coração de Asha congelou.

Instintivamente, ela esticou a mão para pegá-lo. No instante em que sua mão se fechou em torno do cabo, todas as tochas se acenderam.

Asha levantou a cabeça e viu soldats de armadura pesada conduzindo um dragão para a arena. Portavam lanças longas de aço e escudos retangulares tão altos quanto eles. Cutucavam o dragão repetidas vezes, cravando suas lanças afiadas fundo no couro vermelho.

O machado caiu no chão aos seus pés.

— Sombra...

Ele não tinha escolha a não ser avançar, uivando e estalando a mandíbula. Não havia para onde ir, onde se esconder. As barras abaixadas impediam que fugisse voando.

E o pior de tudo era que Torwin estava ajoelhado no centro da arena.

Ele cambaleava, como se prestes a perder a consciência, com uma faca serrilhada nas mãos. Era tudo o que tinha para se defender de um dragão tão torturado e assustado que deveria estar pronto para matar qualquer coisa que parecesse uma ameaça.

Depois de uma espetada forte da lança de um soldat, Sombra soltou um uivo feroz e aterrorizante. Os soldats protegidos por armaduras correram para fora do ringue.

Antes que o dragão investisse pela arena em sua direção, Torwin levantou o rosto para a horda de draksors comemorando sua futura morte. Seu olhar passou por eles, movendo-se cada vez mais para cima, até parar em Asha.

Vinte e oito

Sombra avançou, levantando areia vermelha. Torwin saiu rolando do caminho no último instante. Sangue escorria por suas costas. As feridas antigas tinham aberto e ele parecia sentir muita dor. Aquilo certamente ia deixá-lo mais lento. O rabo bifurcado de Sombra chicoteou, jogando Torwin de costas no chão.

Asha pressionou a boca com o punho fechado para não gritar.

Sombra também devia estar sentindo dor. Sangue jorrava de cortes longos em seu flanco e ele jogava o peso do corpo na perna direita. Encurralado e machucado, parecia não reconhecer quem estava diante de si. O medo era maior que o elo que havia criado com Torwin. Além do mais, era uma ligação nova, que até então não havia sido testada.

Eles vão se matar, Asha pensou.

E ela ia ser forçada a assistir.

— Lembrei que você adora lutas com dragões — Jarek disse, com os braços em torno dela. — Então organizei uma especialmente pra você.

Asha engoliu em seco. Ela fixou seu olhar em Sombra, que rodeava Torwin, preparando o ataque. O sol refletia na faca empunhada.

Se Torwin matasse Sombra, Asha falharia em cumprir o comando de Elorma de proteger o dragão. O Antigo despejaria sua fúria sobre ela. E, daquela vez, a punição talvez não durasse apenas um tempo.

E se Sombra matasse Torwin...

Asha sentiu um fogo dentro de si e apertou os braços de Jarek. Seus dedos pressionaram a carne e então chegaram ao músculo, como se procurassem o osso.

Ele ganiu e ela afrouxou a pegada, aproveitando para sair de seu colo.

Asha tinha avançado três passos na multidão quando Jarek a pegou pelo braço. Pelo ódio nos olhos dele, não devia ter planos de soltá-la. Em um piscar de olhos, Asha desafivelou a peça de armadura protegendo o braço que ele segurava e se soltou, correndo para a arena.

Ela se agachou ao chegar às barras. Sombra tinha investido para cima de Torwin, que havia se jogado na areia no último segundo. Ele poderia ter dado um golpe fatal na barriga do dragão, o lugar mais fácil de golpear com uma faca, mas não o fez.

Seus lábios se moviam. Asha fez um esforço e conseguiu ouvi-lo. Estava tentando chegar a Sombra. Persuadi-lo.

E, para tanto, usava uma história.

— Não...

As histórias deixavam os dragões mais fortes. Permitiam que cuspissem fogo.

— Torwin, não!

Sombra virou, com as narinas arreganhadas, as escamas vermelhas ondulando. Torwin levantou, ainda falando.

O dragão se firmou nas quatro patas e levantou a cabeça. Seu peito inchou. Sua barriga brilhava.

— Não! — Asha gritou.

Soldats se aproximaram. Asha correu, perdendo e recuperando o equilíbrio. Estava fora de seu alcance. A multidão se aquietou quando ela segurou as barras e finalmente encontrou um espaço amplo o suficiente para passar.

Dependurada sobre a arena, Asha se deu conta da altura da queda. Não morreria, mas certamente acabaria machucada.

A barriga de Sombra estava vermelha como uma brasa.

Asha soltou.

O vento batia em seus ouvidos. Uma dor forte subiu depressa por suas pernas e seus tornozelos. Ela tinha aterrissado bem entre o dragão e o escravo. A multidão exclamou em choque.

Asha levantou os braços, incluindo o exposto. Ela se viu refletida nos olhos do dragão. O reflexo de uma caçadora. Do inimigo.

O fogo estava vindo e não havia nada que pudesse fazer para impedir.

Asha correu até Torwin e se ajoelhou diante dele, protegendo-o com o próprio corpo, envolto pela armadura.

— Fique abaixado — ela disse, a voz ecoando pelo elmo.

Torwin gritou quando as chamas os engoliram, o calor queimando sua pele. Ele segurou a parte de baixo do peitoral da armadura dela, mantendo-se perto.

Restos de chama bruxulearam e apagaram na areia.

Asha virou novamente para o dragão. Sombra agachou e sibilou.

Eles tinham transformado um dragão brincalhão em um predador.

— Sombra — Asha disse, retirando o elmo e o jogando na areia. — *Sou eu.*

O dragão grunhiu, movendo o rabo.

Asha começou a tirar a armadura, jogando peça por peça para longe.

—Você me conhece.

A multidão estupefata se mantinha em silêncio acima deles,

com os olhos fixos na iskari. Seus murmúrios assustados ecoavam no ouvido de Asha. Então veio um grito: um comando para os soldats abrirem os portões e tirarem a garota dali.

Era uma ordem de seu pai. Pior do que o rugido feroz do rei-dragão era a frieza com a qual a encarava. Asha podia senti-la de longe.

Com os dedos tremendo, a iskari tentava desamarrar os cadarços das botas de pele de dragão, tentando tirá-las para convencer Sombra de que ela não era o inimigo.

— Ele está vendo você — Torwin disse atrás dela.

Os olhos de Asha se levantaram. Sombra estava parado e mantinha o rabo imóvel. Então deu um passo hesitante na direção dela, inclinou a cabeça achatada cheia de escamas e soltou um ruído baixo. Como um gemido.

Asha teve vontade de jogar os braços em torno do pescoço dele, o que era estranho para ela.

A iskari conseguiu tirar as botas e se aproximou devagar, com as mãos esticadas. O focinho de Sombra tocou sua palma. Seu corpo inteiro tremia.

Asha precisava tirá-lo dali.

Então veio o som de passos pesados perto da entrada da arena. Tanto Asha quanto o dragão viraram para ver os soldats alinhados do outro lado do portão. Estavam encurralados. Ela podia ter evitado que Sombra e Torwin se matassem, mas não conseguiria protegê-los do exército de seu pai.

— Asha! — Ecoou a voz de Safire. — Voe!

O som de metal arranhando metal e de engrenagens girando preencheu os ouvidos de Asha. Ela olhou para o alto. As barras de ferro estavam começando a se abrir.

Safire estava na sala de máquinas.

Um assovio veio de cima.

As duas olharam em tempo de ver Dax deixar um objeto cair, depois outro. Torwin avançou, pegando o feixe de flechas com uma mão e o arco com a outra.

Asha não teve tempo de se perguntar por que Dax tinha um arco e flechas à mão. Ela vasculhou a areia procurando por suas matadoras, que tinha jogado longe com a armadura. Torwin se preparava para usar o arco.

Será que ele sabe usar isso?

Como se ouvisse seus pensamentos, Torwin a olhou. Asha percebeu seu lábio inchado. E a marca na sua bochecha. E o hematoma escuro em sua mandíbula.

Alguém tinha batido nele. Muitas vezes.

Uma fúria ardente acendeu dentro dela.

— Fique atrás de mim. — As lâminas sagradas foram desembainhadas com um tinido. — Protejo você até que Sombra consiga nos tirar daqui.

Torwin obedeceu, colocando uma flecha enquanto os portões se abriam e soldats inundavam a arena.

Asha girou suas matadoras, seu corpo inteiro vibrante e vivo. Ela assumiu a frente, enquanto Sombra defendia a retaguarda.

— À esquerda! — Asha apontou com sua matadora quando os primeiros homens de Jarek avançaram na arena.

O soldat caiu antes que as palavras tivessem deixado seus lábios, com uma flecha cravada no peito.

Ela ficou impressionada. Torwin já preparava a próxima flecha, atirando antes que pudesse apontar o próximo inimigo. Atrás dele, Sombra atacou com o rabo, arremessando três soldats contra a parede de uma só vez.

— Onde você aprendeu a atirar desse jeito?

Outro soldat levou uma flecha no peito.

— Por quê? Está surpresa?

Trancada na sala de máquinas, Safire gritava com quem quer que estivesse tentando arrombar a porta.

— Greta me ensinou — Torwin disse enquanto outra flecha voava, passando sibilando pela cabeça dela. — E eu ensinei seu irmão.

Meu irmão?

Ela pensou nos dedos calejados de Torwin e de Dax. Mas não havia tempo para fazer as perguntas que passavam por sua cabeça.

— Assim que aquelas barras terminarem de subir, monte em Sombra e voem para longe — Asha disse.

Os soldats no portão abriram espaço para deixar alguém passar. Alguém vestido de branco e dourado.

O comandante entrou na arena e avançou na direção deles, com o sabre em mão.

Asha segurou as matadoras com mais força. Tudo o que Safire já tinha lhe dito sobre lutar com um oponente maior e mais forte passou por sua cabeça. Golpear rápido. Atacar as pernas. Avançar e recuar em seguida. Nunca hesitar.

Mas Jarek parou de repente no meio do caminho. Os soldats baixaram as armas, olhando para alguma coisa atrás de Asha. Ela virou para ver o que era.

Torwin tinha preparado sua última flecha. A corda do arco estava puxada com força, e ele apontava diretamente para o peito de Asha.

Nenhum soldat avançaria com a vida da filha do rei-dragão ameaçada.

— Sobe.

— O quê?

— Asha.

Ele nunca a tinha chamado pelo nome. Reverberou como um sino dentro dela, preenchendo lugares vazios.

— Faça o que estou dizendo.

Asha o encarou.

—Você está maluco.

As grades acima deles rangiam. Faltava pouco para que o caminho estivesse livre.

— Estou? — Torwin manteve a flecha mirada nela e apontou com o queixo para os espectadores aglomerados acima, observando a iskari que tanto odiavam e temiam. — Quantos deles acha que querem que eu atire?

Ela engoliu em seco. *Todos.*

— E seu pai?

Asha sentiu o calor na pergunta e pensou no rei sob o dossel rubro. Devia ter visto tudo. Descobrira a verdade: sua filha estava corrompida.

Ela deu um passo, se afastando do escravo.

— *Por favor* — disse. — *Vá.*

Torwin estudou seu rosto.

— Não vão te perdoar por isso.

Não de início. Mas o pai precisava dela para caçar Kozu. Todos iam esquecer o ocorrido assim que chegasse com a cabeça do dragão. Aquele único ato podia absolvê-la de todos os seus crimes.

— Tenho que consertar as coisas — ela disse. — E você precisa tomar conta de Sombra. Foi o acordo.

As barras rangeram em protesto, então pararam de subir. Safire gritou na sala de máquinas. Então as barras começaram a descer.

O medo ardeu forte e quente em Asha. Se voltassem a fechar com Torwin e Sombra ainda na arena, não teria como salvá-los.

— Se morrer aqui depois do que fiz pra ajudar você, vou te caçar além dos portões da morte e acabar com sua vida de novo.

— Pode me matar uma centena de vezes — ele disse, levantando o arco e mirando em seu mestre por cima do ombro dela. — Se não conseguir libertar você, vou ter que matar Jarek.

Asha o encarou.

Ele estava tentando protegê-la?

Era loucura.

— Torwin — ela disse, enquanto sua única chance de fuga se esvaia acima deles. — Devo a você uma dança, lembra? Não vou ter como cumprir minha promessa se você estiver morto.

Ele olhou de relance para ela, surpreso.

— Prometa que não vai se unir a ele — Torwin disse, seus músculos tensos ao puxar o arco. — Você não pode ser uma de suas posses. — Seus olhos de repente pareceram febris. — Isso vai matar você, Asha.

Ela olhou para as articulações dos dedos dele, que ainda usava o anel de sua mãe. Estavam brancas devido à força com que segurava o arco.

— Não vou embora até que prometa.

— Eu prometo — Asha sussurrou.

Então ele estalou a língua para Sombra e montou em suas costas.

Sem a ameaça da flecha de Torwin, Jarek avançou rapidamente. Como uma tempestade de areia cruzando o deserto. Mantinha o olhar fixo no escravo, prestes a escapar dele uma segunda vez.

Safire gritou de novo na sala de máquinas, fazendo o sangue de Asha congelar.

A lufada de ar produzida pela batida de asas de Sombra levantou os fios soltos do seu cabelo. Ela não virou. Não ousou tirar os olhos do comandante. Só teve tempo para uma prece silenciosa ao Antigo para que eles conseguissem escapar com segurança.

Jarek levantou as mãos para sinalizar algo a seus soldats, mas não conseguiu fazê-lo, porque Asha investiu contra ele primeiro — ignorando todas as regras que Safire havia lhe ensinado.

Ele deteve suas lâminas com facilidade, mas Asha manteve sua posição quando tentou se desvencilhar dela. Não precisava derrotá-lo; só atrasá-lo.

— Saia do meu caminho, iskari, ou farei com que se arrependa.

Asha trincou os dentes, resistindo à força e ao peso do sabre dele. Seu corpo gritava. Suas pernas queriam ceder. Jarek soltou um rugido em seu rosto.

Asha o imitou, soltando sua fúria em um grito.

Ela aguentou firme.

Quando olhou por cima da cabeça da noiva, o que quer que tenha visto fez a boca do comandante se contorcer de raiva. Ele recuou, deixando o sabre cair na areia.

Asha virou e olhou para os céus no instante em que as barras terminaram de fechar com um estrondo. Além delas, o céu se estendia, azul e sem nuvens.

Eles fugiram.

Uma solidão aguda e cruel veio com esse pensamento, como se um machado dividisse seu coração em dois.

Vinte e nove

Acima das barras, a multidão praguejava contra Asha. A vergonha envolveu seu coração como uma trepadeira venenosa.

Jarek tomou suas matadoras sem que ela oferecesse resistência, então ordenou que esvaziassem a arena. Asha não encarou os soldats que puxavam flechas do peito dos companheiros caídos, mas imaginou que deveriam desejar que fosse o corpo dela estendido no chão.

Ela ajoelhou na areia, sob o peso do que tinha feito.

Em algum lugar na estrutura acima, seu pai abria caminho até a arena. Ela deveria pensar no que ia dizer a ele.

Em vez disso, pensava em Torwin a chamando pelo nome.

Asha. O nome que sua mãe lhe dera. Não iskari, o nome de uma divindade corrompida.

E se eu nunca mais o vir?

Não deveria fazer diferença.

Asha virou ao ouvir Safire gemer, então viu dois soldats arrastando a garota para a arena. Queria levantar, mas outros três soldats foram em sua direção imediatamente, e o olhar de puro ódio no rosto deles a interrompeu.

Jarek arrastou Safire até Asha e a jogou na areia. Ela caiu em um amontoado abatido.

— asha! — o rugido do rei-dragão retumbou pela arena vazia.

Ele levantava areia em sua caminhada até a iskari. — Você me fez parecer um idiota!

Ela manteve a cabeça abaixada.

— Olhe para mim.

Asha obedeceu. Seu olhar passou pelo robe dourado e pelo escudo real, parando no rosto fechado de seu pai.

— Por anos, acreditei em você. Por anos, fui o único ao seu lado. E, em uma manhã, você acabou com tudo isso. *Todo o trabalho duro.* Por quê?

Uma voz se levantou atrás do rei.

— Deixe Asha em paz.

Dax passou calmo pelo portão, passando uma faca grosseira e sem adornos de uma mão para a outra. Como se fosse uma bola. Ele encarou o pai. Asha vislumbrou algo perigoso nos olhos do irmão.

O rei fez uma careta e gesticulou para o soldat à sua esquerda.

— Tire meu filho daqui.

Mas Dax continuou caminhando na direção do rei, com o queixo alto e seus olhos castanhos parecendo mais vívidos que nos dias anteriores.

Quando o soldat se aproximou, Dax levantou a faca.

Um autêntico nativo, Asha pensou.

— Se tocar em mim, abrirei sua garganta — disse Dax.

O soldat parou e olhou para Jarek, que por sua vez olhou para o rei, aguardando uma ordem.

Dax não esperou por ela. Sua voz ecoava pela arena conforme chegava mais perto do pai.

— Cinco dias atrás, eu implorei para que minha irmã salvasse um escravo.

O rei estreitou os olhos.

— Naturalmente, ela se recusou. Então eu a chantageei. — Dax entrou na frente da irmã, bloqueando sua visão. — Assim como a chantageei para roubar sua preciosa chama e para interromper a luta na arena.

O quê?

Asha olhou para Safire, confusa, mas a prima mantinha a cabeça abaixada e os olhos voltados para as próprias mãos, plantadas na areia. Seu corpo ainda tremia por causa da surra que tinha levado.

O rei observava Dax com cautela.

— E por que você faria isso?

— Não é óbvio? — Os olhos dele brilhavam. — *Odeio você.* E qual é o melhor jeito de atacar alguém que se odeia do que usar seu próprio monstrinho de estimação contra ele?

Monstrinho de estimação. Aquelas palavras doeram mais do que se a faca de Dax tivesse cortado Asha.

Mas ele tinha mentido quanto à chantagem. Talvez aquilo fizesse parte da encenação.

— Tirem meu filho da minha frente. — A voz do rei saiu calma e controlada, mas Asha notou uma leve falha sísmica. — Joguem ele no calabouço e esperem por mim. Quero interrogá-lo pessoalmente.

Dax ajoelhou com a aproximação dos soldats. Tinha um olhar suave no rosto marcado.

— Quando a escuridão cai, irmãzinha, o Antigo acende uma chama — ele disse com uma piscada de olhos enquanto era agarrado e arrastado para longe. Não havia medo nele. Era como se tudo fosse uma pequena parte de um jogo muito maior.

Safire foi levada logo depois. Ela olhou rapidamente para Asha, com o rosto cheio de preocupação.

Preocupação com *Asha.* Não consigo mesma.

A iskari franziu a testa, lembrando do que Torwin tinha lhe dito.

No dia em que te encontrei na enfermaria, sabia que as coisas estavam prestes a mudar.

Que coisas?, Asha se perguntou, pensando no arco e nas flechas. *O que meu irmão está planejando?*

— Agora que nos livramos da ralé... — Jarek entregou ao rei-dragão a peça de armadura que Asha tinha desafivelado para escapar dele. — Seu braço estava desprotegido quando o dragão soltou as chamas. — O comandante deu um passo em direção a Asha, agarrando seu braço nu. — Por que não está queimada?

O rei levantou a peça em silêncio.

— Eu não queimo — ela sussurrou para a areia.

— Fale mais alto.

Asha levantou o queixo e repetiu, mais forte:

— O fogo dos dragões não me queima. Ou qualquer tipo de fogo. É um... presente. Do Antigo. — Ela era incapaz de encará-los. — Não tive a opção de recusar.

Jarek e o rei trocaram olhares, então deram as costas a Asha e começaram a discutir em voz baixa.

Asha os observou: seu pai e seu comandante, cercados de soldats; a arena, vazia; ela, a iskari, estava ajoelhada na areia, desarmada, enquanto o filho mais velho do rei era levado para o calabouço. Se Jarek realmente planejava tomar o trono, o que o impedia? Por que não investia contra o pai dela pai naquele instante?

O rei-dragão virou para Asha, segurando com mais firmeza a peça de armadura.

— O Antigo deu outros presentes a você?

Asha desviou os olhos. A vergonha bagunçava seus pensamentos.

— Sim.

— Quais?

— As matadoras — ela disse. — E... o dragão.

Um silêncio sepulcral se solidificou.

— Está me dizendo que esteve lidando com o Antigo todo esse tempo?

Seus olhos arderam, cheios de lágrimas. Ela se esforçou para segurá-las.

— Quando não faço o que manda, o Antigo retira minhas forças, me impedindo de... — Ela olhou rápido para Jarek antes de concluir: — Caçar.

Ele vai me entregar. Sabe que sou uma causa perdida e vai cortar os laços comigo.

Asha abriu os olhos. O pai parecia preocupado ao examinar seu rosto marcado.

— Ele está usando você. Do mesmo jeito que a usou oito anos atrás. Sabe que é fácil te corromper. Um instrumento perigoso, que pode voltar contra o resto de nós. — O rei-dragão começou a andar de um lado para o outro, passando a mão pela barba enquanto pensava. Então parou e agachou diante dela. — Minha querida criança, por que não me disse antes?

Asha soltou o ar que não percebera que prendia.

— Porque estava com vergonha. Porque sempre existiu algo perigoso dentro de mim. Tive medo de que, se contasse, você acharia que eu estava além de qualquer salvação.

— Olhe para mim.

Ela obedeceu.

Os olhos do pai pareciam calorosos de novo.

— Não posso ajudar você se não me disser quando está em apuros.

Asha olhou fixo para ele. Estava perigosamente perto de chorar de alívio.

— Nosso acordo permanece — seu pai disse baixo, para que só ela pudesse ouvir. — Você tem até o nascer da lua.

O comandante ofereceu a mão para ajudar o rei a levantar. Asha observou o toque, a força da pegada deles.

— Ela vai caçar um dragão para você — o pai de Asha disse a Jarek. — E quero que vá com ela.

Asha congelou, chocada demais para dizer alguma coisa. Jarek ergueu as sobrancelhas em surpresa.

—Você a salvou uma vez das maquinações do Antigo — prosseguiu o rei. — Quero que esteja ao lado dela, caso ele tente manipular minha filha de novo.

Asha encarou o pai. O segredo pesava em seu olhar. Ele queria que ela matasse Kozu na frente de Jarek. Jarek, que achava que o coração daquele dragão era uma promessa, não o rompimento de um laço.

Seria uma forma de fortalecê-la? De dizer que acreditava em sua capacidade?

Então, pela segunda vez em poucos dias, o rei tocou a filha, segurando seu ombro com força sem nem hesitar.

— Queria eu poder ver seu golpe final — ele disse. — O momento que você libertará todos nós.

Trinta

Ao meio-dia, a iskari e o comandante partiram para a Fenda.

Asha assumiu a dianteira montada em Oleander, cujos cascos batiam na terra em um ritmo melodioso. Jarek cavalgava à esquerda dela. Na esteira dos dois, uma dezena de soldats de armadura galopava, armados com lanças, alabardas e escudos. Papa-moscas e pardais piavam das árvores enquanto o grupo passava ruidosamente.

O ar parecia pesado, carregado. Como se uma tempestade se aproximasse.

Asha acelerava pelas trilhas, pegando todos os atalhos que conhecia através da mata, dos riachos e do terreno pedregoso e traiçoeiro.

Jarek acompanhava seu ritmo.

— Algo ainda não faz sentido — ele disse enquanto os cavalos atravessavam um riacho largo, chafurdando na água fria. — Por que Dax chantagearia você? Por que se importaria com meu escravo? Ou com a chama sagrada?

Oleander chegou à margem primeiro e tentou colocar distância entre si e o garanhão negro de Jarek. O comandante agarrou o braço de Asha, que puxou com força as rédeas de Oleander antes que a derrubasse.

A luz do sol, filtrada pelos cedros e argânias, diminuía conforme o céu escurecia.

— O que ele está planejando? O que vocês dois estão escondendo? — Ameaçador, Jarek chegou mais perto e a segurou mais forte. — Quero saber o verdadeiro motivo de ter se jogado naquela arena.

Asha pensou no rosto machucado e nas costas ensanguentadas de Torwin. Pensou na barriga de Sombra brilhando vermelha com o fogo.

Ela nunca teve uma escolha. Não conseguiria vê-los morrer.

— Que tal uma troca? — ela disse, estreitando os olhos. — Meu segredo pelo seu. O que você e meu pai estão escondendo de mim?

Asha não esperava que a largasse.

Mas tampouco esperava o medo em seus olhos.

Ela se afastou de Jarek enquanto os soldats atravessavam o riacho. Passou pelos pinheiros e parou no prado além deles. As nuvens baixas estavam inchadas e escuras, como um hematoma dolorido.

Jarek seguiu atrás dela, acompanhado pelos soldats, fazendo os ramos dos pinheiros farfalharem.

— Fiquem onde estão — Asha disse a eles enquanto desmontava, adentrando o gramado em seguida. As nuvens de tempestade deixavam tudo cinza.

E então começou.

Uma presença familiar espreitava no limite do prado. Ela sentiu o cheiro distante de fumaça e cinzas. Mas Elorma não podia pará-la. Fazia oito anos que tinha sido queimada por Kozu. Oito anos que a cidade havia sucumbido às chamas e tantas pessoas morrido — por causa dela.

Asha estava ali para fazer justiça.

— E então? — perguntou Jarek. — Onde ele está?

— Ele virá — ela respondeu, buscando dentro de si mesma a história enterrada na escuridão. — Diga a seus homens para se esconderem.

Os soldats assumiram suas posições nas árvores, se ocultando nas sombras. Uma lembrança tremeluziu na mente de Asha. De oito anos antes. Da última vez que estivera naquele prado.

Ela afastou a lembrança.

— Asha? — Jarek chamou, incerto.

Não havia como evitar. Asha teria que contar a história na frente do comandante de seu pai, revelando a verdade a ele: nunca conseguira superar sua natureza. Só tinha ficado melhor em escondê-la.

Mas, no fim das contas, aquilo não importaria. Não quando Kozu estivesse morto.

Encarando o céu nublado, Asha projetou sua voz o mais longe que pôde. Não foi uma história antiga a que contou. Não exatamente.

— Algum tempo atrás havia uma garota que se sentia atraída por coisas malignas...

O vento espalhou sua voz pelo campo. A grama sibilava e estremecia à sua volta.

— Não importava que as histórias antigas tivessem matado sua mãe. Não importava que houvessem feito o mesmo com muitos outros antes dela. A garota deixou as histórias tomarem seu corpo. Deixou que consumissem seu coração e a enchessem de maldade. Ela não se importava.

O ar crepitava em torno de Asha. Lá longe, ela viu um vulto negro se lançar do cume montanhoso e escarpado em direção às nuvens carregadas.

— Sob o manto da noite, a garota rastejava pelos telhados e espreitava as ruas abandonadas. Sem ser vista, ela escapava da cidade e ia para a Fenda, onde contava história depois de história para os dragões. Até acordar o dragão mais mortal de todos, tão negro quanto uma noite sem luar. Tão antigo quanto o próprio tempo. Kozu, o primeiro dragão.

— Asha... — disse Jarek, mas sua voz soava estranha. Assustada.

Ela entrou mais fundo na grama alta. O som de asas batendo reverberava no ar. O vento uivante ganhou força, fazendo com que a trança de Asha chicoteasse em seu rosto.

— Kozu queria possuir a garota. Queria acumular todo o poder letal que se derramava de seus lábios. Queria que ela contasse histórias para ele, e somente para ele. Para sempre.

Uma sombra passou por Asha, que levantou a cabeça para ver o dragão sobrevoando. Preto como tinta. Preto como uma piscina parada em uma noite sem luar. Preto como os olhos dela.

Asha sacou o machado em sua cintura.

Kozu aterrissou com um forte impacto, fazendo a terra tremer. Sua sombra se projetou sobre Asha, envolvendo seu corpo na escuridão. Suas escamas reluziam, seus olhos amarelos a estudavam. Ela o estudou também, fixando o olhar na cicatriz dele. Uma imagem espelhada da sua, correndo por seu rosto, cortando seu olho, deformando as escamas retintas. Dois chifres, perfeitos para perfurar presas, saíam de sua cabeça, e em cada pata havia cinco garras afiadas como facas. Suas asas permaneciam abertas, em uma demonstração de quão grande ele era, da facilidade com que poderia esmagá-la.

Como uma história, Kozu era formidável e feroz, lindo e poderoso.

A ideia de vê-lo morto subitamente provocou uma infelicidade aguda nela.

Asha segurou o machado com mais força.

Alguém se moveu atrás dela. O primeiro dragão olhou de relance, com as narinas bem abertas. Quem quer que fosse, Kozu não estava ali por ele. Estava ali por Asha.

Como o predador que era, Kozu deu a volta nela, fazendo a grama farfalhar.

Asha levantou o machado. Seus olhos encontraram o lugar onde o coração da criatura cantava sua música antiga. Era ela ou aquela música; não podiam coexistir. Se Asha não conseguisse silenciá-la, seria forçada a passar a noite com Jarek.

O peito de Kozu brilhava como um carvão em brasa. Ela firmou os dedos no machado, à espera do momento perfeito.

Que passou.

O rabo de Kozu chicoteou, acertando Asha na barriga — não a ponta cheia de espinhos daquela vez, e sim o meio, com toda a força. O impacto fez com que ela soltasse o machado, que caiu na grama. Asha cambaleou para trás.

Ela tentou sacar as matadoras, mas o rabo de Kozu voltou. A criatura o enrolou em seu peito, prendendo os braços dela e tirando seu ar. Asha arfou, tentando respirar, enquanto era levantada do chão e puxada para mais perto.

Ela sentiu a respiração quente de Kozu em seu rosto. Seus dentes pareceram centenas de estacas amareladas.

Não...

Como podia ter chegado tão perto apenas para falhar?

Os portões da morte surgiram em sua mente. Logo estaria diante deles. Trilharia o mesmo caminho que Willa havia trilhado tantos anos atrás...

De repente, uma história lampejou na mente de Asha, como uma chama na escuridão. Ela foi levada de volta à pradaria, ao dragão e aos soldats que os cercavam. Mas aquela história não era sua.

Com outro lampejo, Asha se deu conta de que era de Kozu.

Ela havia contado uma história para ele. E agora, como costumava acontecer, ele contaria uma para ela.

Antes de matá-la.

A história de Kozu

Ele esperava nas árvores, aguardando que a garota saísse. Estava escuro, mas ele a esperava. Ansioso pela voz que reverberava com poder antigo. Querendo que ela contasse suas histórias.

O sol se levantou, mas ainda assim ela não veio. Ele sacudiu o rabo. A vontade de voar fazia suas asas doerem. Sua fome precisava ser saciada.

Ele queria as histórias mais do que suas asas queriam ar, mais do que sua barriga queria carne, então ficava ali. Ela viria. Sempre vinha.

Quando ele ouviu sua voz, foi no lugar errado.

Então se lançou no ar, deixando as árvores para trás. O calor do sol pulsava por ele. A força do vento o carregava para o alto. Ele a viu sozinha, longe da cidade miserável, longe dos olhos e dentes na muralha.

Ele não pensou no motivo. Por que ali, quando sempre havia sido no ponto mais alto da montanha? Por necessidade, Kozu foi.

Ela foi tudo o que ele viu. A garota virou o rosto para Kozu e a história de Elorma fluiu de sua boca. Ele deu a volta e aterrissou, levantando poeira vermelha. Quando terminou, Kozu começou a caminhar em sua direção, sentindo a necessidade de contar uma história, precisando que ela desse voz a todas as histórias que havia dentro dele para que o Antigo persistisse.

Concentrado em sua joia, ele não viu o reflexo do sol no metal. Não até que todos estivessem saindo das árvores com lâminas que podiam perfurar o coração de um dragão.

Ele olhou da garota para os homens que vinham das árvores como um enxame, cheirando a ferro e ódio. Os olhares o devoravam, ansiosos pelo seu couro.

Com a história terminada, ela avançou em sua direção. Era sua vez de falar.

Mas Kozu deu um passo para trás. Ela tinha trazido seu povo, com suas armas e seu medo. Ela o havia enganado, feito com que voasse até aquele local desprotegido. Sem onde se esconder.

Fogo borbulhava em suas veias. Trovão retumbava em seu sangue.

Seu rabo chicoteou enquanto o círculo de metal se fechava em torno dele. Kozu rugiu, em um aviso para que mantivessem distância.

Eles não obedeceram. Seguiam as ordens de um único homem: o rei-dragão. Aquele que Kozu destruiria.

O fogo em seu peito aumentou, fulgurante e quente.

O círculo apertou. Seus dentes afiados saltavam vorazes.

O rei chamava pela joia de Kozu. Assustada, ela chorava para que o dragão parasse. Mas o fogo dentro dele era grande e brilhante demais.

Os homens avançaram, com armas em punho, prontos para perfurar o coração de Kozu. Um coração que batia rápido e alto demais.

Ele investiu. Seu rabo e suas garras investindo sobre metal. Algo afiado e pontudo desceu rasgando pelo seu rosto. Dor ardente explodiu em seu olho, seguida de escuridão.

Kozu gritou enquanto o sangue quente escorria.

O fogo nele correu pelos homens protegidos por armaduras, cujas lâminas dilaceravam seu rosto. Correu por quem estava mais atrás, impedindo sua subida.

Correu em direção à sua joia escura.

Kozu não podia pará-lo. Só podia olhar.

Ele viu o rei levantar seu escudo. Viu quando ele se afastou de sua filha, deixando que enfrentasse o fogo sozinha.

Seu grito rasgou o céu.

Aquele grito.

Ele o perseguiu quando Kozu saltou. Ficou dentro dele enquanto cuspia sua fúria sobre a cidade. Kozu voou rápido, forte e para longe das construções queimando. Para fora da Fenda, para além do deserto sem fim, para o outro lado do mundo, parcialmente cego, desejando a garota com a voz antiga.

A garota que o havia traído.

Trinta e um

— Mentiroso!

Kozu a soltou. No momento em que caiu no chão, Asha sacou as matadoras.

Mentiras. Todas as histórias não eram aquilo? Não era isso que as tornava tão perigosas?

De repente, Asha ouviu uma voz familiar em sua mente.

Queimaduras de dragão são fatais, e uma como aquela...

Asha tentou se desvencilhar da voz de Torwin. Mas parecia morar dentro dela.

Você era apenas uma garotinha.

Se a história em que ela acreditava fosse verdadeira e Kozu a tivesse queimado quando estava sozinha, como havia sobrevivido por tanto tempo às toxinas?

Asha lembrou da queimadura que Torwin tinha cuidado. De como suas mãos tremiam. De como o veneno fazia efeito rápido...

Kozu ficou imóvel como uma pedra, contemplando a garota. O brilho em sua barriga abrandou.

— O que está esperando? — Jarek gritou. — Ataque!

Asha o encarou. Fora ele quem a havia encontrado naquele dia e a levado até a cidade.

Não fiz tudo o que me pediu, majestade?

Jarek sacou o sabre, que reluziu contra o céu furioso. A um gesto seu, os soldats inundaram o campo como baratas.

Não defendi suas muralhas? Controlei as revoltas? Guardei seus segredos?

Atrás de Asha, Kozu levantou. Mantinha as grandes asas bem abertas enquanto inspecionava os homens de armadura em torno deles. Asha poderia virar e cravar as lâminas sagradas no peito da criatura. Seria fácil. Tudo terminaria ali.

Em vez disso, ela fixou o olhar em Jarek, como um caçador diante da presa.

— Quanto tempo você levou pra me encontrar no dia em que Kozu me queimou?

Jarek virou para encará-la. E lá estava de novo: o medo em seus olhos.

A história de Kozu ardia dentro de Asha, misturada às suas próprias memórias do fogo que derretera sua pele e dos gritos presos em sua garganta.

— Quanto tempo? — ela exigiu saber.

Asha notou que o comandante enterrara seu medo da mesma forma que ela enterrara sua vergonha. Ele olhou para o dragão atrás dela, então mudou de ideia quanto ao sabre. Chamou um soldat, que lhe jogou uma lança.

—Você é mesmo tão idiota quanto seu irmão — Jarek disse, segurando a arma com força enquanto adentrava mais na grama alta e ruidosa. — O inimigo está atrás de você. Tudo o que sempre quis está na ponta da sua lâmina, e mesmo assim você hesita.

Um soldat o acompanhava, segurando um escudo de corpo inteiro.

Tudo o que sempre quis...

Ela queria se libertar de Jarek. Queria se redimir de seus crimes. Queria vingança contra aquele que a havia queimado e levado destruição a Firgaard.

Mas e se o crime não tivesse sido obra dela?

E se o inimigo não fosse quem tinha achado por tanto tempo?

Jarek se aproximou devagar. Atrás dela, Kozu grunhiu, mais alto daquela vez. O comandante parou a quinze passos de distância. O soldat que o acompanhava estremeceu.

Asha chegou mais perto do coração pulsante de Kozu. Kozu, que poderia tê-la matado se quisesse. Kozu, que não sairia voando mesmo enquanto soldats o cercavam.

Se Kozu realmente fosse seu inimigo, Asha não estaria viva.

— Fogo de dragão é mortal. — Aquela era a única coisa de que tinha certeza. — Até a menor das queimaduras causada por ele precisa ser tratada de imediato.

— Fui eu quem descobri sua traição. — Jarek desviou o olhar para os soldats que se aproximavam, verificando suas posições enquanto falava para mantê-la distraída. — Oito anos atrás, eu te segui. Eu te vi contando histórias antigas. Vi o primeiro dragão ir até você.

Asha abaixou as matadoras.

— Você me seguiu?

— Contei ao seu pai, e ele deu um jeito de fazer com que aquilo acabasse.

Asha sentiu-se tonta.

Ela lembrou da enfermaria anos antes. Quando não tinha lembrança alguma do que acontecera, seu pai preenchera as lacunas. Fora ele quem dissera que era tudo culpa dela. Quem dissera que juntos consertariam as coisas. Seu pai tinha usado a cicatriz de Asha para mostrar ao mundo quão perigosas eram as tradições antigas.

Enquanto os outros desviavam o rosto com nojo ou medo de sua cicatriz, seu pai a encarava com orgulho. Como se fosse sua maior realização. Sua grande criação.

Sua criação...

Asha queria calar os pensamentos, e se impedir de segui-los até a conclusão mais lógica. Mas eram como um pergaminho se desenrolando. Precisava ir até o fim.

O rei-dragão sempre quisera se livrar das tradições antigas. Ele tinha usado Asha para caçar Kozu. E, quando ela fora queimada, fez da própria filha um instrumento, um alerta, um exemplo. Uma propaganda.

Um monstro.

Asha não podia acreditar. Queria que a história de Kozu não passasse de uma mentira cruel. Mas havia a queimadura, e lá estava ela, ainda viva.

Seu pai tinha estado lá com seus soldats e — só então Asha se dava conta — seus curandeiros.

Ela olhou para o noivo. Aquele era o segredo que ele tinha guardado para o rei. Tantos anos atrás, seu pai havia saído da frente e deixado que ela se queimasse. Jarek sabia daquilo. Era o motivo pelo qual Asha tinha sido prometida a ele. Ela foi a moeda de troca por sua cumplicidade.

Por toda a sua vida, Asha pensara em si mesma como cruel e corrompida, e tinha feito de tudo atrás da própria redenção.

Um pensamento chocante lhe ocorreu então. *E se não for verdade?*

Um grunhido baixo sacudiu a terra aos seus pés. Asha virou e viu soldats avançando pelas costas de Kozu.

— Mate essa criatura agora! — Jarek gritou, olhando por cima dos ombros de Asha. — Depressa! Antes que fuja!

Asha levantou as matadoras, mas Kozu enroscou o rabo nela, impedindo que avançasse, puxando-a para as escamas ardentes de seu peito.

Ela sentiu os pulmões da criatura se enchendo de ar. Sentiu seu coração antigo batendo.

Jarek se agachou atrás do escudo de um soldat.

Kozu baforou, soltando um fluxo de labaredas em arco. Vermelho e laranja preencheram seu campo de visão, engolindo os soldats que avançavam. O ar tremeluzia de tanto calor.

Quando o jato de fogo parou, o campo inteiro estava em chamas. E estava longe de ser a única coisa coberta de chamas.

À distância, além das árvores, além da Fenda e da muralha, telhados queimavam.

— Firgaard! — Asha gritou, apontando.

Jarek, que escapara ileso graças ao escudo, virou para olhar.

— A cidade está sob ataque!

Asha cerrou os punhos enquanto a fumaça preenchia o céu. Dax e Safire estavam lá.

Quando a escuridão cai, irmãzinha, o Antigo acende uma chama.

Tinha sido a última coisa que seu irmão lhe dissera.

As mãos de Asha se abriram quando ela lembrou do olhar dele enquanto o arrastavam para o calabouço. Como se fosse tudo parte do plano.

Não, ela pensou. *Dax não destruiria seu próprio lar.*

— É uma revolta! — um dos soldats gritou. — Precisamos voltar!

Todo skral na cidade já devia ter ficado sabendo do que acontecera na arena. O fato de Asha, a iskari, ter salvado um escravo devia ter lhes dado coragem. Com metade do exército a caminho de Darmoor e o comandante no encalço de um dragão...

Era a oportunidade perfeita.

Os soldats hesitaram, divididos entre a cidade, onde estavam sua casa e sua família, em chamas e a lealdade a seu comandante. Asha virou para Kozu.

Ela pensou na arena e na flecha apontada para seu peito. Pensou no que Torwin diria se estivesse ali.

O mesmo que seu coração lhe dizia.

Monte, Asha.

Kozu olhou para ela. Se o fizesse, significaria que eram aliados. Aquilo a fez hesitar, porque o dragão era seu inimigo mais antigo.

Não. Ela se concentrou em seus olhos amarelos. *Você e eu nunca fomos inimigos.*

Asha esticou a mão para sua asa da mesma forma que Torwin tinha feito com Sombra no outro dia. Então pisou na dobra do joelho do primeiro dragão e ergueu o próprio corpo para subir nas costas dele.

Daquela altura, se sentia invencível. Clarões surgiam como relâmpagos acima dela. O campo em chamas se estendia à sua frente. Em meio ao caos, Jarek levantou a cabeça para encará-la, com os olhos arregalados de medo.

— Voe — ela disse para Kozu. — Voe para bem longe daqui.

Jarek ordenou que a impedissem, que matassem o dragão. Kozu esticou as asas como a noite se esticava sobre o deserto, mas a seu salto se seguiu o som do forte impacto. Kozu rugiu e caiu de lado.

Asha escorregou, mas conseguiu se segurar. Então olhou para baixo e viu a lança de Jarek fincada no flanco do dragão.

Não...

Ao som retumbante dos trovões, Asha segurou a madeira lisa do cabo da lança. Quando puxou, a dor fez o dragão balançar. Kozu cambaleou quando a lança saiu, perdendo o equilíbrio. O impacto da queda que se seguiu fez o dragão rolar, arremessando Asha de suas costas.

Ela ouviu um estampido forte e sentiu o cheiro da grama alta. Então veio a dor.

O mundo ficou negro como tinta.

Trinta e dois

Asha despertou em uma cela, nos subterrâneos do palácio do pai.

Não sabia quanto tempo havia se passado. Não sabia quanto da cidade tinha queimado na revolta.

Não sabia se Kozu estava vivo ou morto.

Ele não pode estar morto, pensou, *ou as histórias também estariam.*

Seus pulsos estavam acorrentados. A comida vinha apenas de vez em quando. Asha extraía todas as informações que podia das conversas sussurradas dos guardas.

A revolta tinha começado no alojamento, assim como o fogo, que se alastrara por um quarto da cidade. Centenas de escravos tinham fugido e centenas de draksors estavam desaparecidos — incluindo Dax e Safire. Corria o boato de que ambos haviam conduzido skrals e draksors pelas ruas, assumindo o controle do portão e possibilitando a fuga.

Dias se passaram antes que suas algemas fossem removidas e soldats marchassem com Asha até o palácio. Àquela altura, a lua nova já tinha chegado e ido embora. Três escravas esperavam no quarto dela, com os tornozelos acorrentados. Os soldats ficaram na porta enquanto as escravas lavavam o corpo sujo e empoeirado de Asha. Ela encarou o espelho, se perguntando como um dia pôde ter orgulho da cicatriz que marcava sua pele.

A escrava mais velha entrou na sua frente, bloqueando a visão de seu reflexo para oferecer a primeira camada do seu vestido de noiva. Asha não a pegou.

— Se você recusar, seremos punidas — a mulher sussurrou, sem encará-la.

Asha deu um passo à frente e enfiou os braços pelas mangas apertadas da peça dourada, que tivera que ser costurada de novo desde a última prova, quando a haviam cortado para tirá-la de seu corpo. Então veio a peça branca, que ela vestiu em silêncio.

Metade da noite passou enquanto as escravas fechavam a infinidade de minúsculos botões nas costas. Quando terminaram o trabalho árduo, elas amarraram com força a faixa do vestido. Por último, passaram kohl em seus olhos e mel em seus lábios.

Pouco antes da meia-noite, soldats a conduziram para fora do palácio. Asha observou o público que se amontoava na rua, com o rosto iluminado por velas. Parecia haver tantas chamas à sua frente quanto grãos de areia no deserto.

Ali estavam as pessoas que a odiavam e a temiam. O que diriam se descobrissem a verdade — que ela não era a pessoa responsável pelas casas queimadas, por seus entes queridos que haviam morrido? O que fariam?

Os soldats a escoltaram escada abaixo, até a liteira de treliças de tuia perfumada. Sobre as almofadas de seda, Asha se segurou nos buracos da estrutura de madeira inclinada, recuperando o equilíbrio quando soldats apoiaram as quatro extremidades nos ombros.

Passos ecoaram pelas ruas. O vento corria pelos telhados. Asha observava o mar de rostos pelas treliças enquanto passavam.

Ela pensou em Elorma esperando no templo — como Jarek esperava agora — enquanto abriam caminho nas ruas para sua noiva. Willa talvez tivesse morrido jovem demais, mas pelo menos havia encontrado seu lugar. Tinha sido amada e apreciada.

Se Asha morresse aquela noite, como sua história seria contada?

As ruas em torno do templo estavam entupidas de draksors segurando velas. Soldats se mantinham alinhados nas escadarias do templo. As portas da arcada principal estavam escancaradas, mantendo o símbolo do Antigo fora de seu campo de visão.

Os soldats abriram caminho pela multidão, então desceram a liteira. Só havia silêncio quando Asha saiu. Ela sentiu as pedras talhadas e frias sob os pés descalços. O ar da noite era ainda mais gelado.

Asha foi levada para o templo, passando pelo corredor iluminado por velas em nichos, com soldats enfileirados colados à parede. Ao se aproximar da câmara central, Asha parou.

Fazia anos que não colocava os pés ali.

O chão da câmara era coberto de mármore das montanhas da Fenda esculpido. Colunas pareciam subir eternamente, para manter o domo no lugar. Não fazia tanto tempo que draksors ajoelhavam naquela mesma câmara, entoando preces ou exultações, com o rosto virado para o altar baixo onde a cera de centenas de tocos de vela escorria para o chão. Asha lembrava das vozes. Lembrava de quando tinha se juntado a elas.

Nenhuma vela queimava agora. Nenhuma voz sussurrava.

Havia enormes estandartes vermelhos pendurados nas paredes, todos portando o emblema de seu pai: o dragão com o peito atravessado por uma espada. Asha sabia que atrás deles havia vitrais coloridos deslumbrantes retratando cenas das histórias antigas: o primeiro dragão nascendo das brasas; a chama sagrada ardendo forte, de modo que Elorma pudesse encontrá-la; a construção de Firgaard e do templo.

A janela central também estava oculta pelos estandartes do rei. Era tão grande quanto um dragão e de fato retratava um, preto e com o coração em chamas.

No meio da câmara, um círculo de tochas queimava. Dentro dele estavam Jarek, o rei-dragão e uma guardiã do templo, todos vestindo túnicas. Outras seis guardiãs, que serviriam de testemunha à união, formavam mais um círculo, posicionadas em cada coluna do lado de fora.

Com o traje cerimonial branco com bordados dourados, Jarek combinava com a noiva. A luz das tochas refletia em suas olheiras; a despeito das linhas de expressão em torno da boca, que acusavam cansaço, o desejo fulgurava em seu rosto enquanto passava os olhos por Asha.

O rei-dragão estava de pé um pouco adiante, resplandecente em sua túnica dourada. Ao vê-lo, toda a dor enterrada dentro de Asha veio à tona.

— Por quê? — ela exigiu saber. — Primeiro, você me transformou em uma assassina. Agora vai me entregar a alguém que odeio. Alguém que você teme. Por quê?

Jarek olhou para o rei, confuso.

— Alguém que você teme? — ele repetiu, virando para a noiva.

— Ele sabe o que você está planejando — Asha disse.

Jarek fechou a cara para ela, parecendo ainda mais confuso.

— E o que estou planejando?

O rei-dragão entrou na luz das tochas.

— Tomar meu exército e se rebelar contra mim.

Jarek sacudiu a cabeça.

— Como eu poderia me voltar contra o homem a quem devo tudo?

O quê?

A voz de Asha tremia quando ela disse:

— Seus pais estão mortos por causa dele!

Os dedos de Jarek se fecharam com força em torno do braço da noiva. Ela nem tentou se soltar. Para onde iria? Havia soldats à espreita por todos os lados. E, além deles, uma cidade inteira que a odiava.

— Minha mãe amava meu pai mais do que jamais me amou — Jarek explicou. — E meu pai amava seu exército mais do que nós dois juntos. Eu era só um detalhe, no máximo. — Jarek levou a mão de Asha até sua boca e a beijou. Ela estremeceu. — A morte deles foi um acidente terrível? Sim. Mas olhe para mim, Asha. Não estaria onde estou hoje se não tivesse acontecido. A morte deles me levou à glória.

Asha o encarou.

Seria possível que tudo o que achava que sabia era mentira?

Se Jarek não era uma ameaça, por que o pai dela...

— Você nunca teve a intenção de cancelar esta união — Asha disse no instante em que se deu conta. Ela mal conseguia acreditar. Era tão perverso. Tão cruel. Precisava que o pai dissesse que não era nada daquilo. — Só me disse isso para que eu matasse Kozu.

E, então, destruísse as histórias de uma vez por todas. Apagando assim todos os rastros do Antigo. E qualquer resistência a seu reino.

— Olhe para você, Asha. Olhe para seu irmão. O que posso fazer com um filho tolo e uma filha desgraçada? Como um de vocês poderia governar este reino? — O rei balançou a cabeça diante da decepção. Asha tinha tentado conquistar a aprovação daquele homem por tanto tempo que, mesmo com tudo o que descobrira, aquele olhar ainda a envergonhava. — Jarek é o herdeiro que eu sempre quis. E é o herdeiro que terei.

O rei gesticulou para que a guardiã do templo começasse. A jovem tremeu diante da proximidade da iskari, aquela que trazia a morte consigo. O que seu pai a havia tornado.

— Amanhã de manhã, uma vez que sua união esteja consumada, revogarei o direito de nascença de Dax. Como inimigo de Firgaard, terá que abdicar de qualquer pretensão ao trono. Jarek será meu sucessor.

Nos olhos do pai, Asha viu apenas um ódio frio e cortante.

— Guardiãs! — A voz da jovem guardiã se elevou, ainda que incerta. — Nos reunimos esta noite para servir de testemunhas. Para unir este casal pela vida toda. E o que é unido aqui jamais pode ser separado.

Asha olhou para as outras guardiãs atrás dela. O capuz de cada túnica havia sido baixado. Ela olhou rapidamente uma a uma, até deparar com Maya, que havia escondido Torwin na sala com os pergaminhos algum tempo antes.

As duas se encararam.

— Pelo poder concedido a mim pelo próprio rei-dragão...

Aquelas não eram as palavras corretas. O poder de unir um casal era do Antigo, e não do rei.

Talvez seu pai não precisasse da morte de Kozu para inaugurar uma nova era. Talvez pudesse simplesmente decretá-la.

— ... eu costuro suas vidas juntas! Só a morte pode rasgar esse tecido e separar vocês dois!

Antes, os noivos refutavam aquela última parte recitando votos retirados da história de Willa, que tinha provado que a morte *não podia* romper o laço entre duas pessoas que se amavam. O amor era mais forte.

— Apenas a própria morte pode rasgar esse tecido — Jarek repetiu.

Aquilo estava errado. Estavam distorcendo as palavras de Willa.

Asha encarou a guardiã, desejando que protestasse. Mas ela ficou parada ali, esperando que Asha repetisse suas palavras.

Jarek a puxou para perto, apertando seu braço com força.

— O que acha que acontecerá se não fizer os votos?

Meu pai vai me entregar a você do mesmo jeito. Era a pior punição que ela conseguia imaginar.

— Diga.

Asha nunca diria aquilo. Não para Jarek. Distorcer as palavras de Willa era um sacrilégio. Era perverter o amor feroz e inabalável dela.

Asha olhou para as guardiãs além do círculo de chamas. Seis pares de olhos a observavam. Como se ela não fosse nada além de uma escrava a ser vendida.

Ela pensou nas pessoas que estavam reunidas lá fora. Pensou em como, antes de sua mãe morrer, tinha conseguido ouvir as preces do mercado.

Asha não tinha preces. Ela tinha algo diferente.

— Era uma vez um rei, que apodrecia por dentro. — Ela ergueu a voz com uma força imensa, imaginando que atravessava os vitrais escondidos atrás dos estandartes. Imaginando alcançar o céu. — Ele enganou sua própria filha para que traísse o primeiro dragão. Virou Kozu contra ela e deixou que queimasse, apenas para que se tornasse uma marionete em suas mãos. Para que pudesse corrompê-la e transformá-la em uma ferramenta para seus propósitos perversos.

Além do círculo de chamas, as guardiãs trocaram olhares assustados.

— O rei-dragão convenceu a própria filha de que era tudo culpa dela, de que sua filha tinha queimado porque era podre. Despejou sua falsa bondade sobre ela, para que se sentisse em dívida com ele. Para usá-la para inaugurar uma nova era, sem cisões.

— Silêncio! — seu pai ordenou.

Jarek apertou ainda mais, esmagando seus ossos.

Asha não parou.

— Ela acreditou em suas mentiras. Caçou os monstros porque ele o pedia, sem nunca se dar conta de que o mais cruel de todos os monstros estava bem ao lado dela.

Asha achou ter ouvido os murmúrios do lado de fora se transformarem em gritos. Achou ter ouvido o estrondo de lamparinas arremessadas em pedras.

— Una os dois — ordenou o rei-dragão.

— Mas, meu rei, ela não disse...

— UNA OS DOIS!

A guardiã deu um passo à frente. Com as mãos trêmulas, pegou a seda branca. Enquanto Jarek entrelaçava os dedos de Asha com os seus, e amarrou o tecido em torno dos pulsos de ambos.

— Seu pior medo se concretizou, pai. — Asha encarou o rei-dragão. — Fui corrompida. Sua iskari agora pertence ao Antigo. Você não tem mais nada pra usar contra ela, não pode mais forçá-la a fazer o que deseja.

A guardiã disse as palavras de união, então Jarek arrancou a seda, que caiu nas pedras aos seus pés. Ele pegou Asha e a tirou do círculo de tochas.

Som de vidro estilhaçado veio de cima.

Uma chuva de fragmentos coloridos começou.

Jarek a soltou. Asha pôs os braços sobre a cabeça, se protegendo dos estilhaços. Então levantou o rosto, e deparou com o estandarte rasgado de seu pai caindo.

Um vento feroz rugiu ao entrar pela janela quebrada — ou talvez fosse o dragão.

Com as asas abertas, Sombra descia em espiral. Asha podia ouvir os gritos na rua, as pessoas se empurrando, correndo para se proteger.

O dragão vermelho aterrissou desengonçado no chão de pedra, diante de Asha. As guardiãs arfaram em surpresa. Duas delas se ajoelharam.

Os olhos claros de Sombra passaram por ela à procura de ferimentos enquanto se endireitava. Então se estreitaram ao mirar o comandante e o rei. O dragão urrou, fazendo o templo chacoalhar. Como se o próprio Antigo tivesse despertado de um sono longo demais, furioso, pronto para retomar o que lhe pertencia.

Torwin estava montado no dragão, com o arco pendurado no ombro e uma faca na bota. Seus olhos férreos encontraram os de Asha. Ele vestia luvas e um estranho casaco justo. Um lenço verde-escuro cobria seu nariz e sua boca.

Você deveria ter ido para longe, ela pensou. *Deveria ter se mantido em segurança.*

E ainda assim se encheu de esperança ao vê-lo.

Sombra sibilou. Jarek deu um passo para trás, se afastando de Asha com as mãos levantadas.

O rei gritou pelos soldats, mas as portas da câmara estavam bem trancadas. Maya e algumas guardiãs as guardavam.

Torwin ofereceu uma mão para Asha, enquanto Sombra mantinha o olhar fixo em Jarek. Ela levantou e a aceitou, deixando que ele a puxasse para cima. Asha levantou a bainha do vestido para montar nas costas do dragão. O braço de Torwin deslizou por sua cintura, trazendo seu corpo para mais perto. Ele soltou um estalo para Sombra, que sibilou em aviso e abriu bem as asas.

— Está pronta?

Seu coração palpitou com o som da voz de Torwin em seu ouvido, ligeiramente abafada pelo tecido do lenço. Ele cheirava a fogo e fumaça.

— Mais pronta do que nunca — ela disse.

Os olhos de Torwin brilhavam. Asha sabia que debaixo do lenço se abria o sorriso amplo que tanto amava.

— Segure firme.

Ele firmou o braço enquanto Sombra começava a bater as asas, passando o peso de um pé para o outro.

O estômago de Asha revirou quando eles levantaram voo.

No caminho até a janela, Sombra derrubou uma tocha, fazendo o estandarte amassado do rei pegar fogo. Asha virou para as chamas, para além de Jarek, para o pai. A fumaça espiralava em seu entorno.

Seus olhos furiosos estavam focados nela. Mas sob a superfície, Asha pensou identificar a semente de um grande medo.

Tenha medo, pai. Farei com que se arrependa de tudo o que me fez.

Sombra disparou pela janela quebrada, voando através da noite.

Asha riu, primeiro suavemente, então sem controle.

Tinha acabado de escapar do próprio casamento nas costas de um dragão.

Eles voaram sobre os telhados, depois sobre a muralha. Asha virou para trás para observar a cidade ficando cada vez menor, ficando maravilhada com o quanto as ruas e telhados pareciam diferentes daquela altura. Como uma teia sinuosa. Sombra prosseguiu em direção à Fenda.

Quanto mais alto voavam, mais frio ficava, e em pouco tempo os dentes de Asha começaram a bater. Torwin a puxou para mais perto, tentando usar seu calor para afastar o gelo.

Ela se aninhou nele. Com a metade de baixo do rosto pressionada no ombro de Torwin, Asha observou sua casa diminuir de tamanho antes de voltar seus olhos para o céu.

As estrelas reluziam como cristais; a lua já estava crescente, e não minguante.

Logo estaria pálida, prateada e nova.

Trinta e três

Asha despertou com a bochecha encostada em um ombro ossudo. Torwin se soltou dela e Sombra se remexeu, esperando que os dois desmontassem.

Tinham aterrissado em algum tipo de precipício. A Fenda os cercava, como a silhueta de uma serpente sob as estrelas. Em algum lugar lá longe estava a cidade, mas eles se encontravam tão alto e distante que Asha nem enxergava a muralha. Abaixo deles se espalhava uma floresta densa, repleta de arbustos.

Torwin desmontou primeiro, deslizando pelo flanco de Sombra com habilidade. Asha jogou a perna para o outro lado a fim de segui-lo, então descobriu que ele esperava para ajudá-la. Torwin segurou sua cintura para guiá-la.

Quando suas sandálias tocaram o chão pedregoso e Asha levantou a cabeça, notou o olhar preocupado de Torwin estudando sua cicatriz. Lembrando de seu reflexo no espelho, Asha virou o rosto para esconder a marca.

— Estou bem.

As mãos de Torwin deslizaram por suas bochechas. Gentilmente, ele a virou para si.

— Está mesmo?

Asha suspirou e fez que sim.

Com as mãos ainda no rosto dela, Torwin continuou a estudá-la.

Asha segurou seus punhos, interrompendo o olhar questionador.

— Ninguém me machucou — ela disse, querendo que Torwin escutasse o que não estava dizendo: que Jarek não havia feito nada de grave. — Juro.

Torwin hesitou por um instante, tentando descobrir se era verdade ou uma tentativa de protegê-lo. Enfim, assentiu.

Sombra bufou. Os dois levantaram para olhar a enorme forma escura. Torwin soltou o rosto de Asha e assoviou para o dragão, esticando a mão. Sombra encostou nela contente, antes de virar e se lançar aos céus.

Torwin gesticulou em direção à floresta espessa.

— Por aqui.

Asha ficou parada por um momento, só observando. Ele parecia diferente ali, tão distante da cidade. Com luvas e casaco, um arco nas costas e uma faca na bota.

Parecia livre.

As árvores ficavam tão próximas que as copas bloqueavam a luz do sol. O vento fazia as folhas secas dos eucaliptos farfalharem. Asha não estava familiarizada com aquela parte da Fenda, e tinha dificuldade em acompanhar o ritmo. Ela cambaleava pela escuridão tropeçando em raízes e prendendo o vestido nos galhos. A cada passo, o som de folhas de pinheiro sendo esmagadas ecoava forte em seus ouvidos.

— Que grande caçadora você é. — Torwin sorriu na escuridão. Seus dedos roçaram nos de Asha, fazendo seu corpo aquecer por dentro. — Vai alertar o acampamento inteiro da nossa chegada.

— Acampamento? — ela sussurrou, distraída com os dedos dele passando nos seus, de maneira suave e hesitante. — Que acampamento?

— Não falta muito agora — Torwin disse.

Mas Asha não queria deixar a floresta. Queria continuar ali, no escuro com ele, só os dois.

Torwin parecia querer o mesmo, porque diminuiu o ritmo e entrelaçou seus dedos.

— Asha?

— Hum?

— Tem... algo que preciso te contar. — Ele acariciou sua pele com um dedão tenso. — Antes de descermos. Enquanto ainda tenho coragem.

Asha parou, de repente nervosa.

— Está bem.

Na escuridão, ela ouviu o som discreto dele engolindo em seco.

— Estou indo embora.

As palavras cortaram o ar, frias e abruptas.

— Indo embora? — Asha franziu a testa. — Como assim?

Torwin respirou fundo.

— Seu irmão conseguiu dinheiro para que eu pudesse comprar uma passagem de navio. Vou embarcar em Darmoor com destino ao norte.

Aquilo não deveria surpreendê-la. Sabia que era o que Torwin queria desde que tinha roubado as matadoras naquela noite no templo e a obrigado a revelar como sair da cidade.

Ele queria escapar. Ir para longe, bem longe de toda a dor.

Asha não o culpava.

Ainda assim, hesitou. A ideia de Torwin ir embora...

Ele virou para encará-la no escuro. Ainda cheirava a almíscar e fumaça.

— Você poderia vir comigo. Se quiser.

Asha ficou pensando na última vez em que ele tinha feito aquele convite. Ela havia recusado, e tinha sido um erro enorme.

— Imagine só. Liberdade, aventura, o ar salgado no rosto... — Ela podia sentir seu sorriso animado. — Nunca vi o mar.

Ele se inclinou para perto, pressionando a testa contra a dela.

Asha tentou sorrir e se animar também. Mas sentia o coração pesado.

— Quando? — perguntou, apesar de temer a resposta. — Quando vai partir?

Antes que ele pudesse responder, contudo, a luz de uma lamparina os iluminou.

Asha não pensou, só reagiu. Pegou a faca na bota dele e o empurrou, se colocando entre Torwin e a ameaça.

Mas tudo o que conseguia enxergar era uma luz entre as árvores.

— Está tudo bem. — Ela sentiu o calor de Torwin às suas costas quando ele se aproximou novamente. — É só a patrulha.

— Na verdade — disse uma voz carregada de sotaque —, sou só eu.

— Jas? — Torwin perguntou.

Asha apertou os olhos diante do brilho forte e alaranjado, então abaixou a faca. O desconhecido abaixou a lamparina, de modo que seu corpo se tornou visível.

Era um jovem, talvez um ano mais novo que Asha. Cabos de chifre de duas enormes facas reluziam em sua cintura, e ele tinha um xale bordô amarrado frouxamente em torno dos ombros.

Tudo nele indicava que era um nativo.

Inimigo.

Ela voltou a levantar a faca. O sorriso do garoto desapareceu.

— Esse é Jas — disse Torwin, saindo de trás de Asha e pegando sua mão, para em seguida retirar delicadamente a faca dela. — Irmão de Roa. É nosso amigo.

Roa. A garota que traíra Dax.

— O que ele está fazendo aqui? — Asha perguntou.

Jas sorriu nervoso, procurando a ajuda de Torwin.

— Ajudando — Torwin disse, colocando a faca de volta na bota, do lado oposto a Asha. — Jas, esta é Asha.

Jas arregalou os olhos com a menção ao nome, então olhou rapidamente para sua cicatriz.

— A iskari — ele sussurrou. Pelo visto, a reputação de Asha tinha chegado antes dela. — Eu ouvi... muitas coisas a seu respeito. — Jas levou o punho ao peito, e então, como se falar com Asha logo faria com que ela tentasse pegar a faca novamente, ele virou para Torwin. — Você não viu minha irmã, viu?

Ele balançou a cabeça.

— Acabamos de chegar.

Jas mordeu os lábios.

— Ela sumiu depois de uma discussão com Dax.

Asha franziu a testa, confusa.

Dax estava ali? E com *Roa*?

Ela olhou para Torwin.

— O que está acontecendo?

— Tem... muita coisa que você não sabe — ele disse. — Venha. Vou mostrar. — Ele olhou para Jas. — Você vem?

O garoto sacudiu a cabeça.

— Preciso encontrar minha irmã. — Então, olhando para a iskari, ele disse: — Foi um prazer conhecer você.

Asha assentiu, então seguiu Torwin por entre as árvores.

Quando a mata ficou mais esparsa, vozes se misturaram ao som do vento movimentando as folhas. Então as árvores desapareceram, e Asha se viu em uma colina coberta de folhas de pinheiro, com um grande acampamento mais à frente. Havia dezenas de fogueiras, em volta das quais as pessoas estavam reunidas, bebendo. Tendas de lona de todos os tamanhos haviam sido armadas por perto.

— Bem-vinda ao Novo Refúgio — disse Torwin, gesticulando para o vale. — O nome foi ideia do seu irmão. É aqui que ele está montando seu exército.

Meu irmão está planejando uma guerra, Asha pensou, com o coração acelerado.

Ele seria capaz de tal coisa?

Duas silhuetas se aproximaram, e Asha logo viu que eram draksors, estudando sua imagem com o mesmo olhar de cautela com que ela os estudava. Eles assentiram para Torwin, que deu um passo para trás.

Ele ofereceu a mão, mas Asha — ciente demais dos olhos nela — preferiu descer pela colina, em direção às tendas e fogueiras.

Assim que ela colocou o pé no acampamento, centenas de pessoas ergueram a cabeça, olhando primeiro para a iskari, então para o escravo ao seu lado. Asha não pôde evitar encará-los também. Em torno de cada fogueira havia não apenas draksors e skrals, mas também nativos.

Inimigos... unidos.

Dax fez isso?

— Asha — Torwin disse, logo atrás. Os murmúrios começaram. Ela parou para olhar para trás. Torwin claramente queria que o seguisse.

Asha olhou para além dele, para os rostos iluminados pelas fogueiras. Draksors e skrals. Sentados lado a lado, compartilhando jarras de vinho. No entanto, as coleiras se mantinham nos pescoços dos escravos. E eles não encaravam diretamente os draksors. Todos os olhares se fixaram então em Torwin. O escravo que dissera o nome da iskari. Como se tivesse o direito.

Asha sentiu os pelos dos braços arrepiarem. Ela foi para o lado de Torwin, seus dedos procurando por um machado que não estava lá. Ele a conduziu até uma tenda vigiada por dois nativos, suas espadas de fio duplo parecendo foices em bainhas de couro. Ambos assentiram para Torwin, que entrou na tenda.

    Asha o seguiu.

Trinta e quatro

Um mapa estava aberto em cima de uma mesa rudimentar, sobre a qual Dax se inclinava. O dedo dele traçava uma fronteira que Asha não conseguia ver. Olhando para o mesmo lugar, de braços cruzados, estava Safire, cujos machucados no rosto já saravam. A tenda em que estavam parecia ter sido montada às pressas: a lona de corço era mantida de pé por colunas grosseiras compostas de grossos galhos.

O coração de Asha saltou diante daquela visão.

Torwin pigarreou, e Dax e Safire levantaram a cabeça e abriram a boca de leve.

Safire se moveu primeiro, levantando Asha em um abraço. Ninguém ia puni-la por encostar na prima agora, e ela aproveitou a liberdade para apertá-la até doer.

— Saf — Asha conseguiu dizer. — Sinto muito.

Safire se afastou, franzindo a testa.

— Pelo quê? Por isso? — Ela apontou para o rosto machucado e sorriu. — Você devia ter visto o que fiz com o rosto deles. — Safire soltou Asha e virou para Torwin. — Quando a lua vermelha terminou de sangrar e você não retornou...

— Eles a mantiveram no calabouço — Torwin explicou. — Eu não tinha como entrar. Precisei esperar.

Asha olhou de Safire para Torwin e para Dax. Os três haviam planejado juntos seu salvamento.

— Procuramos por você no dia da revolta — disse Dax, dando a volta na mesa. Suas mãos estavam firmes. Ele ainda estava magro como um caniço e parecia cansado, mas seus olhos estavam firmes e sinceros. — Não te encontramos em lugar nenhum. — Ele desviou o olhar. — Então deixamos você para trás. — Asha ouviu o que ele não disse: como monstros que somos. Dava para notar que ele sofria por ter abandonado sua irmã.

— Eu nunca poderia me perdoar se...

Asha balançou a cabeça.

— Estou aqui agora.

— Sim — disse Safire, estreitando os olhos. — O que significa que Jarek está atrás de você. — Ela olhou rapidamente para Dax. — Precisamos redobrar a patrulha.

Ele assentiu.

— Cuide disso.

Safire abraçou a prima mais uma vez antes de deixar a tenda. Asha olhou para o irmão. Embora sua túnica dourada estivesse amassada e suja de terra, ele parecia brilhar nela.

— Me explique tudo isso — ela disse, apontando para o mapa, a tenda e a porta que dava para o acampamento cheio de foras da lei.

— Vamos invadir Firgaard e derrubar o rei-dragão — disse Dax. — Mas precisamos de mais soldados e armas para ter uma chance. Então fiz um acordo com Roa: os nativos vão nos ajudar se eu a tornar minha rainha depois.

O coração de Asha pareceu despencar. Fora a casa a que Roa pertencia que havia aprisionado Dax anos antes.

— Mas...

— Foi ideia dela tomar Darmoor — ele explicou, prevendo a objeção da irmã. — Roa nos deu a distração de que precisávamos. Sabia que Jarek enviaria seu exército para lá, o que reduziria o número de soldats em Firgaard pela metade.

Aquele havia sido o motivo pelo qual a revolta fora tão bem-sucedida.

Asha ficou maravilhada. Roa parecia ser uma excelente estrategista.

— Mas *rainha*? Tem certeza de que pode confiar nela?

Sem encará-la, Dax suspirou e passou uma mão pelos cachos castanhos.

— Não tenho muita escolha. Sem as tropas dos nativos, o rei destruirá este reino pedaço por pedaço.

Pedaço por pedaço. Até encontrar Asha.

Ela olhou para Torwin, na abertura da tenda.

Até achar nós dois.

Imagine só, a voz de Torwin ecoou na sua mente. *Liberdade, aventura, o ar salgado no rosto...*

Era uma ilusão. Uma fantasia. Enquanto seu pai estivesse no trono, Torwin seria caçado. Não importava quão longe fosse.

O pensamento a atingiu como uma flecha.

Asha não podia fugir. Tinha que ficar e lutar.

— Em três dias deve chegar uma caravana trazendo armas — Dax prosseguiu. — Então realizaremos o casamento. E iremos à guerra.

— Quero ajudar — Asha disse.

Só ela sabia do que seu pai realmente era capaz. Que havia mentido para transformá-la em um instrumento de suas vontades. Que a havia entregado a Jarek como se não tivesse valor algum. Como se o que quisesse não importasse. Como se seu coração e sua alma fossem insignificantes.

Dax sorriu para ela.

— Eu estava torcendo para que dissesse isso.

— O quê? Não. — Torwin se aproximou, olhando com raiva para Dax. — Você disse que manteria Asha segura se eu a trouxesse.

— Essa luta é dela também.

Torwin virou para encará-la, com os olhos cheios de agonia.

— Você acabou de escapar. Não pode simplesmente marchar de volta...

— Quem você pensa que é para dizer o que posso ou não fazer? Você planejou uma revolta com meu irmão e não me contou nada.

A mandíbula de Torwin ficou tensa e suas mãos se cerraram em punhos.

— Planejei uma rebelião de escravos. Arquitetei a liberdade do meu povo. Não quero participar de uma disputa por poder. — Seus olhos passaram por Dax por um breve instante e sua voz ficou mais gentil. — Você está livre. E se der errado? E se cair nas mãos deles de novo?

Asha viu o medo em seus olhos. Torwin tinha arriscado muito para salvá-la. E ali estava ela, arriscando tudo ao marchar de volta à cidade com seu irmão.

A voz de Torwin saiu desgastada, e seus olhos imploravam.

— Você não precisa fazer isso.

Mas ela precisava. Queria ver seu pai de joelhos.

Ele precisa pagar pelo que fez comigo.

Asha virou para o irmão.

— É só dizer o que posso fazer.

— Então acho que isso é um adeus — Torwin disse atrás dela, com a voz suave.

Quando ela virou para ele, não encontrou ninguém lá.

Trinta e cinco

Asha seguiu Torwin pelo acampamento, subindo até a escuridão da floresta, onde o perdeu de vista. Seu coração pulsava forte enquanto pensava que deveria ter pego uma tocha. Precisava encontrá-lo.

Aquela *não* podia ser a despedida dos dois.

Asha seguiu a luz das estrelas até onde os cedros terminavam, dando lugar ao precipício onde Sombra tinha pousado. Ela observou o reino à sua frente. Os cumes serrilhados da Fenda se transformavam em deserto, e mais além eram só estrelas.

Asha ficou na beirada do precipício, tremendo de frio com o ar noturno, procurando no céu por um jovem montado em um dragão vermelho. Com a Fenda se estendendo à frente e o acampamento aninhado no vale atrás, ela fez a única coisa em que conseguia pensar: contou uma história antiga para os ventos, dedicada a um dragão mais escuro que a noite sem estrelas.

Ela ouviu as batidas de asas distantes. Viu sua silhueta passar na frente da lua. Asha envolveu o corpo com os braços para se manter aquecida enquanto esperava.

Quando Kozu finalmente aterrissou em uma espiral de poeira e folhas, abaixando suas asas, Asha divisou a ferida da lança cicatrizada em seu flanco, lembrando de como o dragão tinha caído e de como fora arremessada de suas costas.

Estava com medo de tentar de novo.

Kozu virou a cabeça para encará-la. Eles se fitaram, a iskari e o primeiro dragão. Asha deu um longo suspiro.

Devagar, seus dedos procuraram a protuberância do osso do ombro dele. Depois de se apoiar, ela se lançou em suas costas, subindo o vestido até as coxas. As escamas dele eram quentes e lisas. Asha sentiu seu cheiro, de fumaça e cinzas.

Se ela pensasse sobre o que estava prestes a fazer, talvez desistisse. Com a língua entre os dentes, Asha reproduziu o estalo que Torwin fazia para Sombra.

Kozu saltou do precipício.

Asha sentiu o estômago subir e o vento bater em seu rosto conforme os cumes rochosos pareciam ir em sua direção. Ela agarrou o pescoço do dragão e segurou com força até que o voo se estabilizasse.

Então alguma peça dentro dela se encaixou. Algo que sempre estivera destinado a acontecer.

Asha se endireitou, olhando por cima dos afloramentos rochosos, das pradarias pontilhadas de aloendro. Sentiu Kozu, uma criatura perigosa se movendo pelas correntes de ar, não apenas embaixo de si, mas em sua mente também. Como uma sombra escura. Uma presença antiga. Fixa, feroz, *sua*.

O vento batia nas pernas e no rosto expostos. Seu cabelo chicoteava, seus olhos ardiam. Quando seus dentes começaram a bater, ela pressionou o corpo contra o de Kozu para não congelar. Mas não voltaram ao precipício — Asha precisava encontrar Torwin primeiro.

Precisava persuadi-lo a ficar. A lutar com eles contra seu pai.

A garota procurava um ponto vermelho no céu enquanto Kozu voava. Tremendo, ela estudou as nuvens esfumaçadas que passavam sobre sua cabeça, bloqueando a luz das estrelas. Examinou os picos e cumes pelos quais passavam. Não havia nenhum sinal de outro dragão.

Quando os tremores ficaram mais violentos, Asha entendeu o motivo do casaco e das luvas de Torwin. Se não o encontrasse logo, teria que voltar — ou congelaria.

Então ela olhou para baixo e viu uma forma familiar voando. Asha estalou a língua para Kozu, sentindo um frio no estômago quando ele desceu. Pouco depois, os dragões voavam lado a lado.

Torwin olhou para Asha. Seu lenço cobria o nariz e a boca.

Não me force a me despedir de você, ela pensou.

Asha projetou a voz acima do vento.

— Para onde está indo?

Ele não respondeu.

Apertando os olhos para ver além dos picos rochosos, ela identificou a superfície espelhada de um lago, prateada sob a lua.

— Tem água lá embaixo.

Mais uma vez, ele manteve o silêncio.

—Vamos apostar uma corrida! — ela gritou.

Torwin não teve tempo de responder. Asha se inclinou para perto de Kozu, que sabia exatamente o que fazer, e juntos eles mergulharam no vento.

As sensações passavam aceleradas enquanto caíam: excitação, medo, euforia — tudo emaranhado em suas entranhas. Logo, contudo, um sentimento mais agudo as substituiu. Asha olhou de um lado a outro, procurando Torwin e Sombra. Eles não a tinham seguido. Estavam sozinhos.

Asha ficou frustrada. Ao perceber, Kozu nivelou o voo, então um dragão vermelho passou por eles em seu mergulho. Por um instante, Asha os observou: Torwin abaixado nas costas de Sombra, que retraía suas asas, caindo, caindo. Como se os dois tivessem feito aquilo milhares de vezes. Como se fosse sua brincadeira preferida.

Pouco depois, Asha estava caindo também.

Ela agarrou o pescoço de Kozu. O vento fazia seu cabelo chicotear. Quando se endireitaram, os dois dragões estavam cabeça a cabeça.

Torwin lançou um olhar rápido na direção deles, então estalou a língua. Sombra acelerou.

Quase um segundo depois, Kozu os alcançou.

Acima do lenço, os olhos de Torwin se estreitaram. Ele estalou mais uma vez, mas Sombra já estava dando tudo de si. Ele era menor e mais ágil, mas Kozu era mais forte e usava o próprio peso para se lançar à frente.

Torwin e Sombra ficaram para trás. Asha voltou sua atenção para o lago.

Ela achou que Kozu pousaria na margem, mas estava errada: o dragão estava indo direto para a água. Asha estalou a língua freneticamente, então tentou puxar seu pescoço, depois suas asas, desejando que desacelerasse. Que parasse antes...

A superfície do lago se abriu quando Kozu a atingiu. Asha prendeu a respiração pouco antes de ser engolida pela água.

Submersa, ela deslizou das costas de Kozu. Quando seus pés atingiram o fundo do lago, Asha deu impulso para cima, voltando à superfície. Ela arfou e gaguejou. Tentou espirrar água em Kozu para demonstrar desaprovação, mas o dragão estava no fundo, nadando para longe dela. A água estava mais quente que o ar, e Asha ficou parada um instante, com o vestido flutuando à sua volta e o rosto voltado para o céu estrelado.

Sombra aterrissou na margem.

Asha nadou em sua direção enquanto Torwin descia. As camadas de seu vestido dificultavam bater as pernas, e ela levou duas vezes mais tempo que o normal, perdendo ambas as sandálias no processo. Quando conseguiu tocar o chão, ela andou até onde Torwin estava. Seus pés nus escorregavam nas rochas do fundo.

—Você venceu — ele disse, esticando uma mão.

Asha fez uma careta enquanto ele agarrava suas mãos e a puxava para fora da água. O vestido molhado colado em seu corpo era um fardo pesado para carregar. Tremendo, ela pegou a bainha e a torceu.

— Aqui. — Torwin tirou seu casaco e colocou em cima dos ombros dela. — Tenho roupas secas na minha tenda, se quiser. — Ela queria. Torwin apontou na margem para uma forma angular agachada na areia. — Vou preparar uma fogueira enquanto você se troca.

Asha assentiu, tremendo, e se pôs a andar.

Na metade do caminho, ela parou, lembrando dos minúsculos botões nas costas da camada de baixo de seu vestido.

Não vou conseguir tirar sem ajuda.

Seu rosto ficou vermelho. Jarek tinha mandado fazer o vestido daquele jeito para que ela precisasse do marido para tirá-lo.

Asha puxou o casaco de Torwin com mais força em volta de si. Ela olhou para onde o skral estava ajoelhado diante da lenha crepitante, assoprando as chamas frágeis. A coleira de prata em seu pescoço refletia a luz.

Havia muito pouco tempo, Asha tinha certeza de que eles não compartilhavam nada em comum, ela e aquele garoto. Agora sabia que a única diferença entre os dois era que Torwin tinha correntes em torno do pescoço, enquanto as dela eram invisíveis. Asha achou por toda sua vida que o título de iskari era seu grande poder e que caçar dragões na Fenda era a maior liberdade que poderia ter. Mas a verdade era que tudo não passava de uma coleira em seu pescoço.

E, agora que estavam ambos livres, Torwin fugia do horror enquanto Asha marchava diretamente para ele.

Como posso pedir que ele fique?, ela pensou. *Essa guerra não é dele.*

Torwin já tinha sofrido o suficiente. Merecia ser livre.

Ela desviou o olhar. Não ousava pedir ajuda com o vestido. Não depois de tudo o que acontecera no acampamento. Mas a temperatura ia cair cada vez mais. Era perigoso não estar devidamente vestida na Fenda à noite.

Tremendo de frio, Asha começou a andar até o fogo, torcendo para que o calor das chamas fosse suficiente para secá-la. Senão...

Mas ela não queria pensar na segunda opção.

Trinta e seis

Asha agachou no tronco ao lado da pequena fogueira, tremendo em seu vestido ensopado. Além da luz, Sombra espreitava Kozu dormindo. Seu rabo bifurcado balançava. Ele se apoiou nas patas da frente, pronto para saltar. Kozu abriu um olho amarelo, viu que o outro dragão estava prestes a fazer e o fechou novamente.

— Por que está dormindo aqui fora? — Asha perguntou enquanto Torwin alimentava o fogo. — Tão longe do Novo Refúgio?

Um grunhido alto os assustou. Asha olhou para a escuridão e conseguiu identificar as escamas de Kozu, que imobilizava Sombra. O rabo do primeiro dragão estava na boca do outro, que balançava animado o próprio rabo.

Asha virou para Torwin com os dentes batendo. Ela esticou as mãos para o fogo, deixando o calor lamber a pele úmida.

— Não tem espaço no acampamento?

— Passei minha vida toda em habitações apertadas — disse Torwin, assoprando as chamas para que se espalhassem. — Prefiro o céu aberto.

Asha queria dizer que entendia. Dormir sob o céu era uma das melhores partes da caça. Mas seus dentes batiam tanto que só conseguiu se encolher e chegar mais perto do fogo.

Torwin jogou mais duas toras na fogueira. Só quando o fogo

pegou e ardeu ele sentou nos calcanhares e levantou o rosto. Suas mãos estavam sujas de cinzas.

Uma expressão séria surgiu em seu rosto.

— Você ainda está com o vestido da união.

Ela não o encarou, se limitando a um gesto com as mãos.

— Estou bem. — Seu corpo inteiro tremia. — De verdade.

— As roupas estão limpas. Talvez fiquem grandes, mas pelo menos não vão te matar congelada.

Quando ela não disse nada, ele levantou de forma abrupta.

— Está bem, faça o que quiser. Como sempre.

Asha olhou para Torwin, que lutava para arrancar o anel da mãe dela do dedo mindinho. Quando enfim conseguiu, ele o ofereceu a ela.

— Isso é seu.

Asha fitou o círculo branco de osso na palma da mão dele.

Dias antes, na Fenda, ele não quisera devolvê-lo. Muita coisa tinha mudado desde então. Agora, era ela quem não queria aceitá-lo. Como se significasse aceitar a devolução de todo o resto.

— Parto pela manhã — Torwin disse. — Nunca mais vamos nos ver. Pegue.

Diante daquelas palavras, Asha afastou as mãos do fogo e apoiou firmemente no tronco úmido em que estava sentada.

— Não posso. — Ela manteve o lado marcado do rosto escondido dele. — Tínhamos um acordo. Prometi levar você a Darmoor, e não fiz isso. O anel é seu.

— Isso não faz diferença — Torwin disse, dando um passo adiante e afastando o anel do corpo. — Era da sua mãe. Acho que ela gostaria que ficasse com você, e não com *um escravo*.

A raiva acendeu dentro dela. Como ele ousava dizer aquilo — e ainda por cima para ela, que tinha arriscado a vida para salvá-lo? E muito mais.

Ela levantou, encarando Torwin com os olhos estreitos.

— Já disse que não posso.

Ele colocou o anel nas palmas úmidas e frias dela. Quando tirou a mão, os dedos de Asha não se fecharam, e o anel caiu aos seus pés.

Por um tempo, os dois só ficaram olhando fixo para ele.

Torwin virou o rosto.

Fogo pulsou nas veias de Asha.

— Não ouse se afastar.

Ele seguiu em frente.

— Pegue de volta!

Então Torwin parou, quase fora do alcance da luz da fogueira. Sem virar, disse, suave:

— É uma ordem, *iskari*?

A garganta dela queimava.

— Torwin...

Ele virou, ainda sem encará-la. Como um bom skral, Torwin manteve os olhos na areia aos pés dela, onde o anel tinha caído.

— Olhe pra mim — Asha disse, com a voz tremendo.

Ele cerrou os punhos. Seus ombros ficaram mais tensos. Mas sua cabeça se manteve baixa.

A raiva ardeu dentro dela. Ele não podia fazer aquilo. Não na Fenda, onde as regras não se aplicavam. Não depois de tudo pelo que tinham passado.

Ela se moveu como o vento.

Antes que Asha pudesse empurrá-lo, Torwin levantou o rosto. Seus olhos angustiados encontraram o olhar furioso de Asha.

Então ele cambaleou para trás, com a força das palmas dela. Os dragões pararam de brincar para prestar atenção.

— Por que está fazendo isso? — Asha quis saber, aquecida pelo calor da própria fúria.

Torwin soltou o ar, hesitante.

— Achei que estava salvando você.

Asha parou. Seus punhos abriram.

— Mas tudo o que fiz foi te levar direto para o perigo.

Ela o encarou. Além dos ombros tensos dele, o lago brilhava. O reflexo prateado das estrelas ondulava na superfície negra.

— E o pior de tudo é que você nem se importa. Fica feliz em ser uma peça no jogo de outra pessoa. — Ele passou as mãos frustradas pelo seu cabelo. — É como se acreditasse neles quando olham pra você como se fosse apenas um instrumento. Como se só soubesse destruir coisas.

Asha franziu a testa. Água ainda escorria de seu cabelo molhado.

—Você não é assim, Asha. E não deveria ser vista assim.

O som suave do lago lambendo as margens os rodeava. Asha cruzou os braços. As palavras de Torwin tinham atingido algo vulnerável e exposto. Algo que precisava proteger a qualquer custo.

— Como deveriam olhar para mim? — ela sussurrou.

Torwin abaixou o olhar para a garganta dela e soltou um suspiro tremido.

— Como uma pessoa linda — ele disse. — E preciosa. E boa.

As palavras abriram uma rachadura dentro dela, arrancando o que quer que fosse de lá do seu peito. Ela odiou a facilidade com que Torwin tinha conseguido fazer aquilo, usando apenas palavras.

Então Asha lembrou da visão que sempre tinha ao olhar o espelho.

Ela sabia quem era.

— Passei a vinda inteira acreditando em mentiras.

Ele levantou o olhar para encará-la.

— Chega, por favor — ela sussurrou.

Torwin não hesitou e avançou em sua direção.

— Se eu tivesse passado a vida inteira acreditando em mentiras, não acho que seria capaz de saber o que é verdade, mesmo quando estivesse diante de mim.

Asha estreitou os olhos na direção dele. Encarou Torwin diretamente, forçando o garoto a vê-la por completo. Não virou a bochecha. Não escondeu a cicatriz. Ela o forçou a encarar sua própria mentira.

— Por que é tão difícil entender, Asha? Você é linda.

Ela abriu a boca para rejeitar a afirmação, mas ele continuou.

—Você é preciosa — ele disse, com tranquilidade. —Você...

— Pare! — Asha levantou o punho, e Torwin o segurou. Quando ela tentou se libertar, ele apertou a pegada, então ela lhe deu uma cotovelada na barriga.

Torwin perdeu o fôlego. Colocou as mãos nos joelhos, respirando com dificuldade.

Mas ele não ia desistir tão facilmente.

— Foi o que pensei no instante em que vi você — Torwin continuou ao se recuperar. — Na biblioteca, puxando pergaminhos. — Asha o empurrou de novo. Torwin cambaleou para trás. — Foi o que pensei depois que Kozu a queimou, quando teve que encarar uma cidade inteira. Foi o que pensei quando gritaram com você, viraram as costas, cuspiram aos seus pés... Você ficou lá, aguentou firme. Nunca, nem uma vez, outra coisa passou pela minha cabeça.

Lágrimas faziam seus olhos arderem. Seu pescoço pinicava.

—Você é um mentiroso.

Torwin agarrou o punho dela, trazendo seu corpo para perto. Asha tentou afastá-lo, mas os braços dele a prenderam com mais força. Ela usou os cotovelos e joelhos, mas Torwin enterrou o rosto no pescoço dela e suportou aquilo.

Quando a vontade de lutar passou, ela desabou. Seus dentes batiam, seu corpo tremia. Asha enlaçou seu pescoço, abraçando e se rendendo a seu calor.

— Você vai morrer congelada — Torwin sussurrou contra seu pescoço. — Por que não trocou de roupa?

Quando ela não respondeu, apenas o abraçando com mais força, Torwin se afastou, parecendo refletir em silêncio. Asha podia ouvir as engrenagens se movendo em sua cabeça enquanto observava o vestido.

Torwin era um escravo doméstico. Escravos domésticos sabiam aquele tipo de coisa.

— Você não consegue tirar sozinha — ele disse ao se dar conta.

Asha abaixou o rosto, olhando para a areia, se envolvendo em um abraço, tentando forçar seu corpo a parar de tremer.

Torwin esticou a mão.

Ela não retribuiu. Não ousou levantar a cabeça. Ficou encarando os próprios dedos dos pés, já entorpecidos.

— Asha. — Torwin pronunciou seu nome como se fosse algo primoroso e exasperador ao mesmo tempo. Aninhando seu dedo embaixo do queixo dela, ele levantou seu rosto, de modo que o encarasse. — Não seria a primeira vez que eu tiraria suas roupas.

O pulso dela acelerou.

— Passei a vida inteira vestindo e despindo draksors — ele continuou. — É apenas uma tarefa para mim. Nada mais.

Mas seus dedos nervosos o traíram. A vibração ansiosa em sua voz acompanhava o batimento acelerado de Asha.

Ainda assim, ela foi com ele.

Trinta e sete

Estava escuro dentro da tenda, até que Asha ouviu um fósforo sendo riscado. Uma minúscula chama iluminou as mãos de Torwin, que acendia a lamparina pendurada no alto. Ela balançou, espalhando luz pela tenda e revelando um saco de dormir, uma pilha de roupas dobradas e o alaúde que Asha havia comprado.

Eles estavam de pé, frente a frente. Asha tremia e pingava. Torwin esperava, silencioso e imóvel.

Ela já havia sido vestida e despida por escravos, mas sempre mulheres. E aquele era seu vestido de união, planejado para ser aberto pelo esposo.

Asha precisava virar de costa para que Torwin abrisse os botões, mas não o fez. Talvez houvesse outra opção. Talvez ela pudesse chamar Kozu, voar de volta ao acampamento e pedir que Safire a ajudasse. Mas a ideia de voar molhada no vento congelante fez com que tremesse ainda mais.

Torwin tocou no nó da faixa. Ela não ofereceu resistência, e ele se aproximou. Seus dedos tremiam ao desatá-lo. A seda molhada deslizou quando ele a puxou. O vestido afrouxou, facilitando a respiração.

A faixa foi ao chão.

Torwin puxou a camada externa de tecido de seus ombros. Com um leve puxão, ela se juntou à faixa aos pés deles.

Asha se manteve como estava, e ele tocou seu punho. Seus dedos traçaram um caminho lento até seu cotovelo, virando seu corpo gentilmente para que ficasse de frente para a lona bruta da tenda. Com o sangue fervendo, Asha juntou o cabelo molhado e o levantou.

Os dedos de Torwin começaram a trabalhar na camada de baixo, libertando os minúsculos botões dos laços correspondentes.

O silêncio crescia como uma tempestade se aproximando.

Asha não conseguiu aguentar.

— Obrigada — ela disse, apenas para fazer algum som.

A voz o assustou. Torwin se atrapalhou e tocou sua pele nua. O coração de Asha acelerou como o vento do deserto.

— Não tem problema — ele sussurrou.

Quando o vestido soltou e o ar bateu em sua pele, Asha sentiu o olhar dele em seu corpo. A coluna, as omoplatas, a curva das costas.

— Pronto. — Ele engoliu em seco depois de abrir o último botão. — Você está livre.

Asha virou, mantendo os braços cruzados para segurar o vestido solto. A luz da lamparina fazia a pele dele brilhar. As sombras tornavam sua mandíbula mais nítida. Seu olhar deslizou para a boca de Torwin. A linha do seu lábio inferior caía como o manto da Fenda.

Qual seria a sensação de tocar a boca dele? De eliminar o espaço entre os dois? De tê-lo ali, em sua tenda?

Como se lesse seus pensamentos, Torwin olhou para ela. Asha virou o rosto para esconder a bochecha marcada.

— Por que você sempre faz isso? — A voz dele saiu endurecida.

Quando ela não respondeu, Torwin tirou a camisa.

Uma sensação percorreu Asha. Era como mergulhar no ar com Kozu. Torwin virou, exibindo as costas laceradas, finalmente cicatrizadas.

— Você tem aversão a elas?

Asha puxou o ar.

— *O quê?* Não.

Ele virou novamente para ela, com um olhar frio.

— Então por que suas cicatrizes me incomodariam?

Mas Torwin nunca tivera orgulho de suas marcas, enquanto Asha amava as dela — porque seu pai as tinha amado. Ele havia usado aquelas cicatrizes para justificar a caça aos dragões. Contou uma infinidade de mentiras para que as cabeças continuassem vindo. Era aquilo que Asha via agora quando olhava para sua cicatriz.

Lágrimas turvavam sua visão e faziam seus olhos arderem. Asha levou as mãos ao rosto, tentando escondê-las.

— Asha...?

Quando ela se recusou a olhar para ele, Torwin a envolveu calorosamente em seus braços. Ele enfiou o rosto em seus cabelos e não disse nada. Só a segurou enquanto ela chorava. Sua mão quente se movia em círculos lentos em suas costas, para acalmá-la.

— Quase matei Kozu — ela sussurrou quando parou de soluçar. — Quase destruí as histórias antigas.

— Não era o que você queria?

Asha balançou a cabeça. As mãos dele pararam. Ele as levou aos punhos dela, para afastá-los de seu rosto.

— Me conte tudo.

Ela contou. A verdade sobre o dia em que Kozu a tinha queimado e tudo o que viera depois. Todas as mentiras em que havia acreditado. Todos os dragões que assassinara. E por quê? Por um tirano. Por um pai que nunca a amou de verdade.

Torwin a segurou com mais força.

Depois de bastante tempo, ele enfiou o rosto em seu cabelo molhado e reluzente.

— Fique aqui hoje à noite — Torwin disse. — É mais tranquilo que o acampamento, você vai descansar melhor.

— Aqui? — Ela enxugou as lágrimas com as palmas da mão. — Na sua tenda?

— Só essa noite. — Ele se afastou para vestir a camisa. Asha sentiu o ar frio no corpo. Ele pegou um amontoado de roupas secas e ofereceu para ela. — Posso dormir lá fora.

Ela aceitou as roupas.

— Torwin...

— Gosto das estrelas. — Ele esticou a mão para pegar seu alaúde. — Além do mais, eu não durmo muito. Tenho pesadelos, lembra?

Mas antes de sair da tenda para que ela pudesse se trocar, ele ainda disse:

— Você não precisa voltar. Se não quiser.

Ela franziu a testa.

Torwin deu um passo hesitante na direção dela.

— A gente pode ir embora — ele insistiu. — Partir agora mesmo.

— E para onde iríamos?

Ele abriu um sorriso de canto de boca.

— Qualquer lugar. O fim do mundo.

Aquilo deu origem a um leve arrepio dentro dela.

Asha resistiu.

Fugir? Não.

Ela queria fugir de Jarek, mas ele nunca a deixaria em paz. E quanto ao resto? E quanto a Dax e Safire? Não podia abandoná-los, deixar que lutassem sozinhos.

Asha deu um passo para trás.

— Não posso. — Ela balançou a cabeça. — Todo mundo que amo está naquele acampamento.

E um tirano mentiroso governava Firgaard.

— Todo mundo que você ama — Torwin repetiu.

Ele ficou parado, imóvel. Como se esperasse mais alguma coisa.

Mas Asha não sabia o quê.

A luz em seus olhos apagou.

— Descanse — Torwin disse. Sem olhar para ela, ele saiu da tenda e adentrou a escuridão.

Asha ficou olhando para a abertura até os tremores voltarem. Sentira o mesmo quando o deixara na clareira. Havia algo inacabado entre eles. Era como se fossem um tecido desgastado que precisasse ser cerzido.

Ela tirou o vestido ensopado e o jogou em uma pilha. Embora grandes demais, as roupas de Torwin estavam quentes e secas.

Ela diminuiu a luz da lamparina e entrou no saco de dormir. Ficou se remexendo na escuridão, com os pensamentos cheios de espinhos.

Foi apenas quando ouviu uma melodia baixa que conseguiu se aquietar. Do lado de fora, Torwin tocava uma música familiar, a mesma que tinha cantarolado quando costurara seu flanco. Parecia mais longa, mas ainda não estava completa. Torwin parava no meio, ficava em silêncio e recomeçava do início.

Ela imaginou aquelas mãos ágeis e certeiras puxando as cordas com a mesma facilidade com que haviam cuidado do seu ferimento. Com a mesma facilidade com que tinham aberto seu vestido.

Asha engoliu em seco e imaginou aquelas mãos indo muito além. Retirando seu vestido. Passando por sua pele nua.

Ela fechou os olhos, tentando afastar os pensamentos, ciente de quão perigosos eram. Mas eles só ardiam cada vez mais fortes por trás das pálpebras.

Mesmo depois que Torwin desistiu da música e adormeceu, Asha continuou acordada, pensando nas mãos dele.

Trinta e oito

Na manhã seguinte, Asha encontrou com Jas ao entrar na tenda de reunião. Seus olhos cheios de cílios escuros se arregalaram ao vê-la. Ele se recuperou depressa e sorriu, fazendo um cumprimento com o punho sobre o coração.

—Você parece descansada essa manhã, Asha.

A gentileza a surpreendeu. Afinal, ela tinha apontado uma faca para ele na noite anterior. E a maioria das pessoas que conhecia a iskari não sorria tão rápido para ela.

Torwin entrou em seguida.

— Desculpem o atraso. Nós...

Ele parou, percebendo que interrompia a reunião.

Uma dezena de pessoas em bancos simples de madeira levantou a cabeça. Dax estava de pé no centro, servindo chá.

Aquilo chocou Asha. Servir chá era tarefa de um escravo. E ali estava seu irmão, o herdeiro do trono, segurando a chaleira de latão enquanto líquido dourado, espumante e fumegante, escorria em um arco para dentro das xícaras.

Antes do Rompimento, quando as tradições antigas eram seguidas, era o mestre da casa quem servia o chá.

Dax parou ao notar que Asha vestia as roupas de Torwin. A filha do rei-dragão estava com as vestes do escravo do seu noivo.

O rosto dela ficou vermelho quando se deu conta do que parecia. Mas Asha estava cercada de desconhecidos — draksors, nativos, skrals —, então não disse nada. Nem olhou para Dax, apesar de sentir seu olhar arder em sua pele. Ela passou agachada por Jas e sentou ao lado de Safire nas almofadas, que a olhava com curiosidade.

A expressão de Dax se transformou em uma pergunta silenciosa a Torwin, que deveria estar de partida.

Evitando contato olho no olho, Torwin sentou do outro lado do círculo, tão longe de Asha quanto possível, ficando entre Roa e uma mulher que a iskari reconheceu como a ferreira que tinha forjado suas matadoras. A mulher assentiu para ela, e Asha retribuiu.

Safire rompeu o silêncio desconfortável, prosseguindo como se nunca tivessem sido interrompidos.

— Não estamos esquecendo nada? — Ela passava uma faca de uma mão para a outra. A ponta de aço afiado cortou a luz em incontáveis cores, que se dispersaram pela tenda. — Existe uma lei contra regicídio, tanto na era antiga quanto na nova.

Asha pensou nos últimos três nativos que haviam tentado tirar a vida de seu pai. Pensou na lâmina cortando os pescoços sob o sol fulgurante do meio-dia. Pensou nas cabeças caindo nas pedras com um impacto horrível. Dax também vira tudo aquilo acontecer.

Asha pensou em Moria, centenas de anos antes, ajoelhada nas mesmas pedras, com a cabeça apoiada no mesmo bloco sangrento.

A lei contra o regicídio era antiga e sagrada. Não podia ser contornada.

Se Dax matasse o pai, também teria sua cabeça colocada naquele bloco.

E Asha teria que ver.

—Você não pode estar pensando em matar o rei — ela disse.

— Não conseguiremos tomar o trono com ele vivo — Safire argumentou. Essie, o falcão de olho prateado de Roa, aninhou-se no couro em seu ombro. — Não oficialmente.

Asha encarou o irmão.

— Se você matá-lo, estará condenado.

— Um detalhe que ainda precisamos resolver. — Dax colocou o bule na mesa e serviu a primeira xícara para Roa. Ela tomou depressa, sem encará-lo, como se as coisas ainda não estivessem resolvidas entre eles. Assim que Dax virou para servir a próxima xícara, ela levantou a cabeça, observando seu rosto com olhos castanho-escuros.

— Me deixe ajudar — Asha pediu.

Dax balançou a cabeça.

— Não quero você nem perto de Firgaard quando tudo começar.

— Não preciso estar perto de Firgaard.

Ele olhou para ela, confuso.

— Podemos usar os dragões — Asha disse. — O rei não vai esperar um ataque vindo do céu.

Murmúrios surgiram em torno dela. Todos trocaram olhares nervosos.

— Se os dragões estão do nosso lado — Asha prosseguiu —, o Antigo também está. Qualquer draksor na cidade que ainda seja dedicado às tradições antigas ficará do nosso lado.

Dax balançou a cabeça, descrente.

— Você, a garota cuja missão de vida era caçar dragões até sua extinção, agora quer lutar ao lado deles? Eles nos odeiam, Asha. Por que ficariam do nosso lado?

Seus olhos encontraram a coleira de prata de Torwin.

— Sei como fazer isso.

Dax esperou, parecendo cético. E estava certo, porque Asha não podia ter certeza. Mas, de acordo com Sombra, os dragões tinham se voltado contra os draksors porque eles haviam escravizado os skrals. Então, se os libertassem...

— Você vai ter que provar que suas motivações são verdadeiras. Que não está apenas sedento pelo trono.

— E como faço isso?

Asha olhou para Torwin, que olhava para o anel de osso no próprio mindinho. Suas mãos tremiam de leve enquanto ele o girava. Devia tê-lo pegado de volta enquanto ela dormia.

— Tire as coleiras dos skrals do acampamento — ela disse.

Torwin ergueu a cabeça para olhá-la.

— Assim que tomar o trono, faça o mesmo com os escravos da cidade. Precisa ser a primeira coisa que você vai fazer.

Dax olhou para ela como se não a reconhecesse mais. Asha não o culpava. Pouco tempo antes, ela pensava que, se os skrals fossem libertados, prosseguiriam em seu plano de derrubá-los.

Asha olhou rapidamente para Torwin.

Ela não acreditava mais naquilo.

A ferreira se manifestou, sua voz ecoando de repente como um martelo na bigorna.

— Posso abrir todas as coleiras do acampamento até o pôr do sol.

Asha assentiu, então virou para o irmão.

— Só preciso de cavaleiros. Então poderá contar com dragões no seu arsenal.

— Deixe isso comigo — disse Torwin.

Ela o encarou.

— Então você vai ficar? — perguntou, baixinho.

Ele desviou o olhar.

— Só... até o casamento. Terei tempo suficiente para encontrar cavaleiros e treiná-los.

Asha mordeu os lábios para evitar o sorriso que ameaçava surgir.

Silêncio se seguiu. A faca de Safire reluziu quando ela a passou para a outra mão uma última vez, então a guardou na bota.

— Bom — ela disse —, então está combinado.

★

Para ajudá-lo em seu plano, Asha contou a Dax sobre o túnel secreto embaixo do templo. Eles decidiram que o exército de nativos aguardaria do lado de fora da muralha da cidade enquanto Dax, Jas, Safire e alguns outros refugiados — que era como Dax se referia a seu grupo — pegariam o túnel para dentro da cidade, correndo até o portão norte. Teriam que mantê-lo aberto por tempo suficiente para permitir a invasão de seu exército. O falcão de Roa daria o sinal. Dax levaria Essie até a cidade para soltá-lo uma vez que o portão estivesse aberto.

Depois de tomar a cidade e prender o rei-dragão, Dax poderia assumir o trono como regente e um processo de mudança teria chance de começar. Sua união com Roa consertaria o que havia sido quebrado e restabeleceria a paz entre draksors e nativos. Os skrals teriam a liberdade de escolher: poderiam ficar em Firgaard ou buscar uma nova vida em outro lugar.

Quando a reunião terminou e Asha fez menção de seguir Safire para fora da tenda, Dax interrompeu a conversa com uma garota nativa e pediu que a irmã o esperasse.

A tenda ficou vazia. Dax se inclinou sobre o mapa de Firgaard aberto na mesa. Suas mãos estavam apoiadas na beirada da madeira bruta enquanto olhava a irmã da cabeça aos pés.

—Você desaparece com ele ontem à noite e volta hoje vestindo essas roupas... — Dax apontou para a camisa e a calça que ela vestia. —Você sabe o que podem pensar.

Asha cruzou os braços e levantou o queixo.

— Preferia que eu ainda estivesse com aquele vestido?

Dax soltou um ruído frustrado.

—Você é a filha do rei-dragão. — Ele empurrou a mesa e se afastou dela. —Torwin é...

Alguém abaixo de mim. Proibido.

— Um skral — Dax continuou. — E embora a maioria dos draksors nesse acampamento seja amigável com eles, muitos não são. E há um número igual de skrals que não pensaria duas vezes em machucar Torwin apenas pelo jeito que ele olha pra você.

Asha soltou os braços.

— Se acharem que se importa com ele, seja neste acampamento ou fora, vão usar Torwin para te machucar. Para te obrigar a fazer o que não quer.

— Eu caí no lago — Asha disse. — Ele me deu roupas secas. Foi apenas uma gentileza.

— Asha — Dax disse, como se ele fosse o adulto ali, e ela uma criança. Como se tivesse acabado de pegá-la mentindo.

Ela fez uma careta.

— O quê?

— Você, de todas as pessoas, sabe muito bem como essas histórias terminam. Não quero que acabem se machucando.

Incapaz de encarar o irmão, Asha olhou por cima de seu ombro para a lona da tenda, iluminada pelo sol da manhã.

— Lillian não teria morrido se Rayan não tivesse corrido atrás dela — Dax completou.

— Se ele tivesse colocado a segurança dela em primeiro lugar, se não fosse egoísta, os dois ainda estariam vivos.

E Safire não existiria.

O pensamento a deixou de coração partido.

Dax avançou na direção dela.

— Se você realmente se importa com a segurança de Torwin, deve ficar longe dele.

Asha baixou o olhar para os pés descalços, já que havia perdido as sandálias no lago.

— Eu sei — ela sussurrou. — Estou tentando.

Dax suspirou, então apertou o ombro da irmã com gentileza.

Independentemente de quais tivessem sido seus problemas de saúde, Dax estava melhorando, e talvez já tivesse até sarado por completo. Seus olhos tinham voltado a brilhar e ele ganhava peso, o que suavizava suas extremidades ossudas. Tinha readquirido quase todo o seu antigo charme.

Ainda assim, algo perturbava Asha. Ele tinha um bom plano: entrar na cidade, tomá-la com a ajuda dos nativos... poderia funcionar. Quanto ao trono... Enquanto seu pai vivesse, Dax não seria considerado o rei-dragão. Poderiam trancá-lo em uma prisão pelo resto de sua vida que ainda seria o governante por direito de Firgaard. Não Dax.

O rei precisava morrer. E Dax não deixaria uma tarefa tão terrível como aquela para outra pessoa. Seria sua responsabilidade.

Ainda assim, a lei antiga contra o regicídio era inquebrável. Se matasse o rei, Dax também morreria. E quem governaria Firgaard então?

Roa era nativa. Nenhum draksor ia se submeter a seu governo.

Asha era a iskari, odiada e temida por seu próprio povo.

Safire era meio skral, uma abominação aos olhos de Firgaard.

De modo que restava... ninguém.

Dax não podia morrer. Ele precisava governar. O que significava que não podia matar o rei.

Outra pessoa teria que fazer isso.

Trinta e nove

Asha passou os dias anteriores à chegada das armas chamando dragões. Torwin encontrou uma dúzia de cavaleiros para ela — principalmente draksors e nativos. Asha levantou a sobrancelha quando ele chegou com dois garotos skrals, mas Torwin deu de ombros.

—Você me pediu cavaleiros. Encontrei os melhores pra você.

A iskari contava histórias antigas bem longe do acampamento. Não queria que os refugiados acabassem envenenados, como seu irmão e sua mãe.

Ela tinha notado que, desde a noite de sua união, as mãos de Torwin tremiam. Ele tinha emagrecido e olheiras escuras marcavam seus olhos. Quando perguntou a respeito, Torwin culpou a exaustão.

Mas Asha não conseguia parar de pensar que havia algo mais ali.

Então ela chamava os dragões sozinha, mantendo as histórias longe de Torwin e do acampamento.

O skral emparelhou dragões e cavaleiros, mostrando como firmar um elo no voo. Ele recrutou a antiga costureira de Asha, uma garota chamada Callie, para produzir casacos, luvas e xales para proteger os cavaleiros do tempo ruim. Era muito trabalho e pouco tempo, de modo que ela precisaria de ajuda.

No crepúsculo do terceiro dia, Asha encontrou Torwin sozinho na tenda que tinham montado para os cavaleiros no alto do vale.

Ele estava agachado à luz de uma lamparina, costurando a manga de um casaco. Ela ainda estranhava ao vê-lo sem a coleira. Seus olhos frequentemente voltavam às marcas onde ela costumava ficar.

Mas Asha seguiu a sugestão de Dax e não se aproximou dele.

Havia tanto trabalho a fazer e tão pouco tempo que evitar Torwin era fácil. Apesar de passarem o dia próximos, raramente trocavam palavras. Ao anoitecer, Torwin a esperava para acompanhá-la até o acampamento, mas ela só balançava a cabeça e dizia que fosse sozinho, porque ainda tinha trabalho a fazer.

Nas reuniões, Asha ficava entre Safire e Dax. Quando Torwin a procurava no jantar, ela começava a falar com Jas, que era muito curioso e fácil de conversar. Se Torwin se intrometia e Jas lhe dava atenção, Asha procurava outra pessoa — qualquer uma.

Às vezes, no meio do dia, Asha sentia o olhar dele sobre si. Às vezes, quando virava as costas para Torwin no jantar, notava a dor nos seus olhos. Como se soubesse o que ela estava fazendo e não quisesse tornar tudo mais difícil para ela.

Afinal, ele estava de partida.

Em pouco tempo, Torwin parou de esperar por Asha. Parou de tentar sentar do lado dela. Parou de se esforçar.

O coração de Asha doeu.

Então, quando ninguém estava olhando, ela o observava. De longe, via suas mãos se moverem com uma reverência gentil sobre os flancos dos dragões, mostrando aos cavaleiros como acalmá-los e conquistá-los. Ele ensinava diversas combinações de estalos para fazer um dragão decolar, virar ou mergulhar. Passava tudo o que sabia, enquanto suas olheiras ficavam cada vez mais escuras.

Asha o observou com Callie, a costureira, enquanto os dois cavaleiros skrals estudavam os desenhos dela. Observou Torwin apontando o que achava que não ia funcionar ou que poderia funcionar melhor. Sempre que ele abria seu sorriso torto para

Callie, algo em Asha se partia. Ela começou a comparar o rosto liso da costureira ao seu. A garota era bonita como o amanhecer no deserto. E, como Torwin, era skral. Talvez ele a levasse junto quando fosse embora.

No acampamento, Callie e Torwin tocavam com um punhado de outras pessoas. Asha não ousava participar, mas às vezes espiava escondida, afiando ainda mais seu machado, escutando os sons do alaúde de Torwin harmonizando com a flauta de junco de Callie e o tambor de um nativo, esperando por sua música inacabada, que nunca chegava.

Se você realmente se importa com a segurança de Torwin, deve ficar longe dele.

Agora, depois de dias distantes, ali estava Asha, sozinha com ele na tenda dos cavaleiros.

Ela respirou fundo e foi até a mesa, com uma pilha alta de couro e lã. Era a mesa de Callie. Suas ferramentas — facas, agulhas, carvão, fios — estavam dispostas em fileiras organizadas. Em uma cadeira rústica ao lado, estava pendurado o manto de lã de Asha.

— Onde está Callie? — ela perguntou, mantendo a voz firme enquanto jogava o manto por cima dos ombros. A caminhada de volta ao acampamento era fria.

Ele não levantou a cabeça do trabalho.

— É a primeira vez que você fala comigo em dois dias.

Os dedos de Asha pararam nas borlas do manto.

— Como assim?

— Ah, por favor. — Ele levantou a cabeça para olhá-la. A luz da lamparina reluzia em seu cabelo. — Nós dois sabemos que você anda me evitando.

Podia ser verdade, mas Asha o tinha visto apresentar Callie a Sombra, mostrando a ela onde o dragão gostava de ser acariciado — logo embaixo do queixo. Por dois dias seguidos, ela tinha visto a costureira esperando na entrada da tenda por ele, para que voltassem juntos ao acampamento.

— E quanto a você? — ela sussurrou.

Ele baixou a agulha.

— Como assim?

Você está desistindo de mim.

Era ridículo, claro. Ela *precisava* que ele desistisse.

Asha amarrou as borlas em torno do pescoço.

— Deixa pra lá.

Enquanto caminhava até a entrada da tenda, Asha o ouviu dizer:

— Safire está certa. Você é teimosa como ninguém.

Ela parou e olhou para trás. Safire estava falando mal dela? Para Torwin?

Aquilo doeu.

— Safire não sabe o que fiz.

Os cantos da boca dele se curvaram.

Asha não deveria ter olhado. Então talvez tivesse conseguido ir embora.

Mas, se fosse o caso, não teria notado a tensão nos ombros magros dele, ou como suas mãos tremiam enquanto trabalhava. Ele parecia dilapidado, à luz da lamparina, com um casaco sobre as pernas e agulhas e tecido extra no tapete. Parecia com Dax antes da revolta.

O medo a corroeu por dentro.

Tenho sido tão cuidadosa. Não pode ser.

Asha soltou as borlas do manto. Deu um passo para dentro da tenda e o deixou cair de seus ombros enquanto agachava ao lado de Torwin, no tapete de grama trançada. Inclinando sobre ele, ela pegou agulha e fio, enquanto tentava comparar os sintomas do skral aos de sua mãe.

Perda rápida de peso, exaustão, tremores...

Talvez ela devesse mantê-lo afastado dos dragões. Eles também contavam histórias, do seu modo particular e silencioso. Talvez, de alguma forma, fossem a causa...

— Você sabe usar isso?

A pergunta a tirou de seus pensamentos. Era a mesma que ela tinha pensado na arena, se referindo ao arco e flecha. Asha o encarou com raiva.

— Como acha que fiz minha armadura? — ela retrucou, enfiando a linha na agulha e começando a trabalhar na outra manga.

Quando o joelho dele roçou no dela, Asha levantou a cabeça e o pegou sorrindo. Algo acendeu dentro dela. Não deveria, mas deixou sua perna relaxar contra a dele. Só daquela vez.

Eles trabalharam em um silêncio tenso. Quando terminaram de costurar as mangas daquele casaco, passaram para o próximo. Então Torwin começou a cantarolar sua música misteriosa. Àquela altura, Asha estava com dificuldade de manter os olhos abertos.

Quando Torwin percebeu, tirou a agulha dela.

— Hora de dormir, feroz caçadora de dragões.

Asha estava cansada demais para dizer que não caçava mais dragões.

Não queria mais ser a iskari.

Ela apoiava as palmas da mão no tapete para levantar e começar a longa jornada pela floresta até a tenda que compartilhava com Safire quando Torwin encostou na sua mão.

— Fique.

Ela balançou a cabeça, evitando seu olhar.

— Não posso.

— Asha.

Seu nome saindo da boca dele a atraía. Ela levantou a cabeça e encontrou os olhos de Torwin, calorosos e febris. Ele parecia tão frágil. Aquilo a deixou preocupada.

Asha desviou o olhar.

— Está bem então. Só até você terminar o casaco.

Um leve sorriso surgiu no rosto dele.

— Me acorde quando terminar — ela disse, se enroscando no tapete do lado dele e fechando os olhos. Ele puxou o manto para cobri-la. Então um sonho tomou conta dela. Um sonho sobre a deusa Iskari.

Muito tempo depois, Torwin deixou de lado a agulha e o fio e deitou ao lado dela. Asha despertou. Ela virou e viu o skral fitando o teto de lona, com a cabeça apoiada nas mãos.

O sonho ainda ecoava em sua mente, e Asha esqueceu do perigo.

— Torwin? — ela sussurrou.

Ele virou o rosto para ela.

— Você acha que Iskari se odiava?

Não era a pergunta que ele esperava. Ela percebeu pelo jeito como inspirou, como se tivesse levado uma cotovelada no estômago.

Depois de uma pausa longa, ele disse, olhando sério para o rosto dela:

— Acho que Iskari foi forçada a ser algo que não queria.

Aquilo não era uma resposta. Asha estava prestes a dizer isso quando ele prosseguiu:

— Ela deixou que os outros a definissem porque achava que não tinha escolha. Porque achava que estava sozinha, que não era amada.

Ele virou o corpo de lado, se apoiando no cotovelo para olhá-la.

— A primeira vez que ouvi chamarem você de iskari, fui procurar a história dela. Não me importei com o perigo ou com a lei. Encontrei um antigo pedinte no mercado que estava disposto a me contar. Quando ouvi, não pareceu uma tragédia para mim.

— É óbvio que é uma tragédia. — Asha franziu a testa para ele. — Ela morre no final. Sozinha.

— Mas será que aquele é o final? — Os cantos de sua boca subiram, e Asha se sentiu amolecer. — Eu não acho que seja. E quanto a Namsara? Ele vai procurar a irmã. O céu muda sete vezes antes que a encontre. E então Namsara se ajoelha e chora. Porque a ama. Porque ela nunca esteve tão sozinha quanto achava. Nunca foi apenas a garota que tira vidas. Para ele, Iskari era uma irmã. Era preciosa. É uma história de amor, Asha. Trágica, sem dúvida. Mas ainda assim uma história de amor.

Ela estudou seu rosto, muito mais magro. A linha de sua mandíbula. A curva de sua boca.

— Se Iskari se odeia? — ele prosseguiu, com a voz mais gentil. — É claro que sim — Torwin confirmou, como se tivesse acabado de se dar conta. Como se a pergunta de Asha tivesse feito com que chegasse àquela conclusão. — Eu costumava ter raiva de Namsara por ter deixado tudo acontecer. Costumava ter raiva de Iskari por se acomodar àquele papel. Por nunca ter tentado ser alguém diferente.

Torwin colocou uma mecha de cabelo de Asha atrás da orelha marcada.

— Tinha raiva dela por nunca olhar à sua volta e notar aqueles que a amavam. Que poderiam ter ajudado.

— Ninguém pode ajudar Iskari.

— Como você pode ter certeza disso? Ela nunca deixou ninguém tentar.

Naquela noite, Asha teve um pesadelo.

Sonhou que estava na escuridão do calabouço, em frente a uma imponente porta de ferro. Sons horríveis vinham de trás dela. Sons de um shaxa dilacerando as costas de alguém. Sons de ossos sendo quebrados. Sons de um corpo se contorcendo de maneiras terríveis.

E, em meio a tudo aquilo, uma voz, implorando.

Não... por favor, não...

Quando os pedidos viraram gritos, ela percebeu que conhecia o dono da voz. Asha se jogou contra a porta. Bateu forte nela. Procurou pela chave, mas não havia fechadura. Ela não tinha como entrar.

Não podia salvá-lo. Ou libertá-lo.

Só podia escutar enquanto era morto.

Asha despertou suada, respirando com dificuldade. Havia alguém em cima dela, podia ver sua silhueta e o sol brilhando logo atrás. Com o pesadelo ainda à espreita, ela sentou depressa. O pânico a percorreu. Jarek. Jarek estava ali. Asha virou e encontrou o tapete vazio ao seu lado. Torwin tinha sumido.

— Asha.

Ela levantou e recuou depressa. Suas costas atingiram a mesa improvisada cheia de ferramentas, que caíram. Asha passou as mãos trêmulas pelo chão, procurando algo para usar como arma.

— Asha.

Aquela voz.

Foi o que a fez parar. Sua respiração estava alta e hesitante, seus pulmões doíam. Ela olhou para o alto. Apertando os olhos contra a luz do sol, viu seu irmão agachado ao seu lado.

— Está tudo bem. Você está segura.

O entorno pareceu diferente agora que não estava contaminado pelo pesadelo. A voz de Dax lhe trouxe clareza e nitidez. Ele a encarava, envolto em um manto cinza com a bainha suja de lama. Suas sobrancelhas escuras se juntavam sobre os olhos cheios de preocupação. Atrás dele, a lona brilhava com a luz da manhã. A lamparina ainda acesa estava largada no tapete, ao lado de um casaco de voo inacabado.

— Onde está Torwin?

Com muita cautela, Dax disse:

— Estão cuidando dele.

O coração de Asha saltou.

— *Cuidando?*

— Um grupo de draksors e skrals viu vocês dois entrarem aqui.

A boca de Asha secou.

Ela pensou em quando Torwin a levara ao Novo Refúgio, no jeito como os refugiados tinham olhado para ele quando dissera o nome dela... Como se não tivesse o direito.

Ela lembrou do aviso de Dax: *E há um número igual de skrals que não pensaria duas vezes em machucar Torwin apenas pelo jeito que ele olha pra você.*

Asha levantou com dificuldade. O ar frio da manhã atingiu sua pele, fazendo um calafrio percorrer seu corpo.

— Onde ele está?

Dax a olhava como se aquilo lhe causasse dor.

— Eu te disse que isso ia acontecer. Falei pra ficar longe dele.

Safire entrou na tenda, varrendo o ambiente com os olhos antes que parassem em Asha.

— Saf — Asha implorou. — O que aconteceu?

—Vem. — A prima passou um braço em torno do seu ombro. —Vamos até lá.

— Quando você não voltou à tenda, fui procurar você. — Safire explicou enquanto andavam pelo acampamento. — Na subida do vale, encontrei um grupo de refugiados na mata, chutando a barriga e as costas de um corpo no chão e praguejando ao mesmo tempo.

Safire abriu a aba de uma pequena tenda. Ela ouviu vozes altas.

— Quase quebraram a perna dele, mas consegui impedir.

Lá dentro, Asha encontrou uma fileira de macas sobre o chão de terra batida e... Torwin sem camisa, esticando a mão para um punhado de roupas que Callie segurava.

— O médico disse que você precisa descansar!

O dedo indicador de Callie cortava o ar, apontando para a maca.

— Dê minha camisa — Torwin rosnou. Seu cabelo estava molhado de suor e seus olhos pareciam estranhamente vazios.

—Volte para a maca!

Parecia que ele estava prestes a gritar algo quando notou que ela tinha chegado. Ao vê-la, perdeu a vontade de lutar.

— *Asha*.

Torwin a estudou, como se estivesse procurando por ferimentos. Quando não encontrou, pareceu aliviado e se voltou para Callie.

— Só fico se Asha também ficar.

Callie balançou a cabeça, descrente. Ela passou por Asha no caminho para fora da tenda, levando as roupas dele nas mãos.

Torwin sorriu vitorioso para a garota cheia de cicatrizes na entrada. Asha se perguntou se ele notava a forma como Callie se comportava perto dele. Se tinha qualquer noção daquilo.

Pensando no aviso de Dax, ela disse:

— Só vim ver se você está bem.

Torwin se moveu na direção dela, com certa dificuldade. Estava bem machucado, a começar pela perna.

— Não posso ficar — Asha disse, dando um passo para trás. — É isso que acontece quando me aproximo de você. — Ela se forçou a ir para a saída. —Vejo você essa noite. No...

— Eles me deram algo para dormir.

Porque você precisa descansar, Asha pensou, tocando a aba da tenda.

— Você sabe qual é a sensação de ficar preso em pesadelos a noite inteira?

Asha hesitou. Ele prosseguiu:

— Pesadelos... com você.

Ela não virou para Torwin. Ficou encarando a aba da tenda, sabendo que Safire a esperava do outro lado.

— Sempre sobre você — ele sussurrou.

As palavras pareceram envolver o coração dela e apertá-lo.

Torwin segurou o punho de Asha, com seus dedos gentis. Ela deixou que a virasse. Deixou que a puxasse para perto. Quando ela não se afastou, a testa dele caiu contra o ombro dela, como se Asha, e apenas ela, fosse um bálsamo para uma ferida oculta.

— Tenho que te ver sendo caçada de novo e de novo. — Ele estremeceu. — Nunca consigo impedir.

Asha enlaçou seu pescoço, segurando com força, como sua mãe costumava fazer quando ela tinha pesadelos.

— Estou bem aqui — ela disse, pressionando sua bochecha contra a dele. — Estou segura.

Asha passou os dedos pelo cabelo dele, tentando acalmá-lo, mas ficaram enganchados. Então uma sensação terrível serpenteou por suas entranhas.

Muito lentamente, ela afastou a mão. Dando um passo atrás, deixando seus braços, Asha olhou para a própria mão.

Havia um tufo grosso de cabelo ali.

O passado veio à tona. Ela lembrou de passar a mão no cabelo da mãe moribunda. Do modo como seus dedos se emaranhavam nos fios escuros que caíam sem parar.

Asha engasgou com um soluço assustado. Então levantou os olhos para o rosto emaciado de Torwin.

— Não... — ela sussurrou. Mas ele apenas a encarou, confuso. Uma raiva feroz e desesperada a varreu.

—Você anda contando as histórias antigas?

Ele franziu a testa, sua confusão ainda mais profunda.

— O quê?

— As histórias — Asha insistiu, fechando a mão em torno do tufo de cabelo. — Você anda contando?

Torwin balançou a cabeça em negativa.

— Não as conheço bem o suficiente.

— Então devem ser os dragões. — Asha começou a perambular, tentando pensar. — Outra pessoa vai treinar os cavaleiros. Você pode ficar no acampamento...

Ele esticou a mão na direção dela.

— Do que está falando?

Asha deixou que ele segurasse suas mãos trêmulas e parou de andar de um lado para o outro.

Ela olhou para baixo, para seus dedos entrelaçados. Os dele eram pontilhados de sardas; os dela, endurecidos por cicatrizes. Ele ainda usava o anel de sua mãe.

O anel.

Ela tinha usado aquele anel em seu leito de morte. O anel que fora esculpido e dado a ela pelo marido. O rei-dragão estava sempre fazendo objetos em osso para dar à esposa.

Ele deveria ter sido queimado com as outras posses dela, mas não foi. Foi o único item salvo. Então foi Dax quem passou a usá-lo.

E Dax tinha desenvolvido os mesmos sintomas que a mãe...

Até Asha ganhá-lo.

Mas ela só havia usado o anel por um dia antes de dá-lo a Torwin. Ele o vinha usando desde então.

E agora exibia os sintomas.

Seu pai havia esculpido o anel em osso, Asha pensou. *Por quê...?*

Uma história relampejou em sua mente. Sobre uma rainha que envenenava seus convidados com cinzas de ossos de dragão. Os escravos haviam encontrado os convidados mortos, seus corpos como cascas vazias.

Asha se deu conta do horror de tudo aquilo. Ela segurou o punho de Torwin com força.

— Ai! Asha, você está...

Ela puxou o anel com força.

Ele saiu.

Asha tinha passado oito anos caçando dragões. Sabia como abatê-los. Sabia como tirar o couro deles. Sabia o uso que cada um dos seus órgãos e partes tinham.

E sabia uma coisa acima de tudo: quando alguém era queimado por fogo de dragão, a única coisa forte o suficiente para extrair as toxinas era o veneno do osso de dragão. Mas sozinho, em pequenas quantidades, era tão mortal quanto o fogo de dragão, sugando lentamente a vida de um corpo.

Encarando o anel, Asha pensou na rainha assassina. O anel na palma de Asha, o anel que seu pai tinha feito para sua mãe, era feito daquela mesma substância mortal.

— Ele a matou — ela percebeu. — E tentou matar Dax.

Torwin a encarou como se ela estivesse falando num idioma desconhecido.

—Venha comigo — Asha disse, pegando a mão dele.

Torwin a seguiu, deixando que o conduzisse para fora da tenda.

Ela encontrou Dax e lhe mostrou o anel. Torwin a observava enquanto explicava ao irmão que as histórias não tinham matado a mãe. Tinha sido o anel. E talvez mais. Asha podia apostar que tudo o que o pai havia esculpido para a esposa era feito de osso venenoso de dragão. Só pareceu que as histórias a tinham matado porque elas começaram junto com os sintomas.

Graças aos escravos, todos tinham ficado sabendo que a rainha--dragão contava as histórias antigas para a filha. Todos tinham ficado sabendo que ela cometia um ato criminoso.

— E que forma melhor de provar que as histórias eram malignas do que com a morte de uma contadora de histórias?

Dax encarou Asha. Sua mandíbula ficava tensa, seus punhos se fechavam. Asha podia ver os pensamentos no redemoinho em seus olhos. As peças do quebra-cabeça se encaixando.

— E se ela não foi a única? — Dax sussurrou, mais para si mesmo.

Asha franziu a testa.

— O que você quer dizer?

— Se as histórias antigas nunca foram mortais, o que matou os contadores de histórias? — ele perguntou, olhando para ela.

Ou melhor: *quem*?

A pergunta desenterrou algo em Asha.

Ela pensou em uma tapeçaria pendurada na sala do trono. Da rainha na época do Rompimento. Uma rainha que precisava provar que o Antigo tinha se voltado contra seu povo.

— Será que foi *nossa avó* quem envenenou os contadores de histórias?

Dax não disse nada. Nem precisava.

O mundo pareceu girar.

Se as histórias não eram venenosas, se nunca tinham matado ninguém, então tampouco eram malignas. O que significava que Asha não havia se corrompido ao contá-las.

O rei-dragão não tinha apenas virado sua filha contra Kozu,

o Antigo e si mesma: ele havia matado a mãe dela. E então tinha tentado matar seu irmão.

Parecia que havia se esforçado para arrancar de Asha tudo o que ela amava. O que tornava o novo propósito dela claro como o dia: faria o mesmo com ele.

Quarenta

Asha chamou doze dragões ao longo de cinco dias. Quando a caravana chegou, ela estava exausta. Queria passar um mês descansando. Mas o casamento era aquela noite, e no dia seguinte iriam à guerra.

Não havia tempo para descansar.

Ao entardecer, Asha e Safire se dirigiram para o centro do acampamento, cujas tendas tinham sido retiradas para a cerimônia. Asha usava um vestido da cor do sangue e do fogo. Era simples e modesto, amarrado nas costas e da altura dos joelhos. No dia que encontrou a roupa em sua tenda, ela perguntou a Safire de onde tinha vindo.

— Jas, acho. Ele apareceu mais cedo. Diz que quer muito ter a chance de dançar com você.

— Imagino que tenha contado a ele que não danço — Asha disse, olhando em volta. O Novo Refúgio, que naquela mesma manhã estivera repleto de revoltados sujos e malcheirosos, tinha sido transformado em uma coleção polida e respeitável de nativos, skrals e draksors, todos esperando que a noiva chegasse ao círculo de união. Lamparinas foram acesas e colocadas no chão, formando um círculo na poeira ao redor de Dax, que vestia o que pareciam ser as únicas roupas que tinha.

Outro círculo imperfeito, composto de bancos de cedro, cercava as lamparinas. As toras tinham sido cortadas naquela manhã. Asha sentiu o cheiro adocicado ao sentar em uma delas.

Uma conversa entre pessoas sentadas no banco chamou sua atenção.

— Como eu poderia recusar a oferta? — disse uma skral idosa com cabelo curto e grisalho. Estava sentada ao lado de uma jovem draksor, e as duas compartilhavam uma moringa com cerveja.

— Você morou em Firgaard sua vida toda. É sua casa.

— É? — A velha se inclinou em direção à garota. — Ou é uma jaula da qual acabo de ser libertada?

O draksor passou a moringa para ela.

— Então você vai para os matagais quando isso tudo terminar…

A skral tomou um gole de cerveja, então limpou a boca com o punho.

— Acho que a maioria de nós vai fazer isso. Tem terra lá fora. Os nativos dizem que, se conseguirmos produzir alguma coisa, podemos ficar com ela. Em Firgaard, não teremos teto e estaremos passando fome até o fim do mês.

— Lord Dax nunca deixaria isso acontecer.

— Lord Dax terá muitas preocupações além de nós. Acredite em mim, garota. Já sobrevivi a três revoluções.

— Revoluções fracassadas — a draksor apontou.

A mulher mais velha só deu de ombros.

— Mesmo se lord Dax vencer amanhã, vai falhar no dia, mês ou ano seguinte. Estará fazendo um monte de inimigos se tomar o trono do pai. E eles vão querer descontar em alguém. Passei minha vida inteira entre pessoas como vocês. Sei exatamente quem vai ser. — Ela bateu no peito com o indicador. — Ninguém vai cuidar da gente. Temos que nos virar sozinhos.

Ela ofereceu a moringa para a garota, que balançou a cabeça.

— Talvez seja pior lá fora.

— Vou correr esse risco — disse a skral, tomando outro gole de cerveja.

Um silêncio caiu sobre o acampamento. Roa tinha deixado sua tenda. Asha observou a noiva se mover através da multidão que se abria. Ela usava um vestido de algodão sem mangas com um decote que era amplo, mas não profundo. Sua pele reluzia e seus olhos brilhavam como piscinas negras.

Assim que ela entrou no círculo, alguma coisa mudou. Asha viu uma garota que já era rainha. Roa, filha da Casa da Música, era graciosa, digna e... um pouco intensa.

— O que é unido aqui esta noite jamais poderá ser separado! — disse Jas. Não havia guardiãs para executar os ritos, então o irmão de Roa tinha assumido o papel. — Eu costuro suas vidas juntas. Só a morte pode rasgar esse tecido e separar vocês dois.

Roa recitou a resposta primeiro, sua voz afiada como uma lâmina:

— Que a morte envie seu pior! Frio para congelar o amor no meu coração. Fogo para transformar as memórias em cinzas. Vento para me obrigar a passar por seus portões. E tempo para enfraquecer minha lealdade.

Ela encarava Dax enquanto as palavras de Willa fluíam de seus lábios, poderosas.

— Esperarei por você, Dax, nos portões da morte.

Asha ficou arrepiada.

Dax repetiu aquelas palavras. Enquanto a voz de Roa era firme, a dele tremia de emoção.

— Que a morte envie o seu pior! Frio para congelar o amor no meu coração. Fogo para transformar as memórias em cinzas. Vento para me obrigar a passar por seus portões. E tempo para enfraquecer minha lealdade.

Ele pegou a mão dela com uma gentileza surpreendente.

— Esperarei você, Roa, nos portões da morte.

Depois que seus punhos foram atados, eles levantaram as mãos juntas com o acampamento como testemunha. Os vivas surgiam em ondas. Os draksors levantaram Dax acima de suas cabeças, enquanto os nativos fizeram o mesmo com Roa, entoando cânticos, pretendendo levá-los juntos à tenda do casal.

Asha observou os olhos deles se encontrarem. Viu seu irmão sorrir, um pouco nervoso. E então eles sumiram, arrastados para fora de vista.

Quarenta e um

Depois da cerimônia, músicos começaram a tocar dentro do círculo formado pelas lamparinas enquanto draksors e nativos dançavam em volta. Asha sentou em um dos bancos, esperando que Safire retornasse com a comida.

Separado dela por um mar de foliões, certo tocador de alaúde marcava o ritmo com o calcanhar enquanto seus dedos extraíam música depois de música das cordas. O nativo ao lado dele, um homem de ombros largos com uma barriga larga e olhos vibrantes, batia no tambor com a palma da mão e cantava, enquanto Callie dançava tocando a flauta do outro lado de Torwin.

Então alguém entrou na frente de Asha, bloqueando a visão dos músicos.

Ela levantou a cabeça e encontrou olhos gentis marcados por cílios espessos. Jas, em todo o seu charme, sorria para ela. Cheirava a cardamomo e frutas cítricas.

Ela foi mais rápida que ele.

— Eu não danço.

— Foi o que ouvi dizer. — Jas apontou para o espaço vazio ao lado dela no banco. — Posso sentar?

Quando Asha abriu a boca para dizer que aquele lugar era de Safire, ele já estava lá.

Os dois ficaram em silêncio por um instante, observando as

pessoas dançando, um borrão de cor, braços, pernas e rostos. Asha observou o vestido de Callie, que rodava junto com ela.

— Dax disse que você adora as histórias antigas — Jas comentou, observando uma garota nativa com cachos negros longos e reluzentes.

Asha olhou para ele.

— Ele deve estar certo.

— Também disse que você queimou as únicas cópias das histórias na cidade.

Ela fez uma careta ao lembrar.

Diante daquela reação, Jas prosseguiu.

— Gostaria de fazer um convite oficial para que visite a Casa da Música. — Ele olhou mais uma vez para a garota nativa dançando. Pelo olhar afetuoso em seus olhos, Asha imaginou que fosse uma conhecida. — Muitas histórias foram perdidas, mas temos uma pequena coleção delas em nossa biblioteca. Se for nos visitar, terá acesso a elas. Poderia até copiar algumas.

Asha não conseguia lembrar da última vez que um estranho tinha sido tão gentil com ela. Aquilo a fez sorrir. Só um pouco.

Jas sorriu também. Era como se algo reluzente e brilhante o iluminasse por dentro.

— E talvez você consiga encontrar as esquecidas.

Asha franziu a testa.

— Por onde começaria a procurar?

— Você é uma caçadora, não? Em vez de dragões... — Ele parou, verificando se não a havia ofendido. — Bom, você poderia resgatar histórias perdidas. Recuperar as tradições. Unir o reino como antes.

Mas histórias não salvariam o reino. Só a morte do rei poderia fazê-lo.

Mas Jas era tão otimista que ela não disse aquilo.

— E agora eu acho que você deveria dançar comigo.

Asha olhou para ele, abrindo os lábios em surpresa. Ela olhou para a nativa de cabelos cacheados, que dançava com outras duas garotas com o rosto voltado para as estrelas.

— Por que não chama sua amiga?

Jas olhou na mesma direção que ela.

— Quem? Lirabel? — Ele mordeu o lábio, como se a ideia o assustasse um pouco. — Ela já tem duas parceiras de dança. — Então voltou para Asha. — Além do mais, estou convidando você.

Jas parecia determinado a ser amigo dela. De Asha. A garota que tinha sido ensinado a desprezar, como todo bom nativo.

Aquilo a fazia se sentir... estranhamente lisonjeada.

— Não sei dançar — ela admitiu.

— Pra ser sincero, nem eu.

Asha mordeu os lábios para conter um sorriso.

— Tudo bem. Uma dança. Mas, se terminar mal, não é culpa minha. Você foi avisado.

Jas sorriu. Ele levantou e esticou a mão. Conforme se moviam para dentro do mar de dançarinos e sentindo saias roçarem suas pernas, as palmas de Asha começaram a suar. Ela lembrou do motivo de nunca fazer aquele tipo de coisa: se sentia desengonçada e boba.

Asha olhou para Callie, movendo os pés descalços sobre a terra no ritmo da flauta. Olhou para a amiga de Jas, com um sorriso brilhante como a lua. Outras garotas dançavam, mas não a mensageira da morte.

Jas passou o braço pela cintura dela.

— Pronta? — ele perguntou quando a música seguinte começou.

Asha não estava pronta. Na verdade, estava em pânico. Mas, mesmo se conseguisse dizer aquilo, a batida do tambor, a harmonia do alaúde e o sussurro das flautas teriam abafado sua voz.

E então, justo quando os dedos de Jas se entrelaçaram nos dela, prontos para conduzi-la, algo chamou sua atenção.

Torwin estava de pé onde Asha estivera sentada apenas alguns instantes antes. Vestia uma camisa branca simples, desamarrada no pescoço, revelando sua clavícula.

A visão provocou uma fisgada no seu coração.

Asha olhou rapidamente para os músicos. Quem tocava as cordas do alaúde, do lado de Callie, era um garoto draksor magricela.

Ela olhou de volta para Torwin, que a havia encontrado e a observava dançando com Jas, seus lábios abertos de surpresa, seus olhos cheios de dor.

Antes que ela pudesse entender o motivo, ele desapareceu por entre as tendas.

Quarenta e dois

Asha não esperou a música terminar. Ela parou de dançar e puxou Jas pela multidão.

— O que você está...?

Ela levou o garoto até as nativas que dançavam.

— Desculpe interromper — Asha disse quando as nativas pararam de dançar e viraram para os dois. Intuindo o que ela estava prestes a fazer, Jas tentou se desvencilhar e fugir, mas Asha segurou sua mão com firmeza. — Infelizmente preciso ir embora, mas não quero abandonar meu parceiro de dança. Então estava pensando que talvez... — Asha olhou de uma para outra, até seus olhos pararem em Lirabel, a garota que Jas estivera observando. — você gostaria de dançar com ele.

Lirabel olhou surpresa para Asha. Ela tinha uma aparência agradável, com rosto em formato de coração e uma boca gentil. Ela inclinou a cabeça tímida, então disse:

— Ficaria honrada.

E pronto.

Asha sorriu, mas Jas parecia aterrorizado. Quando Lirabel levantou o rosto para olhá-lo, ele deu um passo para mais perto e engoliu em seco.

Asha soltou sua mão. Ela deu as costas e abriu caminho pela multidão, seguindo na direção em que Torwin tinha desaparecido.

Deixou o barulho e as pessoas para trás, até finalmente avistá-lo perto das fronteiras de Novo Refúgio.

— Torwin! Calma!

Ao som da voz dela, ele reduziu o ritmo. Então virou.

Asha correu para alcançá-lo, parando logo antes de uma estrutura torta que cheirava a ferro. Não havia porta, só uma pequena abertura, e à luz das estrelas Asha podia enxergar a forma de uma bigorna. Todo o resto parecia se derreter nas sombras. A ferraria ficava nos limites do acampamento, onde tudo era silencioso e escuro. Só as estrelas eram grãos reluzentes de areia, brilhando acima deles.

— O que está fazendo aqui? — ele perguntou. — Deveria estar...

— Dançando com Jas?

Torwin desviou o rosto.

Seria apenas ciúme?

— Quase nunca conheço alguém que seja gentil comigo, em vez de ter medo — ela disse, tocando o tecido escarlate do vestido. Talvez fosse um pouco rústico, mas ela nunca se sentira à vontade na seda de seus caftãs, de modo que não se importava. — Ele me deu isso.

— É mesmo? — Torwin exibiu a sombra de um sorriso. Um sorriso falso. — Bom, Jas tem ótimo gosto. Você está especialmente linda. — Ele olhou para os lados. — Mas agora ele deve estar se perguntando onde você foi parar. É melhor...

— É melhor você me dizer qual é o problema.

Torwin ficou em silêncio, olhando para as tendas tocadas pela noite. Asha o estudou. Ele já tinha se recuperado dos efeitos do osso de dragão. Parecia esguio, alto e forte, mas não forte como Jarek. A força de Torwin vinha de seu espírito.

Asha não tinha esquecido do que ele havia dito alguns dias antes. Só ficaria até o casamento — que tinha acabado de acontecer.

E ali estavam eles.

— Ouvi uma conversa essa noite. — Ela deu um passo em direção a ele. — Os skrals planejam deixar Firgaard?

Ele não olhou em seu rosto enquanto assentia.

— Eles apoiam seu irmão, mas a maioria planeja deixar a cidade depois da invasão. — Torwin suspirou, passando os dedos compridos pelo cabelo. — Os nativos se ofereceram para nos levar através do deserto quando tudo isso terminar. Se Dax conseguir o trono.

Nos levar. O coração dela afundou sob o peso daquelas palavras.

Mas não você, Asha pensou, levantando a cabeça para observá-lo. *Você está planejando fugir para ainda mais longe.*

— Ninguém sabe qual será o destino daqueles que ficarem — Torwin disse, dando de ombros.

— Dax prometeu libertar todos os escravos.

Ele assentiu.

— Então qual é o problema?

— É mais fácil falar do que fazer, Asha.

— Não pode achar que ele não vai cumprir com a própria palavra.

— Quando estivermos todos livres, quem vestirá vocês e preparará suas refeições? Quem vai construir templos e trabalhar nos pomares? Seu modo de vida estará ruindo, acha que vamos encontrar um lugar entre vocês? Que vamos ser tratados como iguais?

— Sim — ela disse, com raiva, mas sem saber se das perguntas dele ou de si própria.

Ele balançou a cabeça.

— Pouquíssimos draksors vão gostar de perder seus escravos. E onde vamos morar? Quem vai dar emprego pra gente? — Torwin chutou a terra à sua frente. — As coisas vão piorar antes de melhorar. Os draksors ficarão com raiva, e os skrals serão alvos fáceis. Seria perigoso permanecer na cidade.

— Então você está indo embora — ela disse.

Asha não pretendia soar tão raivosa.

Torwin só olhou de relance para ela.

— Quando? — ela exigiu saber. A pergunta ardia dentro dela havia dias. — Essa noite? Amanhã?

Ele engoliu em seco.

— Quando o exército partir para Firgaard pela manhã, vou para Darmoor. Minhas coisas já estão arrumadas.

Algo dentro dela se quebrou.

— Acho melhor ir mesmo. — Ela cuspiu as palavras como se fossem amargas. Como se odiasse o gosto. Não podia olhar para ele depois do que tinha dito. O que Torwin mais queria era ser livre. Asha olhou para as centenas de tendas espalhadas pelo vale. — Vai ficar mais seguro longe daqui.

Longe de mim.

Torwin ficou quieto. Depois de um instante, ele se aproximou.

— Seguro? — Seu olhar parecia perfurá-la. — É isso que... — Ela quase conseguia ouvir as engrenagens girando em sua mente. — Você está tentando me manter seguro, Asha?

Se o encarasse, ela ia se entregar. Então, para evitar que seus olhos se encontrassem, Asha se concentrou na clavícula dele, notando que se sobressaía um pouco, mergulhando com elegância em direção ao pescoço dos dois lados.

Para se impedir de tocá-la, ele fechou os dedos e segurou os braços firmes ao lado do corpo.

— Asha. Olhe para mim.

Diante da recusa, ele esticou a mão. As costas de seus dedos passaram por sua pele marcada, traçando a linha dos seus cabelos, roçando sua bochecha e seu pescoço.

Asha olhou para cima. A expressão dele fez a respiração dela falhar. Era como olhar no coração de uma estrela, fulgurante e ardente.

— Sabe qual é a sensação de ver você dançar com outra pessoa, sabendo que nunca vai fazer isso comigo? — Ele baixou a mão. — Sabe qual é a sensação de perceber que você nem considerou que o presente deixado em sua tenda... possa ser meu?

Asha olhou para a roupa que caía perfeitamente em seu corpo.

— E é?

Ele assentiu.

— Eu sabia que você não teria nada para vestir. E Callie me devia um favor. Pedi que fizesse a roupa para você.

— Por que não me contou?

De repente, veio o som de passos no caminho de terra batida.

Eles se separaram. Torwin girou para encarar o intruso. Asha deu um passo para trás.

O músico que tinha assumido o alaúde estava diante deles, magricela e cheio de espinhas, parecendo ter menos de quinze anos. Ele segurava o instrumento em uma mão enquanto olhava da filha do rei-dragão para o skral e de volta para ela.

— Querem você de volta — ele disse, olhando boquiaberto para a cicatriz de Asha e oferecendo o alaúde a Torwin. — Disseram que sou desafinado.

Sabe qual é a sensação...?

Asha sabia.

Torwin pegou o instrumento.

— Diga que já vou. — O garoto balançou a cabeça e saiu.

— É melhor eu ir — Torwin disse. — Antes...

— É como observar você com Callie, sabendo que ela não pode colocar você em perigo só estando do seu lado — Asha disse.

Torwin virou para encará-la.

— O quê?

— Você me perguntou se eu sabia qual era a sensação.

De repente, ela não queria mais se importar. Com nada. Com

o casamento, com a guerra ou com o fato de que ele era um skral e ela, uma draksor.

Asha passou o dedo pela clavícula dele, percorrendo o caminho de suas cicatrizes. Torwin inspirou vacilante enquanto a mão dela passava pela depressão do pescoço, parando onde podia sentir sua pulsação, em ritmo febril.

— Asha...

Ela queria tirá-lo dali. Queria ouvi-lo dizer o nome dela várias e várias vezes.

— *Asha...*

Seus dedos seguiram o arco do pescoço dele, subindo lentamente, pela mandíbula, passando pela maçã do rosto.

Torwin deixou o alaúde cair e deu um passo à frente. Tão próximo que Asha quase conseguia sentir o sal na sua pele.

Ele enterrou os dedos no cabelo de Asha e inclinou a cabeça dela para trás. Então, com os olhos ardendo, a beijou. Primeiro gentil, depois com mais força. Como se estivesse faminto e Asha fosse a única coisa que pudesse lhe satisfazer.

Asha agarrou a gola de sua camisa e retribuiu o beijo, com mais fome e menos jeito. Torwin agarrou sua cintura e a puxou para perto.

A ferraria estava logo atrás dela. Torwin a guiou até a entrada, apoiando as costas de Asha na parede quente e dura. Suas mãos passavam por seu peito e seus ombros, até enterrá-las no seu cabelo e beijar seu pescoço.

Asha soltou um som suave. Queria enrolar as pernas em torno da cintura dele, mas Torwin agarrou seus punhos, e a impediu ao ouvir o som de passos.

Asha congelou. Ele pressionou sua testa contra a dela, escutando.

— Torwin? — Era o garoto de novo.

Torwin arreganhou os dentes.

Mais passos.

— Eu podia jurar que ele estava bem aqui...

Uma segunda voz resmungou uma resposta.

Torwin se inclinou contra Asha, testa contra testa, mantendo o corpo da garota pressionado contra a parede, ensopado de suor. Ele soltou seus punhos e deslizou o dedão vagarosamente sobre seu lábio inferior. Quando os passos se aproximaram, o movimento parou. E quando se afastaram, recomeçou. Asha se aproximou para beijá-lo, mas Torwin não deixou e continuou com sua tortura gentil. Ele passou o dedão em seu maxilar e desceu por seu pescoço, trilhando o caminho da escápula e do ombro.

Asha fechou os olhos e inclinou a cabeça para trás, deixando o caminho livre para ele fazer o que quisesse.

Pareceu levar uma eternidade até os passos se afastarem. Quando desapareceram por completo, Asha suspirou.

Torwin beijou seu pescoço.

— Quando eu terminar de tocar... posso ir para sua tenda?

— Minha tenda? — O pensamento a apavorou. — Alguém pode ver você.

Sem falar que ela a dividia com Safire.

— Ninguém vai me ver.

Era muito arriscado. Colocá-lo em tamanho perigo.

Eu devia estar mantendo distância. Para protegê-lo.

— Por favor — ele murmurou junto de sua pele. — Vou tomar cuidado.

Asha pensou em todas as vezes que havia colocado a vida dele em risco.

Torwin encostou a testa na dela e envolveu seu pescoço com a mão.

— Ou então você pode ir até a minha.

Ela fechou os olhos com força. Pensou na tenda de Torwin, perto do lago. Em se esgueirar pelo meio da noite. Em deitar perto dele sob as estrelas.

De manhã, ela iria para a guerra. Uma guerra que talvez não vencesse.

E ele partiria. *De verdade.*

Era sua última noite juntos.

Diga não.

Não havia futuro naquilo. Não havia como ficar com aquele garoto. Ela precisava dar um basta naquele sentimento que crescia dentro dela, não importava qual fosse. Cortá-lo pela raiz. Torwin iria embora e ela ficaria. Mesmo se as coisas fossem diferentes...

Ela pensou nos pais de Safire, um draksor e uma skral, em como a mãe dela havia sido queimada viva, em como o pai fora forçado a ver tudo.

Pensar em Torwin morto fez algo se quebrar dentro dela. Mas teve o efeito oposto. Ela não recusou. Em vez disso, ficou na ponta dos pés e o beijou.

Torwin abriu um sorriso raro, que envolvia sua boca inteira em vez de só um canto.

— Isso é um sim? — ele sussurrou, se afastando.

Asha assentiu.

Torwin caminhou de costas, saindo da ferraria, como se quisesse memorizar a visão dela para levá-la consigo.

— Então te vejo mais tarde, garota valente.

Quarenta e três

Asha foi para sua tenda muito tempo depois do fim da música. Muito tempo depois que o Novo Refúgio ficasse em silêncio. Seu corpo pegava fogo, gritando para que levantasse e fosse de uma vez. Enquanto todos dormiam. Quando ninguém ia vê-la.

Mas ela precisava ter certeza. Então esperou mais.

E esperou mais do que deveria.

Um grito quebrou o silêncio do acampamento. Foi seguido por mais dois. Gritos de alerta, frenéticos e selvagens. Outros tantos surgiram à medida que o estalido de aço contra aço aumentava, como o estrondo do primeiro trovão antes de uma tempestade.

Asha e Safire saíram de seus sacos de dormir ao mesmo tempo. Safire passou uma faca para a prima. Elas saíram juntas da tenda e adentraram o caos.

O emblema de seu pai estava por toda parte, adornando os escudos dos soldats que avançavam velozes sobre o Novo Refúgio. Safire lançou suas facas. Asha gritou histórias antigas para o céu, uma depois da outra, chamando todos os dragões que tinha reunido nos últimos cinco dias. A maioria já estava a caminho, porque o elo que haviam formado com seus cavaleiros indicava que algo errado estava acontecendo.

Ao ver as silhuetas escuras circulando acima, os soldats vacilaram. Mais refugiados acordaram e pegaram em armas. Roa estava na linha de frente. Sua lâmina em meia lua cortava e perfurava enquanto seu falcão branco guinchava e mergulhava na direção do inimigo. A cada avanço, Roa gritava um comando, então flechas ardentes voavam de algum lugar atrás dela, pegando os soldats de surpresa.

Quando Asha chegou ao limite do acampamento, os soldats estavam recuando para as árvores, perseguidos por Safire, Jas e centenas de refugiados.

Asha olhou para os caídos, e notou que havia poucos deles. Ela viu Dax se agachar para ajudar um homem cuja perna sangrava muito. Asha se enfiou sob o outro braço do homem e, juntos, eles o levaram até sua tenda, onde alguém esperava para cortar a perna de sua calça e analisar o ferimento.

Asha ouviu Safire gritar ao longe, organizando a busca nos bosques.

— O que foi isso?

— Não sei. — Dax parou quando viu Jas se aproximando. Ela embainhou suas facas.

— Ele sabe de tudo agora — disse Jas. — O tamanho do nosso exército. Nossa localização. Provavelmente contou até as armas. — Ele apontou para as sombras empoleiradas nos precipícios acima deles. — Sem falar na quantidade de dragões.

Dax franziu a testa.

— Convoque uma reunião. Vamos avaliar o dano e decidir o próximo passo.

Ele assentiu. Antes que saísse, Asha segurou seu braço.

— Você viu Torwin?

Jas sacudiu a cabeça.

— Ele dorme longe do Novo Refúgio. Está mais seguro do que qualquer um de nós.

— Vou mandar uma mensagem pra ele através de Essie — disse

Dax, vendo a preocupação estampada no rosto da irmã. — Agora vá para a tenda de reunião. Não vou demorar.

Quando o sino soou, os refugiados seguiram para a tenda. Asha foi uma das primeiras a chegar. Outros foram entrando, um depois do outro. Safire e Jas. A ferreira. Uma nativa com cinco brincos de ouro em uma orelha. Dax e Roa foram os penúltimos a aparecer.

Só faltava Torwin.

No momento em que seu irmão entrou na tenda, as perguntas começaram a surgir como pássaros piando ao nascer do sol, altas e uníssonas. Dax começou a responder, mas Asha ficou olhando para as abas de lona da tenda, esperando que Torwin entrasse. Era normal que se atrasasse, porque precisava receber a mensagem e depois correr pela margem do bosque e descer para o acampamento.

Por isso ele ainda não apareceu.

— Precisamos atacar o mais rápido possível — disse Safire. — O rei-dragão não espera um ataque imediato, imagina que vamos hesitar. É melhor atacar agora.

As abas da tenda se abriram e o coração de Asha pulou, mas era apenas Essie, que se acomodou no ombro de Roa. Asha observou o falcão mordiscar a orelha de sua dona.

— Essie o encontrou? — Asha perguntou.

Roa soltou a mensagem de Dax da perna do pássaro.

— Pelo visto, não.

Essie voou do ombro de Roa para o de Dax, onde guinchou alto. Roa levantou e chamou o falcão, afastando o pássaro do herdeiro do trono e saindo da tenda com ele.

Asha devia ter ido buscar Torwin pessoalmente.

— Ainda temos o túnel — disse Dax. — Só precisaremos tomar mais cuidado.

As abas da tenda foram afastadas. Eram dois soldados nativos. Um deles esticou um pergaminho selado.

— Para a iskari.

Todos os olhos se voltaram para Asha, que ficou de pé. Ela pegou o pergaminho e rompeu o selo, que reconheceu como do comandante. Seus dedos tremeram enquanto o desenrolava e lia:

Se você o quer vivo, deve se entregar esta noite.
Seu amado marido.

O pergaminho caiu aos seus pés.

— Asha?

Ela foi até a abertura da tenda. Dax a impediu e a forçou a encará-lo.

— O que foi?

— Me solta.

Safire pegou a mensagem e a leu.

— Ele pegou Torwin.

Aquelas palavras a balançaram. Asha sabia melhor do que ninguém o que significavam.

Ela forçou a passagem por Dax e correu. Jas tentando impedi-la, mas Asha era muito rápida. Correu com tudo para os limites do acampamento e subiu pelo bosque. Safire foi atrás. Asha reconheceria de longe o som de seus passos firmes. Mas ela foi mais veloz, ainda que chamasse Kozu no caminho.

Asha se virava bem no bosque agora. O primeiro dragão a aguardava do outro lado das árvores, brilhando sob a luz das estrelas. Ela pulou em suas costas.

Safire saía do bosque atrás dela.

— Asha!

Ela parou.

— Por favor. Não vá sozinha.

Asha olhou para trás. Sua prima inclinou o rosto para cima. A luz das estrelas refletiu em sua pele, revelando sobrancelhas unidas em preocupação.

As duas viraram a cabeça ao ouvir um movimento nas árvores. Asha agarrou o braço da prima e a puxou para cima.

— Segure firme.

Safire envolveu a cintura de Asha e esperou Kozu saltar no ar.

Quarenta e quatro

No momento em que o lago entrou no seu campo de visão, brilhando sob a luz pálida da lua, Asha viu a pedra chamuscada. Um incêndio tinha acabado de ocorrer. A tenda de Torwin estava esfarrapada.

Mas aquela não era a pior parte.

Kozu pousou e Asha pulou para a rocha, seguida por Safire. As duas ficaram olhando para a figura na escuridão.

— Sombra? — Asha chamou suavemente. Ele não se moveu.

Ela se aproximou, deixando Safire para trás. Pisava em sangue, que também brilhava nas pedras em volta, formando poças ao sair de algum corte profundo. O dragão vermelho estava curvado sobre si mesmo. Seus olhos se mantinham fechados.

— Sombra? — A voz de Asha soou metálica em seus próprios ouvidos.

Os olhos claros do dragão se entreabriram devagar.

Asha estremeceu e soltou um suspiro.

— Ah, Sombra...

Ela ficou de joelhos e tocou seu focinho. Os olhos dele se fecharam de novo.

— Não — ela disse. Precisava avaliar a profundidade da ferida. Descobrir sua localização. E tratá-la o quanto antes. — Vamos. Levante.

Os olhos claros do dragão se abriram. Sombra não levantou a

cabeça, mas olhou para Asha. Como se estivesse muito cansado. Como se sua centelha brincalhona tivesse se esvaído. Aquele olhar a lembrou Torwin se afastando, tentando guardar a imagem dela antes de ir embora.

— Levante! — Sua voz tremia, assim como suas mãos. Ela ficou de pé e o rodeou. O peito dele subia e descia devagar. Quase sem fazer movimento.

— Asha. — Safire chamou com calma atrás dela.

Ignorando a prima, ela empurrou o quadril do dragão. Sua voz saiu mais alta quando disse:

— Levante, Sombra.

Ele de fato tentou. Levantou a cabeça e, depois de um tempo, criou força nas pernas dianteiras, mas suas garras escorregaram no sangue, e ele caiu com um barulho terrível.

Asha viu o corte em seu peito. Era muito profundo. Bem próximo ao coração, que desacelerava a cada batida.

Os olhos dela se encheram de lágrimas.

Asha sabia que ele se esforçava, que estava tentando, só porque ela queria. Porque Sombra a amava, e aquela era a última coisa que poderia fazer por ela.

— Muito bem, Sombra — Asha sussurrou, pressionando o ponto em que ficava o coração. Batia tão fraco. Como um eco morrendo na Fenda. — Excelente. Agora pode voltar a deitar.

Sombra desabou. Ela ajoelhou, e o sangue negro do dragão ensopou seu vestido.

Safire foi sentar ao seu lado.

A estrela dentro de Sombra se apagava, e Asha colocou seu focinho quente sobre as pernas. Enquanto seus olhos se fechavam, ela contou a ele uma última história. A história de uma garota que caçava dragões para aliviar a dor em seu coração. A história do dragão que havia mudado seu jeito de pensar.

Quando terminou, o peito dele já não subia e descia. Suas pálpebras não tremiam com o esforço para abrir.

Ele tinha parado de respirar.

Havia partido.

— Ah, Asha — Safire sussurrou.

Enquanto Asha chorava, soltando soluços de raiva e pesar, sua prima a abraçou, embalando seu corpo com os braços.

Kozu saiu das sombras para cutucar o dragão mais jovem com o focinho. Ele tentou de novo. Quando Sombra não respondeu, um som partiu a noite em duas, se unindo aos soluços de Asha. Um lamento baixo e agudo.

A canção de um dragão para os mortos.

Quarenta e cinco

—Vou acabar com ele.

Safire arrastou Asha para fora da piscina de sangue de dragão e a levou até a margem do lago, para lavar seus joelhos e pernas.

— Vou arrancar suas tripas com minhas próprias mãos e usar como comida de dragão.

O vestido dela estava arruinado. Ensopado de sangue. Quando a prima terminou de lavá-la, Asha foi até Kozu. Voaria até a cidade naquela mesma noite e arrancaria o coração de Jarek do peito.

— Asha. — Safire a segurou com força. — Não.

Ela tentou se soltar.

— *Me largue!*

— Você precisa se acalmar. — Safire aguentou firme. Sempre tinha sido a mais forte. — Tem que ser mais esperta que eles. Não pode cair nessa armadilha.

Dois dragões voaram sobre elas. Asha parou de se debater para observá-los circulando o lago. Kozu também os olhava. Quando pousaram, o primeiro dragão se fundiu à escuridão.

Eram dragões jovens. Com metade do tamanho de Kozu. O da esquerda tinha escamas cor de terra e chifres negros. Os do dragão da direita eram claros e um deles estava quebrado. Suas escamas eram cinza. Ambos recolheram as asas enquanto esperavam seus cavaleiros descerem.

— Se eu não for, Jarek vai matar Torwin.

Quatro pessoas desceram. Dois permaneceram com os dragões. As outras duas — Dax e Jas — foram na direção delas.

— Jarek precisa de Torwin vivo para atrair você — disse Safire, encostando a cabeça na de Asha. — Ele tem certeza de que você vai agora. Quer você com raiva, despreparada. Não dê o que ele quer.

Iluminado pela lamparina na mão de Jas, Dax parecia ter envelhecido dez anos em uma única noite. Suas palavras ecoaram as de Safire.

— Assim que colocar os pés dentro dos muros da cidade, ele não terá mais motivos para manter Torwin vivo. Quanto mais tempo ficar aqui, melhor para Torwin.

Asha sacudiu a cabeça, lembrando do som do shaxa nas costas dele. Ela pensou no único deus em quem Torwin acreditava.

Morte, a misericordiosa.

— Existem coisas piores que a morte — Asha sussurrou.

Safire afrouxou os braços em volta da prima, que olhou para o corpo de Sombra.

Se Torwin tivesse partido para Darmoor quando pretendia, estaria em um navio agora, navegando para longe. Seguro.

Para impedir que a inundação dentro dela extravasasse, Asha fechou as mãos em punhos.

— Se pelo menos eu estivesse aqui...

— Se você estivesse aqui, Jarek teria matado Torwin diante dos seus olhos e levado você no lugar dele — Dax disse, com toda a calma e cautela. — Ele estava em desvantagem. E você não poderia ter feito nada.

— Não. *Você* não poderia ter feito nada. *Eu* sou a iskari.

Ela encarou o irmão, como se o desafiasse a contradizê-la. O que ele não fez.

Dax apenas segurou seus ombros.

— Vamos tirar Torwin de lá. Vou pensar em alguma coisa. Só não faça nada sem pensar. Me prometa isso.

Asha não podia prometer. Sabia que tinham razão, que Jarek esperava que ela fosse. Era uma armadilha. Mas se não fosse...

Asha procurou Kozu na escuridão. Podia senti-lo, inquieto na presença dos inimigos. Se não iria até ela, ela teria que ir até ele.

Mas seu irmão bloqueou a passagem.

— Saia do meu caminho.

— Se eu sair, você vai voar para Firgaard, colocando todo mundo aqui em risco — disse Dax. — Sinto muito, mas não posso deixar que faça isso.

O acampamento foi levantado na manhã seguinte. Eles não podiam permanecer lá agora que o comandante sabia sua localização. Então desmontaram as tendas e prepararam os dragões. Asha deveria ter liderado os dragões e seus cavaleiros para a parte inferior da Fenda, perto da entrada do túnel secreto. Mas Dax a proibira de voar, com medo de que fosse direto para o palácio. Então a iskari tinha colocado sua melhor amazona na liderança do grupo.

Assim que se reagruparam, Dax convocou uma reunião. Eles se concentraram em uma barraca improvisada, onde o herdeiro e Jas esboçaram um plano. Dax iria sozinho, como um chamariz. Enquanto entrasse pelo portão norte, Jas e Safire, acompanhados por um punhado de refugiados, seguiriam pelo túnel sob o templo. Enquanto Dax negociasse com o rei-dragão, Jas e Saf tomariam o portão e o manteriam aberto por tempo suficiente para o exército à espera logo depois do muro. Essie ainda seria o sinal para avançar. Jas ficaria responsável pelo falcão. No momento em que o portão se abrisse, ia soltá-lo.

Asha não colocaria os pés nem perto da cidade. Estava muito envolvida emocionalmente, e ninguém confiava que fosse seguir o plano.

— Sei que parece injusto — Dax disse quando restavam apenas os dois e Safire na tenda. Asha sentou no chão, com as costas apoiadas no pilar de madeira e a testa nos joelhos erguidos. Safire sentou também, e ficou afiando suas facas. Dax se colocou entre elas. — Mas preciso que espere aqui com o exército até ser seguro.

Sem olhar para o irmão, Asha disse:

— Até você ter matado o rei, é o que quer dizer.

Fez-se silêncio. Quando Asha olhou no fundo dos olhos calorosos do irmão, descobriu que brilhavam cheios de lágrimas.

— Preciso fazer isso, Asha.

Safire parou de afiar suas facas.

— Não — disse Asha. — Você *precisa* continuar vivo, para poder ser um rei melhor do que ele é.

Dax sacudiu a cabeça.

— Enquanto ele respirar, ninguém vai me considerar rei.

— Pense em Roa, então. Vai deixar que uma nativa assuma o trono sozinha? Será devorada.

— Acredite em mim — ele disse, com a mandíbula tensa. — Roa pode cuidar de si mesma.

— E quanto ao que *eu* quero? — Safire exigiu. — E quanto ao que *Asha* quer?

Dax enxugou os olhos com a manga.

— Quero que você viva — disse Safire, com um pouco de raiva.

— E eu quero que você governe — disse Asha.

Ele se afastou das duas. Asha o deixou ir. Deixou que ficasse de pé.

— É o que bons líderes fazem — Dax disse, sem ousar encará-las. Ele tinha toda a aparência de um herói em suas roupas sujas de nativo, com as bochechas molhadas pelas lágrimas. — Eles se sacrificam pelo seu povo.

Asha pensou no dia em que ela tinha queimado os pergaminhos, quando Dax dissera a ela que o Antigo não os havia abandonado. Que ele só estava esperando o momento certo. A pessoa certa.

O próximo namsara vai consertar as coisas.

Naquele dia, ela tinha pensado que Dax era tolo. Agora, contudo, enquanto seu irmão virava para sair, seu pensamento era bastante diferente.

Pronto. Aqui está nosso namsara.

Safire ficou na tenda, continuando a afiar suas facas enquanto esperava pelo sinal.

—Você precisa impedir Dax — disse Asha.

Sem tirar os olhos do que fazia, Safire respondeu:

— É o que planejo fazer.

Asha voltou a apoiar a cabeça no pilar de madeira, ouvindo o assovio do aço na pedra de amolar.

Safire parou de repente, baixando a faca afiada sobre as pernas.

— Não importa o que aconteça, quero que saiba que amo você.

Asha encarou a prima nos olhos.

— Como?

— Por mais que eu queira você do meu lado lá — ela assentiu em direção à entrada da tenda, na direção da cidade —, não aguento nem pensar no que Jarek vai fazer se tudo der completamente errado.

Asha observou a prima, horrorizada.

— O que ele vai fazer comigo? Pense no que ele já fez com você, Saf.

A prima ergueu a lâmina para examiná-la.

— Só preciso de um bom ângulo para arremesso.

Asha não gostava da ideia. Ela desviou os olhos, com raiva. Elas deviam ir juntas. Mas, quando a tenda escureceu e a partida de Safire se tornou iminente, Asha apoiou a cabeça no ombro dela.

As duas ficaram em silêncio por um longo tempo, pensando no que aconteceria se tudo desse errado. Ainda estavam sentadas lá, Asha com a cabeça no ombro de Safire, cuja faca repousava sobre as pernas, quando passos estalaram na terra seca e endurecida.

— Safire? — Jas entrou na tenda. — Chegou a hora.

Ela se aproximou de Asha antes de levantar.

— Nem pense em fazer alguma idiotice.

Asha observou a prima enfiar a faca afiada no cinto.

— Nem pense *você* em fazer alguma idiotice — Asha retrucou enquanto Safire passava por Jas, que segurava as abas da tenda para ela. Ele virou para Asha e colocou a mão fechada em um punho solenemente sobre o coração antes de soltar as abas da tenda, bloqueando a visão.

Asha alcançou a pedra de amolar que a prima havia deixado para trás e sacou o machado em sua cintura. Ela o havia pego da caravana de armas logo depois que chegara ao Novo Refúgio. A arma, irregular e macia, era feita de madeira de acácia, sem adornos.

Com todo o cuidado, Asha começou a afiá-lo.

Quarenta e seis

Asha não sabia dizer quanto tempo havia se passado. Somente que tinha escurecido logo depois que Safire saíra com Jas, e continuava escuro.

Escuro demais.

Quieto demais.

Ela ouviu passos, esmagando as folhas secas de pinheiro espalhadas sobre o chão do lado de fora da tenda. Asha levantou e guardou o machado no cinto.

Então é isso. Eles tomaram o portão.

Uma figura entrou. Era Roa, de pé na entrada, sozinha, com uma tocha na mão. Ela fechou as abas da tenda, ficando sozinha com Asha.

— Tem algo errado. — Seu olhar sombrio caiu sobre a iskari. — Essie voltou, mas os portões continuam fechados.

— O quê?

— Acho que eles foram capturados.

Asha foi tomada pelo medo. Todo mundo que ela amava estava na cidade. Eles não podiam ter sido capturados, porque aquilo significaria que estavam nas mãos de duas pessoas que não pensariam duas vezes em machucá-los — porque esse era o melhor jeito de acabar com Asha.

—Talvez haja soldats demais protegendo o portão — disse Asha, desejando que ainda estivesse apoiada no pilar da tenda. Desejando que algo a mantivesse de pé. — Talvez estejam se reagrupando.

— Eles tiveram a noite inteira para voltar e chamar mais soldados. Já está amanhecendo. — Roa levantou a aba da tenda e ficou esperando por Asha. — Vamos.

Elas não podiam ir nas costas de um dragão, não com o comandante em posse de tantos reféns. Roa temia que a visão das criaturas fizesse com que Jarek começasse a tirar vidas, começando pelas que lhe eram menos úteis.

Asha não queria pensar em quem seria.

— O túnel, então?

Roa assentiu, seus olhos brilhando à luz da tocha.

Um desejo familiar espiralou como fumaça na barriga de Asha. Ela queria caçar. Mas não um dragão. Jamais voltaria a fazê-lo. Aquela noite, ela queria caçar seu marido.

Roa assoviou, segurando a tocha. Duas jovens se materializaram na escuridão. Asha as reconheceu da noite do casamento do irmão.

— Essa é Lirabel — disse Roa, tocando o ombro da amiga de Jas e então a garota ao seu lado. — E essa é Saba.

Os cachos pretos e brilhantes de Lirabel estavam presos em uma trança grossa sobre seu ombro; o cabelo de Saba estava dividido em duas tranças, descendo cada uma de um lado. A julgar pelas aljavas nos cintos e pelos arcos pendurados em suas costas, elas eram arqueiras.

Três nativas armadas contra o exército do rei não era nada animador. Asha manteve o pensamento para si mesma, com medo de que Roa mudasse de ideia e a deixasse para trás. Ela pegou a tocha e conduziu as outras pelo túnel.

O falcão branco de Roa mergulhou atrás delas.

A chama laranja atravessava a escuridão enquanto as garotas se aprofundavam na rocha. Ao se aproximar da abertura do túnel, Lirabel tocou o ombro de Asha para que ela esperasse. A garota tirou uma flecha da aljava e a ergueu na altura da tocha. Havia um pano amarrado na ponta, e Asha podia sentir cheiro de álcool. A flecha acendeu e queimou, brilhante e furiosa. Lirabel a disparou, iluminando uma parte muito maior do caminho do que a tocha conseguia, permitindo que vissem se alguém as esperava na escuridão.

Após concluir que o caminho estava liberado, Lirabel seguiu na frente. Asha foi logo atrás dela, pegando a escada arqueada que levava para dentro do templo. Durante o percurso, Lirabel disparava suas flechas acesas, garantindo que não havia nenhum inimigo à frente.

Elas deveriam ter passado por alguém no caminho. Uma guardiã. Um soldat. Mas o templo estava silencioso e vazio, o que fez os pelos nos braços de Asha arrepiarem.

Roa estava pronta para abrir uma das portas da frente com um empurrão quando Asha pisou em algo.

— Espere — ela sussurrou, erguendo o pé e se abaixando em seguida. O brilho da tocha iluminou uma faca com cabo de marfim e madrepérola.

Era aquela que Safire estivera afiando na tenda.

Asha a pegou. O cabo estava frio.

A prima nunca largava suas armas, nem por acidente, nem mesmo em uma luta. O que significava que a havia deixado ali de propósito.

Asha olhou para onde a faca apontava: a entrada do templo. Roa ainda tocava a porta, pronta para empurrá-la. Seu olhar encontrou o de Asha, que sacudiu a cabeça. Ela se ergueu e gesticulou para que as três nativas a seguissem. Independentemente dos motivos de Safire, precisava colocar o máximo possível de espaço entre elas e a entrada.

Asha as levou até a janela que se abria para a romãzeira. A rua lá embaixo estava tão vazia quanto o templo. Nenhuma tocha queimava nas ruelas. A única luz vinha das estrelas.

Onde estavam os soldats?

—Você sabe como chegar ao portão?

Roa tocou a própria testa.

— O mapa do seu irmão está aqui.

Asha assentiu.

— Não pegue as ruas principais. — Ela se agachou, mantendo o brilho da tocha logo acima do chão enquanto desenhava um mapa improvisado na terra. — Esse caminho levará mais tempo, mas é só de ruas estreitas. — Roa se abaixou ao lado dela, observando Asha desenhar silenciosamente. —Você vai ter mais rotas de fuga desse lado, caso precise. E ninguém vai esperar que tome o caminho mais difícil.

Roa memorizou o caminho desenhado.

Asha passou a tocha a ela.

—Vão precisar dela para as flechas.

Baixando a cabeça no mais simples aceno, Roa disse:

— Que o Antigo guie seus passos.

Asha escalou a janela e foi para os galhos da romãzeira, então olhou rapidamente para trás.

— Roa?

A garota parou na janela.

— Não parta o coração do meu irmão.

Ela deu um sorriso discreto.

— Isso é uma ameaça, iskari? — perguntou, então posicionou o punho sobre o próprio coração numa saudação silenciosa.

Asha saltou para a rua. Usando a escuridão ao seu redor como uma capa, ela rastejou pelas sombras, seguindo sozinha para o palácio. Durante todo o trajeto, sentiu Kozu em sua mente. Inquieto. Andando de um lado para o outro. Se perguntando onde ela estava.

Quarenta e sete

A CIDADE PARECIA SEM VIDA com a ausência de soldats marchando e de sons e cheiros do mercado noturno. Não havia burros zurrando. Nenhum pedinte sentado com as palmas estendidas. Nenhum vendedor de água perambulando ou gritando. A noite estava silenciosa. A batida das botas de Asha nas ruas de terra e nos telhados ecoava alta em seus ouvidos. Ela as tirou e as deixou para trás, prosseguindo descalça.

A sensação era de caminhar para uma armadilha.

Aquilo já havia lhe acontecido antes. Ela estava caçando um dragão e, depois de dois dias, notou que estava andando em círculos. Asha só foi entender no terceiro dia que era a própria criatura que provocava aquilo. Ele a acompanhava escondido nas sombras, fora de seu campo de visão.

Asha só conseguiu derrotá-lo porque fingiu que não havia notado. Jogou seu jogo, caiu em sua armadilha por vontade própria e, quando o dragão a encurralou sozinha, revelou que estava prestando muita atenção… e que suas lâminas eram extremamente afiadas.

A armadilha esperando por ela agora não era tão diferente. Ela não tinha outra opção a não ser entrar direto nela.

Depois de se pendurar para descer do telhado e entrar por uma das passagens escondidas do palácio, Asha parou na janela arqueada para verificar as sombras. Estava prestes a pular quando ouviu o som de vozes.

Primeiro a de Dax, seguida pela de seu pai. Ela pisou no chão de mármore, seguindo as vozes na direção do pátio maior. O mesmo onde Elorma a chamara pela primeira vez.

— Não vou fazer isso — disse Dax.

— Então vou matar todos, um a um. A começar por esse aqui.

Asha passou pela arcada. As paredes estavam iluminadas pelas tochas queimando nos castiçais. Sua luz refletiu numa lâmina escura e familiar, que o rei-dragão segurava firme. Era uma de suas matadoras. Da última vez que as vira, estava defendendo Kozu na pradaria.

O rei a apertou contra uma garganta.

A garganta de *Torwin*.

— Pare!

Ele olhou para a arcada.

— Aí está você. — Seu pai soava estranhamente aliviado. Como se, apesar de tudo, a visão de sua iskari trouxesse alívio para ele.

Dax se virou. Suas mãos estavam atadas atrás das costas. Os dois soldats armados o vigiavam.

— Asha — ele disse. — Eu disse pra você...

— Roa mandou lembranças — ela disse apenas, silenciando o irmão com um olhar, que ela esperava ser capaz de transmitir a verdade: *Ela está a caminho.*

Mas e Safire e Jas? Asha olhou para o pátio em volta.

Vazio.

Seu olhar se concentrou em Torwin. Ele não parecia machucado. Não parecia temer quando seus olhos encontraram os dela do outro lado do pátio. Como se estivesse resignado. Como se soubesse o que viria e pretendesse enfrentar aquela situação sem se abalar.

A distância entre eles parecia mais vasta e intransponível do que nunca.

— Acho que tenho algo que você quer, minha querida.

— E o que seria isso?

Ela tentou soar calma enquanto se movia na direção do pai, deixando seus instintos de caçadora a guiarem.

Devagar. Nada de movimentos bruscos.

Percebendo o que ela fazia, seu pai começou a deslizar a lâmina pela garganta de Torwin. Sangue escorreu. Torwin se curvou.

Asha parou, erguendo as mãos.

— Não! Por favor. Não vou chegar mais perto do que isso.

O rei afastou a lâmina com um leve sorriso. Se antes não estava certo, aquilo havia mudado. Ele *realmente* tinha o que ela queria.

O coração de Asha bateu acelerado ao olhar o sangue manchando a gola de Torwin. Da mesma camisa que ele vestia quando ela o beijou.

Aquilo não estava saindo conforme o planejado.

Pense, Asha.

No fundo de sua cabeça, uma sombra se moveu.

Inquieta. Preocupada.

Não, ela pensou. Seu pai sabia que eles tinham dragões. O que significava que estava preparado para eles.

Asha não podia chamar Kozu. Iam matá-lo.

Então ela fez a única coisa em que conseguiu pensar. Depositando suas esperanças em Roa, tentou ganhar tempo.

— Você tentou envenenar Dax com osso de dragão. Ia matar seu próprio filho. — Ela olhou do irmão para o pai. — Por quê?

O rei-dragão abriu um sorriso cruel.

— Então você descobriu? Sempre foi a mais esperta. Nós dois sabemos que seu irmão nunca poderia ser rei. Sempre pensei que a afeição dele por nossos inimigos seria uma ameaça ao trono. E, veja só, essa noite ele mostrou que eu estava certo o tempo todo.

O rei estreitou os olhos para Dax.

— Eu tinha esperanças de que o anel o matasse quando estava no exterior. Teria sido a razão perfeita para começar uma guerra... e finalmente dominar os nativos.

—Você mataria seu próprio herdeiro para começar uma guerra? — perguntou Dax, percebendo as intenções de Asha e ajudando a ganhar tempo.

— Um herdeiro morto é melhor que um herdeiro traidor.

Ao ouvir aquelas palavras, Asha foi tomada pela raiva.

— Isso também vale para uma esposa morta?

Por um segundo, um sentimento estranho se revelou no rosto de seu pai. Surpresa, talvez. Ou remorso. Ele se recuperou rapidamente, apertando a mão no cabo da matadora.

— Sua mãe desobedeceu a lei, Asha. Enfraqueceu meu governo. Eu precisava fazer dela um exemplo.

— Ela era minha mãe.

— Ela estava corrompendo você.

Asha procurou pelo machado.

O rei-dragão olhou para alguém atrás dela.

— Ah — disse uma voz que provocou um arrepio congelante na espinha de Asha. —Vejo que encontrou minha esposa.

Asha se virou para encontrar Jarek parado na arcada. Ele vestia um caftã muito refinado, escuro como a noite. O tecido brilhava sob a luz da lua, mas o olhar voraz de Jarek transformava o que poderia ter sido uma bela visão em algo apavorante.

Além dele, o som de passos marchando e metal tinindo ecoava cada vez mais alto e mais próximo. Soldats que pareciam não existir até segundos atrás brotavam na escuridão atrás de seu comandante, entrando no pátio.

De canto de olho, ela viu um brilho laranja. Assustada, Asha olhou para os terraços, onde centenas de soldats empunhando tochas recém-acesas a observavam.

— É hora de cumprir sua parte do combinado, minha querida. É tarde demais para cancelar a união, claro. Mas estou disposto a deixar o escravo de Jarek viver se você chamar o primeiro dragão e pôr um fim de uma vez por todas em tudo isso.

No momento em que seu pai disse aquelas palavras, Asha sentiu de novo a presença sombria em sua mente. Kozu sabia exatamente onde ela estava e o perigo que corria. Desde o momento em que ela entrara ali.

E ele estava cada vez mais perto.

Não, pensou Asha, olhando para os soldats nos terraços, armados com arcos e flechas. Um arqueiro contra um dragão não era nada. Mas dezenas? Escravos a tinham ajudado a matar muitos dragões usando apenas flechas.

— O que vai escolher? — Seu pai pressionou a lâmina com um pouco mais de firmeza na garganta de Torwin, forçando o queixo do skral para cima. — O dragão ou o escravo?

Asha não tirou os olhos de Torwin.

— Ele está vindo — ela sussurrou, odiando que, mesmo depois de tudo, seu pai ainda tivesse o poder de levá-la a fazer o que ele queria.

O rei-dragão estreitou os olhos na direção da filha.

— Não pense que pode me enganar, Asha.

— Ele sabe que estou aqui. Desde o momento em que pisei neste pátio. — Ela encarou o pai. — Temos um elo.

O rosto do pai escureceu.

O metal preto da matadora brilhava enquanto o rei-dragão seguia até Jarek. Os arqueiros assumiram suas posições nos muros. Alabardas e pontas de lança brilharam em prontidão.

— Se quiser esse escravo vivo, você vai acabar com Kozu no momento em que ele chegar — disse o rei-dragão. — Caso contrário, cortarei a garganta dele na sua frente.

Asha era esperta o bastante para não acreditar em um mentiroso. Ele pretendia matar Torwin de qualquer jeito, não havia razão alguma para mantê-lo vivo. E, se escolhesse Kozu e deixasse o skral morrer, os soldats matariam o dragão antes que ele pudesse escapar.

Ela perderia os dois.

— Que a morte envie o seu pior — Torwin disse com calma, interrompendo os pensamentos de Asha. Ela o encarou. Ele não desviou o olhar, como se Asha fosse um ponto fixo em um mundo girando descontroladamente.

— Frio para congelar o amor no meu coração...

— Silêncio — silvou o rei.

— Fogo para transformar as memórias em cinzas...

O rei-dragão pressionou a lâmina com mais força, tentando sufocar a voz de Torwin. Se pressionasse forte demais, ia matá-lo. E não podia fazer aquilo, não antes de Kozu chegar.

—Vento para me obrigar a passar por seus portões...

Ele falava as palavras de Willa. Os votos de união. Mas eram algo mais.

A morte é libertadora, Torwin havia dito a ela.

— E tempo para enfraquecer minha lealdade...

— Não.

Asha se moveu na direção dele.

— Para trás — seu pai a alertou.

Ela parou. Seu olhar se fixou em Torwin.

— Não se atreva.

O olhar dele, prateado de tristeza, dominava seu rosto.

— Esperarei por você, Asha, nos portões da morte.

Ela pensou na morte chamando o nome de Willa.

Então fechou as mãos.

— O deus que você segue não é a morte.

Uma sombra sobrevoou suas cabeças, interrompendo a luz das

estrelas. Os soldats se moveram desconfortáveis enquanto o rei olhava para o céu. De repente eclodiu um barulho que parecia uma onda de suspiros, então Asha sentiu um vento familiar no rosto.

Um fogo ardente disparou pelo céu, iluminando metade dos arqueiros dos terraços. Eles gritaram e sacudiram os braços, queimando fulgurosos antes de cair para a morte.

Kozu pousou ao lado de sua amazona. O chão tremeu com seu peso. Suas escamas negras brilhavam à luz das tochas; seu olho amarelo estava fixo no rei-dragão enquanto seu corpo se inclinava na direção de Asha, de modo protetor.

— Agora! — Jarek ordenou.

A chuva de flechas veio.

— NÃO! — Asha gritou.

Kozu rugia enquanto as pontas das flechas perfuravam sua carne e rasgavam suas asas.

— Ataquem — mandou o rei-dragão.

O primeiro dragão silvou e se debateu. Havia flechas enterradas em sua pele. Ele não sabia quem atacar primeiro. Quem era a maior ameaça: os arqueiros ou o rei?

— *Ataquem agora!*

Asha olhou de Torwin para Kozu e de novo para Torwin, congelada.

Mais flechas voaram. O dragão rugiu de dor e fúria. Sangue escorria de suas asas e de seus flancos.

Ele tomou uma decisão e avançou em direção ao rei, deixando Asha indefesa.

De canto de olho, ela viu Jarek sacar seu sabre. Sentiu que ele se movia na direção dela.

Em pânico com a proximidade de Kozu, o rei-dragão manteve Torwin entre ele e a criatura que cuspia fogo, usando o garoto como um escudo.

O olhar de Asha se concentrou nas costas do pai. Mais uma batida de coração e passado, presente e futuro se uniram como em uma tapeçaria.

A mãe gelada na cama.

O irmão falhando em conquistar a lealdade de seu povo.

O garoto que ela amava atravessando os portões da morte. Sozinho.

O rei precisava morrer.

Asha segurou o cabo do machado. Ela o tirou do cinto e o inclinou para trás. Sabia a punição para regicídio. Sabia que, no momento em que o machado deixasse sua mão, sua vida estaria perdida.

Ainda assim, ela o arremessou.

— Não! — Dax gritou.

O machado de Asha voou na direção do rei-dragão, assoviando pelo ar antes de se fincar em sua carne, em seus ossos. Um silêncio nauseante recaiu sobre eles.

Jarek parou a alguns passos de Asha. Seu sabre brilhante caiu ao seu lado enquanto olhava para o rei.

Sangue vermelho-escuro escorria pelo manto dourado do pai de Asha. A matadora bateu nas pedras quando ele cambaleou, soltando o skral, e virou para encarar sua filha. A ponta do machado dela estava fincada em seu peito, bem no coração.

O rei tocou o brasão maculado com seu próprio sangue. Ele engasgou diversas vezes. O sangue continuou a escorrer.

— Asha?

Sua voz ecoou pelas paredes da corte, mas não com a altura com que ecoava dentro da caixa torácica de Asha, tentando chegar ao coração.

O rei-dragão caiu no chão, contorcendo o corpo, o sangue se acumulando à sua volta. Assim como todos os dragões que Asha já havia matado. Seus olhos sem vida se voltaram para ela. Ela olhou de volta, incapaz de desviar o rosto.

Então a escuridão a envolveu. Torwin pressionou o rosto dela contra seu peito, bloqueando a visão do cadáver do pai. Ele a segurou firme enquanto ela tremia, agarrada à sua camisa.

— Fique longe dela, skral — Jarek grunhiu.

Torwin a segurou com mais força.

E então o grito lancinante de um falcão preencheu o ar.

Torwin soltou Asha quando uma saraivada de flechas flamejantes atravessou o ar acima deles. Todas acertaram o alvo, atravessando o peito dos arqueiros nos muros.

O pátio se encheu de movimento quando o exército de nativos tomou a área central, acompanhados de draksors e skrals armados até os dentes. Roa os liderava. A curva da espada de lâmina dupla brilhava de sangue enquanto ela procurava na multidão. Ao seu lado estava Safire, com os olhos ardendo.

Roa deu o comando. O falcão voou até Dax.

— MATEM TODOS! — Jarek gritou para seus soldats. — TODOS ELES!

Mas os soldats estavam em menor número e o rei-dragão tinha morrido. Na chuva de flechas que se seguiu, só metade delas foi necessária.

Asha se virou para Kozu, que sangrava. O primeiro dragão a observou com calma. Seu corpo se arqueou enquanto ela tirava as flechas, pensando em Sombra. No sangue correndo do rasgo em seu peito.

Mas as feridas de Kozu eram menores. Ele ia sobreviver.

Torwin agarrou o arco de um soldado morto e passou a atirar as flechas que passavam por ele de volta, eliminando o resto dos arqueiros da varanda um a um. A colisão de metal contra metal aumentou conforme os soldats avançavam. Asha ouviu o som desagradável de corpos sendo golpeados.

Dax se juntou a Roa. Eles lutaram de costas um para o outro enquanto Essie voava em um círculo protetor acima deles.

Ao longe, era possível ouvir o som de uma multidão de asas.

Um momento depois, os terraços se acenderam com o fogo soprado da barriga dos dragões, que se reuniam sobre eles como nuvens de tempestade. Se ainda havia arqueiros no terraço, tinham morrido. A rajada de asas correu pelo pátio enquanto os dragões pousavam. Não havia espaço para todos nos terraços, de modo que alguns ficaram voando em círculos mais acima.

O pátio ficou silencioso. Dominados e cercados, os soldats começaram a baixar as armas em redenção. Só restou Jarek, que encarava Dax, com as duas mãos ainda firmes no sabre.

Dax se aproximou, seus passos firmes com a vitória.

—Você está acabado.

Jarek cuspiu aos seus pés.

— Se é para morrer, vou fazer isso defendendo o verdadeiro rei.

— Que seja — alguém gritou. Uma faca assoviou atravessando o ar, e foi seguida de mais duas. Safire. Ambas atingiram o peito de Jarek com precisão.

Seu sabre caiu, tinindo contra o piso de mármore. Ele tentou em vão puxar os cabos. Soldados nativos correram para prensá-lo no chão e prender seus punhos e tornozelos com grilhões de ferro.

Safire parou sobre ele, com a respiração pesada e a última faca na mão.

— Eu devia ter feito isso há muito tempo.

Então ela enfiou a faca no coração dele.

Quarenta e oito

O CORPO DO REI-DRAGÃO foi queimado em uma pira. Asha não acompanhou a cerimônia, porque estava acorrentada às paredes úmidas do calabouço. Mais tarde, Safire contou a ela como o fogo consumira o corpo. Como a fumaça cobrira o ar. Como toda a Firgaard lamentara enquanto Kozu observava do muro.

Safire ia à cela de Asha sempre que possível. Quando Dax a promoveu ao posto de comandante, as visitas pararam quase que totalmente. Nem todos estavam felizes com o herdeiro assumindo o trono. Menos ainda com sua esposa nativa. Então, quando Dax apresentou sua comandante de sangue skral, as revoltas começaram. Os draksors dirigiram sua agressão aos skrals, que começaram a debandar da cidade. Quando não havia mais nenhum para servir de bode expiatório, os draksors se voltaram uns contra os outros.

Aquilo mantinha Safire mais do que ocupada.

Os dragões a ajudavam. Com seus cavaleiros, agiam como pacificadores, observando tudo dos terraços. Mas sua visão era limitada.

Asha tinha sido praticamente esquecida enquanto Dax, Safire e Roa tentavam manter o controle de uma capital cuja estrutura se desmantelava. Ela aprendeu a contar o tempo pelos turnos dos guardas. Adquiriu informações espionando. Descobriu que os soldats que se recusavam a obedecer às ordens da nova comandante perdiam o posto, o que havia cortado o exército pela metade.

Aprendeu que o fim do trabalho escravo por si só não impedia que as pessoas tivessem dificuldades para sobreviver.

E o mais importante de tudo: ficou sabendo que seria executada dali a três dias.

Um dia antes de enviarem Asha para a pedra do carrasco, Dax foi coroado rei.

Em geral, quando um governante assumia o trono, ganhava um desfile pelas ruas, seguido de trompetes e da batida firme de tambores, enquanto os cidadãos de Firgaard jogavam pétalas de rosas e cantavam. A coroação de Dax foi diferente. Foi um evento muito mais modesto, organizado no menor dos pátios do palácio, perto das oliveiras. Por conta da chuva daquele dia, o palácio cheirava a terra fresca e úmida.

Foi o único momento em que permitiram que Asha saísse da cela. Ela foi mantida sob vigilância, com correntes pesadas presas aos tornozelos, confinada aos terraços superiores, longe da multidão. Todos que a viam começavam a sussurrar e apontar.

— Assassina!

— Mensageira da morte!

— Iskari!

Os olhares faziam Asha querer voltar para sua cela e trancar a porta atrás dela. Havia salvado o povo de um monstro, e ainda assim era temida. Nunca houve qualquer esperança de se redimir. Aos olhos dos outros, sempre seria a iskari.

De qualquer maneira, não faltava muito tempo para nunca mais terem que olhar para ela. Muito em breve Asha estaria morta.

Ela não viu Torwin em lugar nenhum. Sentindo sua ausência, se segurou à balaustrada. Asha não sabia se ele estava vivo ou morto, se continuava na cidade ou havia partido para a savana. Ao longo das semanas anteriores, sempre que os guardas mencionavam outro ataque skral ela sentia um aperto no peito. Suas mãos seguravam firme nas correntes. Ela não o tinha visto desde a noite em que seu irmão a levara para o calabouço e a trancara em uma cela, com lágrimas rolando pelo rosto.

Não importavam quantas vezes procurasse, não havia qualquer sinal de Torwin.

Acima do barulho da conversa, logo além das paredes, o canto dos pássaros anunciava que a noite se aproximava. Asha se apoiou na balaustrada, deixando o mármore duro e pesado sustentar seu peso enquanto olhava para o pátio iluminado por lamparinas, ainda procurando por Torwin. Mas tudo o que encontrou entre as laranjeiras e as cercas de hibiscos foram nativos com roupas coloridas e skrals sem coleiras, pacificamente misturados aos draksors. Uma visão do futuro. Do que Firgaard poderia se tornar.

Dax permanecia no terraço de azulejos brancos. Ao seu lado, Roa brilhava em um caftã azul e dourado com um cinto alto, que se movia como água mesmo quando ela permanecia parada. Havia uma flor carmim enfiada atrás de sua orelha. Com sete pétalas. Ela parecia nascida para ser rainha, ofuscando inclusive Dax, vestindo o mesmo azul e dourado ao seu lado. O medalhão de seu pai pendia em seu peito. Ele parecia cansado e triste, mas o alinhamento de seus ombros e o peito erguido indicavam que aqueles sentimentos não tinham importância diante do trabalho que tinha pela frente.

Quando viu Asha, seu sorriso falso sumiu do rosto. Um pesar cintilante se manteve em seu rosto enquanto encarava a irmã. Ele ergueu o punho à frente do coração, em uma saudação nativa solene. Asha retribuiu.

O pátio ficou em silêncio, olhando para onde seu novo rei olhava. Um arrepio percorreu a coluna de Asha com os olhos de cada nativo, draksor e skral fixos nela. Em seus caftãs cintilantes ou túnicas de seda, eles se espantaram com as correntes de Asha e suas roupas sujas.

Ela não era uma deles. Nunca pertenceria àquele lugar.

Era apenas uma cicatriz no novo reinado de seu irmão.

Uma sombra suave caiu sobre Asha. Quando virou, dando as costas para o pátio, encontrou o guarda mais velho de pé diante dela. Ele mantinha uma sobrancelha sempre franzida e uma barba grisalha que precisava ser aparada.

— Hora de voltar, iskari.

Asha assentiu, deixando que ele segurasse seu braço.

Enquanto os outros guardas se dispersavam, ele a conduziu escada abaixo até o pátio.

Os sussurros se avolumaram enquanto os guardas caminhavam pelos arcos, mantendo a prisioneira longe dos olhares das pessoas. Asha se concentrou na entrada acima, na arcada bordeada por um mosaico de azulejos amarelos e vermelhos.

Na metade do caminho, os guardas pararam, forçando Asha a fazer o mesmo. No espaço à frente, ela percebeu pés deslizando, depois rastreou um caftã azul e dourado brilhante por todo o caminho até o rosto da rainha-dragão.

Roa bloqueava a passagem para o pátio.

Os guardas abaixaram a cabeça.

— Afastem-se — ela disse.

Os dois guardas entre Asha e a rainha se entreolharam.

— Ela é perigosa, majestade.

Roa arqueou uma sobrancelha elegante.

— Preciso repetir?

Os dois guardas pararam, incertos quanto até onde poderiam testar sua nova rainha. Por fim, sacudiram a cabeça e deram um passo para o lado.

— E você.

Roa assentiu para o guarda grisalho ao lado de Asha.

Obediente, ele soltou o braço da prisioneira e se afastou. Pouco depois, as duas estavam frente a frente.

Com cada par de olhos a observá-las, a rainha-dragão se curvou numa mesura para a criminosa à sua frente.

— Kozu voa sobre a cidade noite após noite procurando por você. Ansiando por sua namsara.

O pátio se agitou com murmúrios e suspiros. Os pelos nos braços de Asha se arrepiaram.

Ela? A *namsara*? A *criadora* de vida?

Impossível.

Havia passado sua vida matando coisas. Era odiada e temida. Era a iskari. O extremo oposto daquilo.

—Você está enganada — disse Asha, olhando para a rainha curvada à sua frente. — Meu irmão...

— *Seu irmão* diz que você conhece as histórias antigas melhor do que qualquer um de nós. — Roa se ergueu. — O que significa que sabe quem o Antigo envia para marcar seu namsara.

Asha abriu os lábios. As histórias se avivaram em sua mente. Ela as esquadrinhou.

O Antigo enviara Kozu para Nishran. Assim como o enviara para Elorma. E para... *ela*. Tantos anos antes.

Ela havia pensado que sua maldade atraíra Kozu quando criança. Assim como tinha permitido que contasse as histórias antigas sem ser envenenada por elas.

Mas as histórias não eram corrompidas. E Asha também não.

A prova estava nas histórias: Kozu era a marca de um namsara. E era Asha quem o cavalgava. Os dois tinham um elo.

Mesmo que aquilo fosse verdade, Asha havia passado a vida caçando dragões e tentando acabar com as tradições antigas. Não podia ser a namsara.

Roa se aproximou mais um pouco, e o pátio se calou.

— Existem outras marcas, não?

Asha pensou em Nishran. O Antigo havia dado a ele a capacidade de enxergar no escuro para que pudesse encontrar o acampamento do inimigo. E dera a Elorma sua hika, que tinha salvado a cidade de um rei impostor.

Assim como dera a Asha presentes para cumprir as tarefas que lhe designara: as matadoras, um dragão, a resistência ao fogo.

Ela vinha tentando suprimir as histórias com tanta força, tinha sido tão consumida por sua caçada a Kozu, que não havia juntado as peças. Todos aqueles anos antes, quando fora para a caverna mais profunda depois de sua mãe ser queimada...

— O Antigo me escolheu? — ela sussurrou, encarando Roa.

Mas e quanto a Elorma? Se ela fosse a namsara, ele teria dito.

Mas... não era aquilo que ele vinha fazendo todo aquele tempo?

Eu sou a namsara.

Ela mal conseguia acreditar.

Os olhos de Roa brilharam enquanto ela tirava a flor da orelha. Sete pétalas vermelho-sangue se curvaram para trás, enquanto o estame amarelo soltava seu pólen, salpicando as pétalas de laranja. Era a mesma flor que havia no mosaico dos pisos da enfermaria. A mesma esculpida na porta do templo.

Uma flor tão rara que era quase um mito.

Roa deu mais um passo à frente. Colocando a haste da flor atrás da orelha de Asha, ela sussurrou:

— As histórias antigas dizem que o namsara é a agulha que costura o mundo.

Asha estava espantada demais para responder.

— E nosso mundo precisa mesmo ser unido.

Então Roa assentiu para os guardas de Asha e foi embora. Eles reassumiram suas posições, separando a garota da rainha. Com o pátio inteiro olhando, Roa voltou para o lado do marido. Dax parecia mais chocado que qualquer um.

O silêncio ressoou à sua volta. Quando os guardas se recuperaram, seguraram os braços de Asha e passaram com ela pela corte escandalizada. Eles marcharam por baixo das arcadas e pelos corredores, refazendo o caminho para a cela no calabouço.

Seus passos já não pareciam mais tão certos.

Quarenta e nove

Asha não conseguiu dormir naquela noite. Ficou sentada no escuro, no chão frio e úmido de sua cela, repassando as palavras de Roa na cabeça. Mesmo se ela tivesse dito a verdade, o que importava? Ainda era preciso lidar com a lei: Asha tinha matado um rei, e sua punição era a morte.

Ela podia ser a namsara, mas estava prestes a se tornar uma namsara *morta*.

A manhã se aproximava. E, com ela, a longa e solitária caminhada até a praça.

Como Moria havia andado tão corajosamente rumo à própria decapitação?

Tremendo, Asha se abraçou e fechou os olhos. Ela pensou na Fenda, torcendo para que aquilo a acalmasse. Pensou nas conversas nos arbustos farfalhantes e no vento soprando nos pinheiros. Pensou nas estrelas, como palavras em um pergaminho desenrolado pelo céu, e no sol feroz e brilhante.

Pensou naqueles que mais amava.

Safire.

Lágrimas brotaram em seus olhos.

Dax.

Sua visão ficou turva.

E...

O som de passos ecoou ao longe, invadindo seus pensamentos. Asha virou o rosto para ouvir. Alguém estava trazendo seu café da manhã.

Sua última refeição.

Pareceu levar uma eternidade para o guarda achar suas chaves e enfiar uma na fechadura. Para ele virá-la e a pesada porta de metal abrir com um estalo, deixando a luz alaranjada da tocha banhar a cela.

No retângulo de luz havia um criado da cozinha, coberto por um manto de lã. Seu rosto estava escondido sob o capuz, como proteção contra o olhar mortal da iskari. A bandeja de prata em suas mãos brilhava sob as tochas.

O guarda tirou a chave.

— Ela é toda sua.

No momento em que as palavras saíram de sua boca, o criado acertou o rosto do guarda com a bandeja. O som ricocheteou pelas paredes. As chaves caíram no chão pouco antes do guarda.

Somente um pano esvoaçante caiu da bandeja.

Com seu companheiro caído, o segundo guarda sacou seu sabre. Ele atacou o criado, que bloqueou o golpe com a bandeja de prata, chutou o guarda na virilha e bateu com a bandeja em sua cabeça.

O homem caiu como uma pedra.

Com os dois guardas inconscientes no chão, o serviçal se ajoelhou para pegar as chaves.

Asha recuou contra a parede fria e úmida, as correntes em seus punhos e tornozelos tinindo, seu coração batendo acelerado.

— Quem é você?

Em três passos, ele atravessou o espaço entre ambos e agachou. Então pegou seus punhos e deslizou o dedão sobre a protuberância dos ossos. Seus dedos eram calejados, mas gentis.

Calor percorreu o corpo de Asha. Ela conhecia aquele toque. Então soube de quem era o rosto escondido pelo capuz.

Ele repassou as chaves até encontrar aquela que abria as correntes pesadas em seus punhos. Com um clique rápido, elas foram ao chão. Quando ele voltou sua atenção para as correntes nos tornozelos dela, Asha agarrou seu manto e abaixou seu capuz.

A luz da tocha iluminou seu cabelo e brilhou em sua pele, revelando um conjunto de sardas e dois olhos preocupados.

— Torwin...

Ao som de seu nome, ele levantou a cabeça. Quando seus olhares se encontraram, Torwin soltou as correntes — só por um momento — e a puxou para si, sentindo seu cheiro e enterrando o rosto em seu cabelo. Asha passou os braços em seus ombros, apertando Torwin com força, sem querer soltá-lo nunca.

Torwin voltou a trabalhar, testando diversas chaves, desesperado para libertá-la. Então veio o clique. Ela foi aliviada de vez do peso das correntes. Quando o ar frio do calabouço roçou seus tornozelos nus, Asha o soltou.

Torwin continuou ali, agachado, olhando em seus olhos.

— Asha.

Naquela palavra, ela ouviu muito mais do que somente seu nome.

Ouviu todas as noites que ele havia passado sem dormir, andando pelos antemuros, se perguntando o que havia acontecido com ela. Ouviu todos as discussões que ele tivera com Dax, preso a uma lei antiga que sentenciava sua própria irmã à morte. Ouviu tudo o que o havia levado até ali, ao interior do palácio, com dois guardas inconscientes às suas costas e a chave da cela nas mãos.

— Você é louco — Asha sussurrou.

Abrindo o sorriso favorito dela, Torwin deslizou as mãos por seu pescoço e a beijou.

Asha, que havia se acostumado com o frio áspero do calabouço, enterrou as mãos em seu cabelo. Então o puxou para mais perto, ansiando por seu calor.

— Talvez eu seja — ele sussurrou de volta, se afastando. — Agora vamos.

Ele pegou sua mão e a puxou, ajudando Asha a levantar, então se curvou para pegar algo do chão. Era a roupa que havia caído — um manto verde-pinho. Torwin o jogou sobre os ombros de Asha, amarrando as borlas em seu pescoço, então subiu o capuz para esconder seu rosto.

Juntos, eles entraram nos vãos iluminados por tochas da masmorra. Sob as sombras compridas se alongando de parede a parede, Asha viu mais guardas inconscientes. Alguns deitados, outros com o corpo escorado nas paredes. Um deles já estava acordando, gemendo suavemente.

—Você fez isso?

—Tive ajuda.

Eles se moveram depressa através da sombra e da luz das tochas e subiram as escadas que levavam ao palácio. Aceleraram por corredores sonolentos e jardins repletos de silhuetas. Passaram por soldats fazendo a ronda noturna. Quando se deram conta de quem eles eram, Asha e Torwin já haviam descido, passado pelo pátio e atravessado o jardim.

Gritos frenéticos e o barulho de botas ecoaram atrás deles. Asha pensou que estavam indo para o portão da frente. Quando Torwin virou em um corredor que levava mais para o centro do palácio, ela parou, pensando que ele estava perdido e tentando arrastá-lo na direção oposta.

— Não — Torwin disse. — Por aqui.

Ao ver três soldats colidirem uns contra os outros, menos de vinte passos atrás, Asha decidiu confiar nele.

Assim que chegaram a um beco sem saída, Torwin a puxou por uma porta simples de madeira. Depois de fechá-la atrás deles, Asha se viu em uma estreita passagem empoeirada que cheirava a mofo.

Uma passagem secreta.

Asha havia crescido com os rumores de passagens secretas do palácio, mas nunca havia encontrado nenhuma e sempre pensou que não existiam de verdade.

— Como encontrou esse lugar?

— Dax me mostrou.

Asha ficou maravilhada. Que outros segredos seu irmão vinha escondendo dela todos aqueles anos?

—Vamos.

Ele a puxou, atravessando a escuridão marcada por pedras até outra porta, mais antiga, com dobradiças enferrujadas e madeira apodrecida. Torwin olhou através da fresta que esculpia uma linha de luz na escuridão, examinando o aposento do outro lado, para verificar se estava ocupado.

Asha se apoiou na parede fria e úmida. Conforme seu coração desacelerava e sua respiração voltava ao normal, ela começou a cair em si. Estavam cercados. Cada soldat na cidade procurava por eles. Quando fossem capturados, ela ia perdê-lo mais uma vez.

— Torwin, não temos para onde ir.

Ele não percebia? Estavam no interior do palácio, com cada soldat alerta procurando por eles.

Torwin manteve os olhos na fresta, sem dizer nada.

— Mesmo se conseguirmos fugir, mesmo se escaparmos para um lugar seguro, meu irmão seria obrigado a me caçar. Ele não pode simplesmente me deixar ir.

Torwin virou para ela.

— Preste atenção. — Ele a segurou pelos ombros. — Estamos juntos nisso. Podemos desistir e nos entregar, ou podemos fugir. Mas, seja lá qual for a escolha, será *nossa*.

Asha olhou para seu rosto sombreado. Acariciou sua bochecha e sua mandíbula.

— Está bem — ela disse. — Acho que vamos fugir.

Ele a segurou pelo punho, beijou a palma de sua mão e virou novamente para a porta.

— Pronta? — Torwin perguntou.

— Pronta pra quê?

— A porta está trancada. Vamos ter que forçar.

Asha congelou.

— O quê?

— Quando eu contar até três — ele disse.

— Um...

— Torwin...

— Dois...

Ele entrelaçou os dedos nos dela.

— Não acho que...

— *Três!*

Eles correram de encontro à porta, batendo nela com os ombros. Abriu logo na primeira tentativa. As dobradiças enferrujadas cederam e a madeira apodrecida quebrou, liberando a fechadura. Asha caiu em cima da porta, e Torwin em cima dela.

— Pelos céus, vocês rastejaram até aqui?

Uma silhueta familiar se apoiava na parede. De braços cruzados e joelhos dobrados.

— Deixei você no calabouço eras atrás.

Torwin sorriu para Safire enquanto levantava, pegando a mão de Asha para ajudá-la.

— Venham. — A nova comandante se afastou da parede. — Precisamos correr.

Eles estavam em um dos pomares. Safire os levou pelas árvores sombreadas, seus galhos retorcidos subindo na direção do céu iluminado.

A manhã havia chegado.

— Roa convenceu os nativos de que você é a nova namsara — Safire explicou enquanto eles se aproximavam de uma porta do outro lado do pomar. Ela colocou a chave na fechadura. A tranca tilintou e a porta se abriu. — Eles ofereceram refúgio a você. — Lá ficará segura... pelo menos por um tempo.

Torwin entrou primeiro na escada. Asha foi atrás, seguida de Safire, que trancou a porta. Eles subiram os degraus até um quarto escuro, onde Torwin pegou uma bolsa e a pendurou no ombro.

Quando subiram para o telhado do terraço, um dragão negro como a noite os espreitava com seu olho amarelo. Tinha esperado por muito tempo. Suas garras negras brilhavam à luz do amanhecer.

— Kozu.

Ele respondeu com um grunhido retumbante.

Torwin abriu a bolsa e tirou dois casacos de voo, dois pares de luvas e dois xales.

Asha se virou para a prima.

— Torwin tem tudo de que vocês precisam — disse Safire, então a puxou para um abraço, que deixou Asha sem ar de tão forte. Ela apertou de volta, com a visão turva pelas lágrimas.

— Já estou com saudade — Asha sussurrou. Safire a apertou ainda mais.

Ao ouvirem sons à distância, elas se separaram. Então viraram para olhar a cidade, onde tochas eram erguidas por soldats, à procura da iskari fugitiva.

— Preciso ir — disse Safire. — Antes que percebam que ajudei.

Asha virou e viu Torwin já vestido para voar, segurando um casaco para ela. Deslizou os braços pelas mangas, depois o fechou rapidamente e enrolou o xale de algodão ao redor do pescoço, e depois sobre a cabeça. Ela montou em Kozu, e Torwin a seguiu.

— Nem pense em fazer alguma idiotice, namsara — disse Safire do chão.

Asha não sabia se sorria ou se chorava.

— Nem você, comandante.

Um grito foi ouvido. Safire viu Torwin passar o braço em volta da cintura de Asha.

— Tenho que ir — ela disse, vendo seus soldats nas ruas abaixo.

Asha ainda não estava pronta para deixá-la para trás. Ela estendeu a mão. Apesar do medo, Safire fez o mesmo, apertando com força.

— Eu te amo — disse Asha.

Quando Torwin estalou a língua para Kozu, seus dedos se separaram. O dragão abriu as asas. Kozu correu para pegar impulso e mergulhou no ar. Asha se inclinou para a frente enquanto o vento assoviava ao passar por eles, depois olhou rapidamente para trás, mas as sombras já tinham engolido sua prima. Então Asha olhou mais além, para os terraços planos e os domos de cobre do palácio, e para os aposentos reais. Uma lamparina queimava em uma das janelas. Se apertasse os olhos, ela veria alguém de pé lá, olhando enquanto uma criminosa e um skral escapavam pelo céu do amanhecer.

Cinquenta

Eles voaram até o céu voltar a escurecer e as estrelas se reunirem sobre eles. Torwin continuava agitado. Como se quisesse seguir direto para a savana, sem parar. Apesar das rugas de exaustão em volta de sua boca, apesar das manchas escuras sob seus olhos, apesar de terem feito uma refeição insignificante de nozes e um pão muito duro, ele queria continuar, colocar toda a distância possível entre os dois e os horrores que deixavam para trás.

Enquanto Asha o observava, ela pensou em Sombra. Torwin devia ter visto Jarek dar o golpe mortal. Devia ter sentido o momento em que a vida de Sombra se esvaíra. Ainda devia estar sentindo a ausência de seu companheiro vermelho.

Asha não sabia como amenizar uma dor daquelas. Ou mesmo se havia como fazê-lo.

Ela sentou perto dele enquanto comiam, deixou suas coxas se encostarem. Sorriu quando seus olhares se encontraram.

Mas, mesmo ao entrelaçar os dedos nos dela, ao passar o dedão em sua bochecha ou ao olhar para ela como quem não pudesse acreditar que estivessem livres, o silêncio ainda cintilava. E o espaço entre eles parecia cheio de pontas soltas. Como fios correndo de uma tapeçaria inacabada.

—Vou ficar de guarda — ela disse depois que tinham armado a tenda.

Torwin sacudiu a cabeça.

— Não vou conseguir dormir de qualquer maneira. É melhor você descansar. — Ele pegou seu alaúde e beijou sua bochecha marcada pela cicatriz antes de seguir para uma duna. — Temos um longo dia pela frente amanhã.

Asha o observou se afastar até as sombras o engolirem.

Ela entrou na tenda.

Após um momento, ouviu um som familiar. O som polido e dourado do instrumento. Asha sentou e ficou perfeitamente imóvel só ouvindo. Até que a exaustão a venceu.

Ela deitou, fechou os olhos e deixou a música de Torwin embalar seu sono.

O cheiro de fumaça e cinza a acordou. Quando Asha sentou, viu Elorma agachado junto a uma fogueira grande o suficiente apenas para iluminar seu rosto.

Cansada demais para protestar contra fosse lá o que ele quisesse, ela sentou perto dele.

— Seus negócios comigo ainda não acabaram? — Asha abraçou os joelhos junto ao peito com força, para evitar tremer. — Fiz o que o Antigo pediu. O que mais ele quer?

Elorma sorriu, com o fogo refletido em seus olhos. Os espaços ocos de seu rosto estavam escurecidos pela sombra.

— Temo que muito mais. Seu trabalho está apenas começando, namsara.

Namsara.

Aquele nome. Levaria um tempo para ela se acostumar.

Elorma estalou os dedos e ficou de pé.

— Estou aqui para conceder seu último presente. Um hika.

Asha afrouxou os braços. Um hika. Como Elorma tinha Willa.

— O quê?

Elorma a ignorou.

— Um hika é criado só para você. Como suas matadoras foram criadas para suas mãos. Como o céu foi criado para a terra. Venha e veja seu rosto.

Mas Asha ficou onde estava, voltando a abraçar as pernas com força.

— Sou uma fora da lei — ela disse. — Sou culpada de regicídio. Essa pessoa será sentenciada a uma vida de perigo. Prefiro que seja livre.

Acima de tudo aquilo, contudo, havia uma verdade maior: Asha já amava outro.

Ela ficou de pé.

Não queria olhar para o fogo. Seu intuito era se afastar.

Mas seu olhar identificou um rosto nas chamas.

Asha se aproximou. Um garoto olhava para ela. Tinha estrelas gravadas em sua pele. Olhos tão afiados quanto suas duas matadoras.

O coração de Asha bateu forte no peito.

Ela se afastou.

O Antigo sabia tão bem quanto ela o que acontecia quando draksors se juntavam a skrals. Aquele tipo de história só podia terminar em tragédia.

— Você não pode fazer isso com ele. — Asha olhou para Elorma. — É uma sentença de morte.

Estar com Asha significava colocar a vida em risco.

— A morte não é uma desconhecida para ele. — Elorma levantou para encará-la. — E ele não tem direito a uma escolha?

Não, ela pensou. *Se o Antigo ordenar, não haverá escolha.*

Torwin passaria sua vida inteira proibido de fazer suas próprias escolhas.

— Eu não posso — ela sussurrou. — Não serei outro mestre a quem ele deve se submeter.

Ela virou e seus pés afundaram na areia fria.

— Pergunte a ele com quem sonha de noite — Elorma disse. — Pergunte com quem sonhou todas as noites nos últimos dezoito anos.

Ela parou.

A voz de Torwin surgiu em sua mente. *Eu costumava pensar que ela era algum tipo de deusa*, ele tinha dito a ela no quarto do templo, explicando seu pesadelo recorrente. *Que havia me escolhido para um destino grandioso.*

E depois, no acampamento: *Sempre sobre você.*

Elorma estava de pé atrás dela agora. Asha podia sentir sua sombra projetada sobre suas costas.

— Sabe como reconheci Willa na primeira vez que a vi?

Asha se virou e encarou o primeiro namsara.

— Tinha passado a vida sonhando com ela. — Quando ele sorriu, foi como se seus olhos fossem dois sóis queimando, quentes e brilhantes. — Willa escolheu o amor, no fim. — De maneira muito gentil, ele colocou uma mão forte no ombro de Asha. — Agora é sua vez. Porque, apesar do que pensa, você tem uma escolha. Assim como ele.

Asha pensou em algo que seu irmão dissera a ela certa vez. Se Rayan não tivesse sido egoísta, se não tivesse corrido atrás de Lillian, os dois ainda estariam vivos. Mas dizer aquilo negava a autonomia de Lillian. Tirava o poder dela. E o mais importante: implicava que a única coisa a ser aprendida da história deles era que a morte era mais forte que o amor.

Asha não acreditava naquilo.

— Mais tarde haverá mais trabalho a ser feito — disse Elorma. — Histórias a serem caçadas. E um reino a ser unificado.

O fogo crepitou atrás dele enquanto sorria ternamente para Asha.

— Nos veremos em breve, namsara.

A fogueira apagou, mergulhando Asha na escuridão.

Ela ficou parada por um longo tempo, perdida na tempestade rodopiante de seus pensamentos.

Namsara.

A rara flor do deserto que podia curar qualquer doença.

Era aquilo que Asha era.

Cinquenta e um

Asha acordou com uma música no ar. Ficou deitada quieta por um tempo, deixando o som se fundir dentro dela, preenchendo seu corpo de desejo.

Com as palavras do primeiro namsara no coração, Asha levantou e seguiu a música.

Ela encontrou o tocador de alaúde na areia, uma silhueta contra um céu tão cheio de estrelas que parecia prateado. Observou o contorno dos seus ombros e a curva de sua cabeça.

A simples imagem dele a deixava sem ar.

Ele devia ter sentido que alguém o observava, porque a música parou e Torwin ergueu o rosto para a escuridão.

— Asha? É você?

Ela permaneceu onde estava.

Ele voltou a tocar. Uma música diferente. Uma melodia familiar, que a abalava. Era a música inacabada que murmurara na Fenda. A mesma na qual tentava trabalhar quando Asha caíra no sono em sua tenda.

Em algum momento, ele a havia terminado. Enquanto a tocava, Asha podia senti-lo olhando para onde ela estava.

— Greta costumava dizer que cada um de nós nasce com uma música enterrada no fundo do coração — ele disse, sem parar de tocar. — Uma música que é toda nossa. Nossa missão na vida é descobrir qual é.

A melodia era afiada como uma faca e gentil como seus dedos ao costurar o machucado de Asha. Mergulhava na escuridão, depois subia em direção à luz. Era em si mesma um tipo de história, que a atraiu nas sombras.

Devagar, Torwin se moveu na direção dela.

— Conte de novo sobre seus pesadelos — ela disse.

Ainda dedilhando as cordas, ele deu outro passo e fez sua vontade.

— Nem sempre foram pesadelos. Antes, eram apenas sonhos. — Ela o sentiu sorrir na escuridão ao pensar. — Sobre uma menina com uma cicatriz montando um dragão negro.

A música parou e ele soltou o alaúde, que caiu na areia com uma batida suave.

— Quando você foi queimada, tive certeza de que a garota com quem sonhava era você. E então eles se transformaram em pesadelos.

Asha engoliu em seco.

— Sei o que isso significa — ele disse. — Sempre soube.

Asha sentiu os olhos arderem por causa das lágrimas.

— Vou colocar você em perigo — ela disse, admitindo seu medo mais profundo.

— Já não passamos por isso? Eu amo o perigo.

— Torwin.

— Asha. — Sua voz saiu suave e cuidadosa. — Só quis três coisas na minha vida. Um alaúde próprio para fazer minha música. Uma vida que fosse minha para fazer o que quisesses com ela. E a garota com quem sonho desde que consigo lembrar. Aquela que sempre esteve fora de alcance...

Ele se esticou, segurando seus braços, eliminando o espaço entre eles, atando os fios soltos e puídos.

— Você pode morrer — ela sussurrou.

— Todo mundo morre — ele retrucou. — Tem tantas outras coisas que me dão mais medo.

Ela sentiu um nó na garganta. Pensando em Willa, disse:

— Que a morte envie seu pior.

Torwin pousou a mão em seu pescoço, encostando sua testa na dela.

— Frio para congelar o amor no meu coração.

Seu dedão, quente ao toque, deslizou pela mandíbula dela.

— Fogo para transformar as memórias em cinzas.

Ele pressionou a boca em seu pescoço, fazendo Asha se atrapalhar com as palavras.

—Ve-vento para me obrigar a passar pelos seus portões.

Ele abriu uma trilha de beijos em seu pescoço, e Asha teve que fechar os olhos para se concentrar.

— E tempo para enfraquecer minha lealdade.

Os beijos pararam.

— Esperarei você, Torwin...

As palavras finais se perderam na maciez de sua boca.

Algum tempo depois, Asha se afastou para encerrar seus votos.

— Esperarei você nos portões da morte.

Enfim havia uma tapeçaria, e não mais fios soltos.

Uma tapeçaria terminada, inteira.

—Você promete? — ele sussurrou, segurando seus punhos e a puxando para perto.

Asha assentiu.

—Ah, mas uma vez você me fez uma promessa que nunca chegou a cumprir. Como posso confiar em você?

Ela franziu a testa.

— Que promessa?

Ele colocou as mãos em volta do pescoço dela, depois deslizou os braços até sua cintura, enquanto uma melodia doce nascia das profundezas de sua garganta. Era a música que ele estava tocando havia pouco. Enquanto murmurava, Torwin a conduziu nos passos de uma dança lenta de três compassos.

— Torwin?

— Hum?

— O que você está fazendo?

— Dançando com você.

— Não sei dançar.

— Bom, você está prestes a aprender.

Asha sorriu enquanto a música preenchia o ar em volta deles. Ela riu enquanto tropeçava nele em sua tentativa de conduzi-la. Mas seus pés não demoraram a encontrar o ritmo. Logo, ela estava girando na areia.

Ele a puxou de volta.

— Você é linda e preciosa e boa — ele sussurrou. — E eu amo você.

Asha olhou para ele, sob as estrelas, e descobriu que começava a acreditar.

Talvez Greta tivesse razão. Talvez todo mundo tivesse uma música dentro de si, ou uma história. Só sua. Se fosse o caso, Asha havia descoberto qual era a dela.

E estava só começando.

AGRADECIMENTOS

Comecei a escrever este livro aos dezessete anos. Na época eu estava apaixonada por garotas como Mulan, Eowyn, Xena e a princesa Mononoke. Queria desesperadamente histórias em que garotas usassem armas, fossem à guerra e demonstrassem valentia. Ainda não sabia, mas o que eu procurava eram mulheres rompendo um paradigma cultural que ditava quem e o que deviam ser. Estava cansada das narrativas em que as garotas eram retratadas como mais fracas, sempre vítimas. Eu não me via daquela maneira, tampouco as mulheres à minha volta.

Queria algo diferente. Então comecei a escrever esta história.

Mas foi só o começo. O que você não vê quando pega um livro da prateleira é que existem muitas pessoas envolvidas no processo de produzi-lo. Apesar do meu nome estar na capa, *A caçadora de dragões* não foi de jeito nenhum uma empreitada solitária. Então quero agradecer às pessoas que me ajudaram a tornar este livro o que ele é hoje.

Em primeiro lugar, a Heather Flaherty, minha agente ferozmente otimista, que ilumina meu mundo. Obrigada por lutar com tanto afinco por mim e por este livro. Acho que estávamos esperando por você.

A Kristen Pettit, minha doce e inimitável editora. Adoro você. Obrigada não só por tornar este livro melhor, mas por me dar tanto apoio.

À incrível equipe da Bent Agency, inclusive Jenny Bent (por tornar tantos sonhos realidade), Victoria Cappello (por ter uma paciência infinita comigo e com minhas perguntas cansativas) e minha agente britânica, Gemma Cooper, por encontrar a casa perfeita para meus livros no Reino Unido.

Um obrigada enorme a toda a equipe da HarperTeen, que ajudou a tornar este livro realidade, mais especificamente: Renée Cafiero, Allison Brown, Martha Schwartz, Megan Gendell, Vincent Cusenza, Audrey Diestelkamp, Olivia Russo, Michelle Taormina (não consigo nem contar as horas que passei olhando para a capa linda que você fez para a edição americana) e Elizabeth Lynch (por ser totalmente incrível, mas em especial por escrever o texto de quarta capa da versão original, tão bonito que me fez chorar).

À equipe inteira da Gollancz, especialmente Gillian Redfearn e Rachel Winterbottom. É ridículo como fico feliz e orgulhosa de fazer parte dessa família.

A meus coagentes internacionais e editores estrangeiros: nunca nos meus sonhos mais loucos imaginei que minhas histórias seriam traduzidas para outros idiomas e vendidas em países tão distantes do meu. Obrigada por acreditarem neste livro.

A meus primeiros leitores (de várias versões preliminares): Cassandra Roach, Kayli Kinnear, Shannon Thomson, Leslie Morgenson, Amber Sundy, Andrea Brame, Rachel Stark, Emily Gref, Franny Billingsley, Traci Chee, Renée Ahdieh, Chris Cabena, Joan He, Michella Domenici, Hope Cook, Merrill Wyatt, Kamerhe Lane, Heather Smith, Amy Mathers, Tomi Adeyemi, Isabel Ibañez, Kit Grant, Leila Siddiqui e Geoff Martin. Devo estar esquecendo alguém, então já peço desculpas!

E um obrigado superespecial a:

Franny Billingsley, por me ensinar tudo o que eu sei sobre a arte de contar histórias.

Leila Siddiqui, por seu feedback honesto e sua ajuda e gentileza no último momento.

Art e Myrna Bauman, por me deixarem usar sua cabana sempre que eu precisava escapar do mundo para escrever.

Leslie Morgenson, por me dizer tantos anos atrás que eu era uma escritora. Você me deu a coragem de seguir meu sonho.

Heather Smith e Nan Forler, pelo café, pela amizade e pelas brincadeiras.

Meus companheiros de Pitch Wars. Nunca imaginei que ia me apaixonar assim por todos vocês, mas aconteceu. É uma alegria viajar com vocês.

Minhas mentoras de Pitch Wars, Traci Chee e Renée Ahdieh. Obrigada por me arrastar para fora do buraco onde eu havia me enfiado, e por acreditar neste livro e defendê-lo. Sua orientação foi uma das melhores coisas que aconteceu comigo. Muito melhor do que os contratos literários.

Brenda Drake, agradeço pelo trabalho incansável, difícil e invisível nos bastidores da Pitch Wars. Você está mudando vidas.

Michella Domenici e Joan He, por sua amizade, seu apoio e sua disposição de deixar tudo para trás quando eu precisava de um olhar renovado e uma perspectiva diferente. Beijos mil!

Isabel Ibañez, pelas conversas de Charleston a Orlando. Por devorar este livro "como um lobo faminto". Mas, acima de tudo, por seu amor e apoio. Você é linda!

Hope Cook, por estar a apenas uma mensagem de distância sempre que eu precisava a) me derreter em uma poça de autopiedade ou b) berrar de raiva. Você é genial e eu te amo.

Chris Cabena, pelos jogos de xadrez e por me ouvir divagar sobre todos os problemas da narrativa. Gosto de você mais do que imagina.

Tomi Adeyemi, por sua amizade, sua sabedoria e seu apoio. Por falar comigo com tranquilidade e me trazer de volta ao foco. E principalmente por ter tanto orgulho de mim.

Joanna Hathaway, não sei se teria sobrevivido a este ano sozinha. Você me faz ser mais corajosa do que eu pensava possível.

Asnake Dabala, irmão e amigo querido, por me deixar abusar dos seus privilégios tipográficos. Nilimuuliza Mungu kwa ajili ya rafiki na akakuleta wewe. Obrigada por sempre estar aqui por mim.

Toda a família Cesar. Eu não seria quem sou hoje sem todos vocês. Obrigada especialmente a Nancy McLauchlin, Mary Dejonge e Sylvia Cesar, por me ensinar tudo o que sei sobre amor e coragem, e a ser honesta comigo mesma. Larry Dejonge, Brian Baldoni e Jim McLauchlin, por tornar minha infância uma aventura feliz. Pa, por me levar para a cama todas as noites por quase uma década (sentimos sua falta); Bobbi, por fazer meus almoços, me levar para as reuniões, me ensinar a prender o cabelo. Você sempre foi muito mais do que uma avó. Pertencer a todos vocês é uma das maiores alegrias da minha vida. Obrigada por me criarem.

Jordan Dejonge, por ser minha assistente de conspiração enquanto as coisas vão amadurecendo, principalmente na escrita, na aventura e na arte de ser humano. Amo você.

Pai, por sempre me apoiar e me defender. Tenho muito orgulho de ser sua filha. Jolene, por ter orgulho do meu trabalho artístico. Nathan e Graeme, por serem dois feixes de luz na minha vida.

Mãe, você é a melhor coisa que já aconteceu comigo. Seu amor é o presente mais precioso que já recebi, brilhante e valente.

Joe, por nunca duvidar de mim. Por me ajudar a passar por isto e por todo o resto. Por sempre, sempre me trazer de volta ao que acredito. Agora vá em busca do seu sonho, meu amor.

Por fim, obrigado a você, querido leitor, por ter chegado tão longe. Nunca esqueça: você não é aquilo que dizem que é, mas sim o que mora dentro de você.

1ª EDIÇÃO [2018] 3 reimpressões

ESTA OBRA FOI COMPOSTA PELA VERBA EDITORIAL EM BEMBO
E IMPRESSA PELA GRÁFICA BARTIRA EM OFSETE SOBRE PAPEL PÓLEN SOFT
DA SUZANO S.A. PARA A EDITORA SCHWARCZ EM NOVEMBRO DE 2021

A marca FSC® é a garantia de que a madeira utilizada na fabricação do papel deste livro provém de florestas que foram gerenciadas de maneira ambientalmente correta, socialmente justa e economicamente viável, além de outras fontes de origem controlada.

- editoraletramento
- editoraletramento.com.br
- editoraletramento
- company/grupoeditorialletramento
- grupoletramento
- contato@editoraletramento.com.br

- editoracasadodireito.com
- casadodireitoed
- casadodireito